KT-526-489

DICTIONNAIRE

DE **S**ciences

Economiques

ET **S**ociales

sous la direction de Philippe Deubel et Marc Montoussé

Serge d'Agostino
Agrégé de Sciences sociales

Philippe Deubel
Agrégé de Sciences sociales

Judith Leverbe
Agrégée de Sciences sociales

Marc Montoussé
Agrégé de Sciences sociales
Docteur en Sciences économiques

Gilles Renouard
Agrégé de Sciences sociales

Auteurs des chapitres : *Serge d'Agostino (9, 10, 13, 14) ; Philippe Deubel et Judith Leverbe (1, 5, 16, 17, 18, 19, 20, 21, 23, 24, 25, 26) ; Marc Montoussé (2, 3, 4, 6, 7, 8, 11, 12, 15, 22, 27, 28).*
Édition : *Anne Andrault.*
Maquette : *Olivier Randier et Edicoms.*

© Bréal, Paris, 2012
Toute reproduction même partielle interdite
ISBN 978-2-7495-3117-5

Impression & brochage **sepec** - France
Numéro d'impression : 01781120707 - Dépôt légal : août 2012

 IMPRIM'VERT®

PRÉSENTATION

Ce dictionnaire permet une double utilisation :

■ Vous pouvez l'utiliser comme un dictionnaire classique en consultant l'index en fin d'ouvrage. Toutes les notions clés à connaître en sciences économiques et sociales, du programme de seconde à celui de terminale, y figurent : **2 500 termes sont définis**. Lire le passage dans lequel est insérée la notion vous permettra de mieux en comprendre le sens et l'usage.

■ Vous pouvez l'utiliser comme un véritable ouvrage de sciences économiques et sociales pour réviser ou aborder des thèmes plus larges en faisant une lecture par chapitre.

Nous avons recensé **vingt-huit thèmes incontournables**, qui correspondent à ceux étudiés de la Seconde à la Terminale. Tous les termes spécifiques à l'enseignement des SES sont expliqués et définis. Soit la définition figure dans la page, soit un renvoi vous indique où la trouver.

Les auteurs

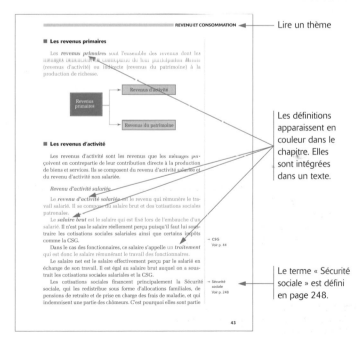

3

SOMMAIRE

1

SCIENCES ÉCONOMIQUES ET SOCIALES

Les **sciences sociales** sont les sciences qui étudient la vie des hommes en société. Elles recouvrent des domaines d'activité très divers. En effet, il n'y a pas un discours capable d'embrasser la totalité du social, mais une multiplicité de disciplines qui ont leurs propres objets, leurs propres méthodes d'investigation et leurs propres normes de scientificité. Ces disciplines vont de l'économie à la sociologie en passant par la démographie, la science politique, la psychologie sociale ou encore l'anthropologie et l'ethnologie.

Le champ des sciences économiques et sociales est donc un champ pluridisciplinaire (la **pluridisciplinarité** étant la juxtaposition de disciplines voisines) qui ne débouche pas nécessairement sur l'interdisciplinarité (interaction de deux disciplines produisant des concepts mutuels et des méthodes analogues) ou la **transdisciplinarité** (symboles et démarches communs à un certain nombre de disciplines).

A L'ethnologie

L'**ethnologie** se définit comme la science qui étudie les sociétés exotiques, ou traditionnelles, ou primitives, par opposition à la sociologie qui s'intéresse plutôt aux sociétés complexes ou modernes. La démarche de l'ethnologue comporte souvent un moment d'**ethnographie**, qui est la transcription des données premières sur le terrain. Vient ensuite le travail scientifique proprement dit, qui insiste sur l'effort d'explicitation, donc sur l'apport théorique de la recherche.

Si l'ethnologie, au sens strict, est un travail de collecte et d'interprétation des données, l'anthropologie a plutôt une ambition comparatiste et généralisante. Étymologiquement, l'**anthropologie** est la science de l'homme.

Elle comporte différentes disciplines, comme l'**anthropologie physique**, science qui étudie les caractères somatiques généraux ou distinctifs des êtres humains, et l'anthropologie sociale, science ayant pour objet privilégié l'organisation sociale des sociétés traditionnelles. Elle devient même chez C. Lévi-Strauss l'étude comparative de l'homme en société. L'**anthropologie économique** est une science qui part du principe que l'économie n'est pas une sphère autonome. Elle se propose donc d'étudier les rapports sociaux d'après trois fonctions, dont la combinaison constitue le système économique d'une société : l'accès des groupes aux richesses et aux méthodes de production ; le déroulement du ***procès du travail***, c'est-à-dire les modalités par lesquelles les membres d'une société transforment la nature dans la perspective de satisfaire leurs besoins (ces modalités recouvrent les relations des hommes entre eux dans leur rapport à l'environnement, sur la base d'une technologie donnée) ; la circulation et la distribution du produit du travail.

Toutes ces distinctions sont fragiles et beaucoup de chercheurs emploient aujourd'hui indifféremment les termes ethnologie, ethnographie, anthropologie.

Il est cependant possible de distinguer les acquis de l'ethnologie par rapport aux disciplines voisines. L'ethnologie a permis de mettre en avant le ***relativisme culturel***, principe selon lequel les diversités culturelles sont autant de modalités singulières d'appréhender le monde, que l'on ne peut ni hiérarchiser ni réduire les unes aux autres. L'ethnologie a aussi porté l'accent sur la dimension symbolique des phénomènes sociaux comme les ***mythes*** (tentatives d'explication du monde qui constituent le fondement et le ciment d'une communauté) et les ***rituels*** (attitudes, gestes propres à une communauté, qui se répètent invariablement dans des circonstances précises, comme, par exemple, dans la cérémonie religieuse). Enfin, l'ethnologie a pour donnée essentielle l'expérience de l'***altérité***, distance de l'ethnologue par rapport à son objet d'étude, qui est une des conditions nécessaires à l'acquisition d'un regard critique à la fois sur autrui et sur soi-même.

◄ **Échelle d'attitude** Voir p. 473

B La science politique

La science politique est la science qui analyse les différentes dimensions du fait politique. La science politique s'est structurée autour de la constitution progressive d'un savoir portant sur des phénomènes aussi divers que la mobilisation électorale, le rôle des idéologies ou encore les variables lourdes du comportement électoral. Le ***politologue*** (parfois appelé ***politiste***) est le spécialiste qui consacre sa recherche et sa réflexion au fait politique.

Certains sociologues, comme Pierre Bourdieu, récusent l'idée d'une science autonome de l'action politique, tandis que d'autres réduisent la science politique à la ***sociologie politique*** (sociologie dont l'objet est l'étude des comportements politiques). D'autre part, les ambiguïtés qui subsistent sur le vocable « politique » conduisent à des définitions différentes de ce champ scientifique. Dans une acception restreinte, la science politique serait l'étude de l'État et des institutions publiques. Le politiste s'intéresse alors à des thématiques aussi diverses que l'impact des modes de scrutin sur les résultats de l'élection ou encore sur la mise en œuvre de principes de démocratie participative...

Mode de scrutin ▶
Voir p. 460
Démocratie participative ▶
Voir p. 455

Dans une acception plus étendue, le *politique* est défini comme l'ensemble des régulations qui contribuent à unifier et à pérenniser l'espace social. On ne considère pas que la sphère politique joue un rôle à part dans la société, différent des autres activités sociales, mais que « tout est politique », aussi bien l'élection du chef d'État que l'éducation des enfants, la volatilité électorale ou la répartition des rôles hommes/femmes.

Volatilité électorale ▶
Voir p. 480

La langue anglo-saxonne dispose d'ailleurs de deux termes pour désigner les différents pôles du champ politique :

– le terme « *policy* » désigne les programmes, décisions et actions imputables aux autorités politiques (ex. : la politique étrangère de la France) ;

– le terme « *politics* » désigne les processus liés à l'exercice et à la conquête du pouvoir d'État (ex. : la stratégie d'un parti).

C La psychologie sociale

La *psychologie sociale* est l'étude des interactions entre les individus en tant que membres d'un groupe social. Cette étude est bien souvent celle de l'*influence sociale*, qui est la possibilité d'orienter les jugements, les comportements ou les décisions d'autrui, sans user de la contrainte et sans qu'il y ait de processus explicite de récompense. En mettant l'accent sur l'individu et sur la société, la psychologie sociale se trouve en contact étroit avec la psychologie ainsi qu'avec la sociologie et l'ethnologie.

À l'origine considérée comme une science de l'âme d'inspiration philosophique, la *psychologie* est devenue, à la fin du XIXᵉ siècle, une discipline scientifique ayant pour but de déterminer les lois qui règlent les états psychiques des individus observés à travers leurs manifestations comportementales. Alors que la psychologie s'intéresse à l'individu (ses perceptions, ses motivations, etc.), la psychologie sociale recherche les facteurs sociaux des comportements individuels (normes familiales, influence du groupe de pairs, etc.).

L'objet d'étude de la psychologie sociale est généralement le *groupe restreint*, que l'on définit comme un groupe de taille réduite caractérisé par la possibilité d'interaction entre ses membres, par opposition aux groupements larges, comme les classes sociales.

◄ Groupe restreint
Voir p. 13

◄ Classe sociale
Voir p. 367

Dans ce cadre, les psychosociologues ont particulièrement exploré la *dynamique* des groupes (lois sur le comportement du groupe et les relations entre le groupe et les individus qui le composent). Ainsi, dans les années 1930, les travaux de l'école des relations humaines ont amené à reconsidérer l'analyse de l'efficacité individuelle du travail dans l'entreprise à la lumière des relations internes qui se nouent dans le collectif de travail.

Autre développement important, la *sociométrie*, inventée par Moreno en 1954, est l'ensemble des techniques cherchant à mesurer les relations interpersonnelles dans un groupe donné. L'accent est mis sur les préférences positives ou négatives exprimées par les membres du groupe à l'égard les uns des autres. Ces relations affectives sont synthétisées dans un document appelé sociogramme.

D La démographie

L'expression « démographie » est apparue en 1855 sous la plume d'A. Guillard. La *démographie* est une science qui a pour objet l'étude de l'état des populations humaines et de leurs mouvements. Le terme « *population* » désigne toute catégorie d'êtres vivants envisagée sous l'angle d'une caractéristique commune. On portera par exemple, l'attention sur un groupe d'hommes ayant un habitat commun ou des caractéristiques biologiques ou sociales similaires. On parlera ainsi de la population masculine ou féminine, ou encore de la population de la ville de Paris.

L'*état de la population* rend compte de la situation d'une population appréhendée selon un ensemble de caractéristiques, par exemple, son importance numérique, son évolution, sa répartition dans l'espace, sa composition par sexe, par âge ou par profession. Le démographe porte notamment un intérêt particulier à l'analyse du vieillissement démographique.

La *démographie pure* (ou *démographie rationnelle*) est une science qui a le projet d'étudier les faits démographiques, à savoir les naissances, décès, longévités, migrations, etc., sans tenir compte des contingences qui contrarient le déroulement de ces phénomènes. Ce projet est cependant en partie illusoire, car la démographie est une science sociale qui se heurte aux mêmes difficultés que les autres sciences sociales, à savoir la difficulté d'isoler les faits qu'elle étudie de l'influence de variables parasites. Ainsi, la fécondité des populations n'est pas sans rapport avec la volonté des gouvernements d'influencer le nombre des naissances. De même, l'espérance de vie n'est pas sans rapport avec les mesures d'hygiène, l'âge de la retraite, les politiques de santé...

On distingue la démographie quantitative de la démographie qualitative.

La **démographie quantitative** est une science qui décrit les phénomènes touchant la vie des populations : naissances, décès, mouvements migratoires. Pour cela, elle dispose d'instruments spécifiques (tables de mortalité, indicateurs synthétiques) et utilise deux méthodes :

– la **méthode longitudinale** (ou méthode diachronique) est une méthode qui consiste à observer une cohorte au cours du temps. La cohorte est la population réelle que l'on suit : par exemple, on observera à chaque rentrée le devenir scolaire des individus nés une année donnée. La méthode longitudinale est une méthode d'une grande exactitude, mais qui demande un suivi des populations et un délai important pour enregistrer les résultats : on attend une centaine d'années avant de connaître l'espérance de vie d'une génération humaine ;

– la **méthode transversale** (ou méthode synchronique) est une méthode qui étudie une population à un moment donné du temps : les résultats sont immédiats, mais entachés d'erreur ou d'incertitude, car on constitue une **génération fictive**, c'est-à-dire une génération construite à laquelle sont appliqués les mêmes taux (de fécondité ou de mortalité), une année donnée, à des individus issus de générations différentes. Par exemple, pour l'année 2012, on fera la somme des taux de fécondité des femmes des différentes générations et on obtiendra le taux de fécondité générale.

La **démographie qualitative** est une science qui interprète les différentes mesures effectuées sur les populations en faisant appel aux autres sciences sociales. Ainsi, l'analyse des structures démographiques (transition démographique) ou la mise à jour de l'impact de la notion de cycle de vie sur certains comportements économiques nécessitent de mêler les apports des différentes sciences sociales.

Cycle de vie ▶
Voir p. 289

Toutes ces analyses constituent la base des politiques démographiques, qui sont les actions des pouvoirs publics pour modifier les événements relatifs à la naissance et à la mort des individus. Par exemple, la politique familiale est l'ensemble des mesures ayant pour objectif de réguler le nombre des naissances dans une population donnée, ainsi que de réduire le coût des enfants (par le biais de la distribution d'allocations familiales) et d'améliorer le sort des familles les plus démunies (redistribution verticale).

◄ Allocations familiales
Voir p. 251

◄ Redistribution verticale
Voir p. 253

E La science économique

Le terme « *économie* », dans son acception la plus courante, désigne l'ensemble des activités sociales qui concourent à la production, à la répartition et à la consommation des richesses. Il est également utilisé pour désigner la science qui étudie ces mécanismes : l'économie au sens de *science économique*. L'origine étymologique du terme (*oikos*, la maison, et *nomos*, la règle ou la loi) renvoie, chez Aristote (335-322 avant J.-C.), à la couverture des besoins de subsistance et, ainsi, à la « bonne » gestion de la maison, du domaine, du milieu environnant.

Autour de cette définition très générale, l'histoire de la science économique s'est déclinée en une multitude d'approches :

– l'*économie politique selon A. Smith* est la science qui a pour but d'enrichir a la fois le peuple et le souverain. A. Smith s'est intéressé en particulier au libre échange, à la régulation économique par le marché, etc.

◄ Smith
Voir p. 515

– l'*économie politique selon K. Marx* est une science qui étudie non seulement la façon dont les hommes produisent, consomment et échangent, mais aussi les rapports de production qui sont le cadre de leurs activités. Marx possède donc une vision plus englobante de l'économie politique en l'inscrivant dans la permanence historique de la lutte des classes. Les historicistes sont assez proches de cette conception quand ils affirment que l'économie de marché n'est qu'un exemple parmi d'autres d'organisation économique et sociale.

◄ Marx
Voir p. 525

◄ Économie de marché
Voir p. 56

– l'*économie selon l'école néoclassique* est la science qui « recherche comment les hommes décident, en faisant ou non usage de la monnaie, d'affecter des ressources productives rares à la production, à travers le temps, de marchandises et de services variés, et de répartir ceux-ci à des fins de consommation présente et future entre les différents individus et collectivités constituant la société » (P. Samuelson, *L'Économique*).

◄ Courant de la synthèse néoclassique
Voir p. 534

◄ Samuelson
Voir p. 534

En effet, dans les économies anciennes ou primitives, l'acte économique est un ensemble d'interactions entre l'homme et l'environnement, qui demeurent imbriquées dans les relations sociales. Dans ce type d'économie, l'*abondance* (situation où il y a une grande quantité de biens et services disponibles : chacun peut satisfaire ses besoins et ceci de manière illimitée) alterne avec la *pénurie* (situation où l'offre est inférieure à la demande : tous les besoins ne sont pas satisfaits). Il ne faut d'ailleurs pas confondre la situation de pénurie avec la situation de rareté. Dans une économie moderne, tous les biens, ou presque, sont relativement rares.

Rareté ▶
Voir p. 20

Ces définitions différentes recouvrent des traditions méthodologiques également différentes que l'on peut schématiser en deux points de vue opposés :

– l'école historique allemande prend parti pour l'*induction* : type de raisonnement selon lequel il faut partir des faits pour aboutir à une proposition générale ; cette école suggère qu'il n'y a pas de loi universelle et que l'économie politique a pour mission de décrire la réalité historique et son évolution ;

– l'école autrichienne s'en remet plutôt à la *déduction* : type de raisonnement selon lequel il faut tirer toutes les conséquences d'un principe par une série de raisonnements logiques, avant de rencontrer les faits.

Aujourd'hui dominante en économie, la méthode déductive s'appuie sur l'élaboration de modèles. Un *modèle* est une représentation simplifiée de la réalité, sur laquelle le scientifique fait porter son analyse. Ces modèles ne sont pas réalistes. On ne peut donc pas leur reprocher leur absence de ressemblance avec la réalité (par exemple, le jugement selon lequel le modèle de concurrence pure et parfaite ne décrit pas le fonctionnement concret des marchés). Ils sont des constructions intellectuelles qui permettent d'éclairer le réel par l'écart enregistré entre celui-ci et cette construction abstraite.

Concurrence pure
et parfaite ▶
Voir p. 56

Ces modèles reposent sur des hypothèses et sont souvent formalisés à partir d'une analyse mathématique. On entend par *formalisation* l'exposition d'une situation dans un langage précis et rigoureux permettant de définir les concepts de façon unique et d'énoncer les propositions sous une forme ramassée. La formalisation est un outil de démonstration et de calcul grâce auquel on peut confronter la théorie avec les observations empiriques.

F La sociologie

Il n'existe pas de définition unique de la sociologie.

La *sociologie selon Durkheim* est la science des faits sociaux. La *sociologie selon Weber* est une science compréhensive de l'action sociale, prenant appui sur la signification que les agents sociaux donnent à leurs conduites.

◄ **Durkheim**
Voir p. 496
◄ **Weber**
Voir p. 498

Au cours de la seconde moitié du XIXᵉ siècle, beaucoup d'auteurs ont voulu réagir contre la conception positiviste de l'unité des sciences en affirmant l'idée d'une coupure entre les sciences de la nature et les sciences de l'esprit :

– les *sciences de la nature* sont des sciences qui se caractérisent par l'existence d'un objet extérieur sur lequel on construit un discours objectif en ayant recours à l'explication ;

– les *sciences de l'esprit* sont des sciences dites compréhensives : elles font appel à l'introspection pour comprendre la signification des conduites humaines ; c'est ainsi que Wilhem Dilthey (1833-1911) propose de mettre en avant le concept d'herméneutique, qui est une démarche d'interprétation des manifestations concrètes de l'esprit humain. D'autres auteurs, comme Wilhem Windelband (1848-1915) et Heinrich Rickert (1863-1936), affirment que les sciences de la nature sont des *sciences nomologiques* (sciences qui visent à produire des propositions de portée générale, que l'on qualifie d'apodictiques) alors que les sciences de l'esprit sont des *sciences idiographiques* (sciences qui formulent des propositions se rapportant à un objet particulier, propositions dites assertoriques).

Si de nombreux épistémologues relativisent aujourd'hui l'opposition entre sciences de la nature et sciences de l'esprit, il n'en reste pas moins que l'objectivité est assez difficile à atteindre en sociologie parce que la connaissance est souvent liée aux intérêts des acteurs sociaux. En effet, dans la tradition positiviste, l'*objectivité* est la mise en évidence de relations entre des phénomènes, sans intervention du sujet connaissant. Elle repose sur l'abandon des prénotions et la soumission au verdict des faits. Aujourd'hui, cette vision sommaire est abandonnée au profit de la mise en évidence du *processus d'objectivation du réel* : processus de construction des faits reposant sur la définition de concepts par le chercheur et l'explicitation de ses techniques d'enquêtes. Les faits sont construits, ils ne sont pas donnés immédiatement à l'observateur. Ce travail scientifique permet au sociologue d'éviter le reproche de *sociocentrisme* (analyse des phénomènes sociaux en fonction des valeurs et des représentations propres à son groupe d'appartenance).

Groupe d'appartenance ▷
Voir p. 345

La conception ci-dessus de la sociologie permet la confrontation des théories avec les faits, chère à Karl Popper. Popper propose en effet d'évaluer une théorie en fonction d'un certain nombre de critères. Une théorie sera d'autant plus crédible qu'elle explique un nombre considérable de données d'observation distinctes. De plus, pour l'auteur de la *Logique de la découverte scientifique*, l'idée de vérification est une idée préscientifique. La vérification d'une hypothèse consiste à éprouver celle-ci à partir d'un certain nombre d'expériences pour en établir la vérité. Or, pour Popper, la notion de vérité n'appartient pas au champ scientifique. Une proposition scientifique n'est jamais vraie. Elle est « non fausse », et ceci de manière provisoire. Les énoncés de la science obéissent au *critère de réfutabilité*, c'est-à-dire qu'ils consistent en un ensemble de conjectures et de réfutations dans lequel la relation avec les faits détermine la consistance d'une théorie. En d'autres termes, les théories ont une durée de vie limitée, jusqu'à ce que les faits établissent leur incomplétude.

2

LA PRODUCTION

A **Qu'est-ce que la production ?**

B **L'activité de production**
- La mesure de la production
- Les facteurs de production
- La productivité des facteurs de production
- Les coûts de production
- La fonction de production

C **Les producteurs**
- La nature et les objectifs des entreprises privées
- La mesure de la performance des entreprises
- Les producteurs non capitalistes
- Les secteurs de l'activité économique

A Qu'est-ce que la production ?

La **production** est l'activité socialement organisée qui consiste à créer des biens et des services contribuant à satisfaire des besoins ou à produire d'autres biens et services.

Donc, au sens strict, pour qu'il y ait production, certaines conditions doivent être réunies :

• L'activité doit être socialement organisée (par la société) ; ce qui signifie qu'elle doit être légale, déclarée aux autorités publiques et qu'elle doit s'acquitter des différents devoirs relatifs à sa situation. Ainsi, la **production domestique**, qui désigne le résultat du travail réalisé par les ménages dans le cadre domestique, c'est-à-dire en dehors du travail rémunéré, n'est pas au sens strict une production. De la même façon, la production n'englobe pas les richesses créées par le travail au noir.

Travail au noir ►
Voir p. 156

• L'activité doit créer des produits (un **produit** est un bien ou un service résultant de la production). Ainsi, tout ce qui est offert par la nature (l'air par exemple) n'est pas un produit, car cela ne provient pas de l'activité productive. La production permet de lutter contre la **rareté** (insuffisance de produits consommables par rapport aux besoins potentiels). Il existe deux sortes de produits : les biens et les services. Un bien est un produit matériel alors qu'un service est un produit immatériel. Parmi les biens, on distingue habituellement le **bien durable** (bien ayant une durée d'utilisation importante – bien électroménager par exemple) du **bien non durable** (bien détruit dès sa première utilisation – bien alimentaire par exemple). Parmi les services, on distingue le **service marchand** qui est un service acheté directement par son utilisateur (coupe de cheveux chez un coiffeur, transport dans un taxi...) du **service non marchand** qui est principalement financé par la collectivité grâce aux prélèvements obligatoires (cours dans un lycée public, sécurité grâce à la police...).

Prélèvements obligatoires ►
Voir p. 126

Ainsi la **production marchande** englobe-t-elle la production des biens (par convention, tous les biens sont considérés comme marchands) et des services marchands qui résultent de la production des entreprises. La **production non marchande** désigne la production de services non marchands qui résulte de l'activité des administrations.

Administration ►
Voir p. 36

• La finalité de ces produits est de satisfaire directement les besoins humains ou de contribuer à la production d'autres produits. Les **biens et services de consommation** sont les produits directement utilisés pour la consommation, donc pour la satisfaction des besoins humains. Un **besoin économique** est un manque, une envie qui peut être satisfaite par la consommation de biens et de services.

On distingue le **besoin primaire** qui est un besoin économique dont la satisfaction est nécessaire à la survie (besoin de s'alimenter par exemple) du **besoin secondaire** qui est un besoin économique dépendant de la société ou du groupe social dans lequel l'individu évolue (besoin d'une automobile par exemple).

Les **biens et services de production** sont les produits réutilisés dans le processus de production afin de contribuer à la production d'autres produits. Parmi ces derniers, on distingue les **biens et services intermédiaires** qui sont des biens de production consommés, donc détruits au cours du processus de production (matières premières et produits semi finis) des **biens d'équipement** qui sont des biens de production ayant une longue durée d'utilisation et qui peuvent servir durant plusieurs cycles de production (machines, et bâtiments par exemple).

B L'activité de production

■ La mesure de la production

La production d'une entreprise comprend tous les biens et services qu'elle vend. Elle n'équivaut pas à sa contribution réelle à la production nationale, car elle comprend les biens et services qu'elle a achetés, donc qu'elle n'a pas produits. C'est pour cela que l'on utilise la notion de valeur ajoutée.

La **valeur ajoutée** désigne la contribution réelle d'une entreprise, d'une administration, d'une branche ou d'une économie à la création de richesses économiques. Elle se calcule en soustrayant à la valeur de la production les consommations intermédiaires.

◄ **Branche**
Voir p. 136

Les **consommations intermédiaires** désignent le montant des achats de biens intermédiaires et de services qui sont entrés dans le processus de production.

Pour déterminer la production d'un pays, on ne doit pas additionner les productions, car cela reviendrait à comptabiliser plusieurs fois les mêmes biens et services (d'abord par l'entreprise qui a réellement produit ces biens et services, puis par l'entreprise qui les a achetés pour les transformer). Il est donc nécessaire de faire la somme des valeurs ajoutées.

Agrégats ▶
Voir p. 138

Les deux agrégats les plus fréquemment utilisés sont le produit intérieur brut (PIB) et le produit national brut (PNB).

Le *PIB (produit intérieur brut)* est la somme des valeurs ajoutées réalisées par les entreprises et les administrations résidant sur le territoire national, quelle que soit leur nationalité. Du point de vue de la comptabilité nationale :

Entreprise ▶
Voir p. 30
Administration ▶
Voir p. 36

$$PIB = \frac{\text{Somme des valeurs ajoutées brutes} + \text{TVA} + \text{Droits de douane}}{- \text{Subventions à l'importation}}$$

Le PNB est moins fréquemment utilisé que le PIB.

Le *PNB (produit national brut)* est la somme des valeurs ajoutées réalisées par les entreprises et administrations de la nationalité du pays. Du point de vue de la comptabilité nationale :

$$PNB = \frac{\text{PIB} + \text{Revenus de facteurs versés par le reste du monde}}{- \text{Revenus de facteurs versés au reste du monde}}$$

Le *PIB par habitant* qui se calcule en faisant le rapport entre le PIB d'un pays et son nombre d'habitants offre une indication sur la richesse des pays.

Le PIB peut être décomposé en PIB marchand et PIB non marchand. Le *PIB non marchand* est la partie du PIB qui comptabilise uniquement les valeurs ajoutées réalisées par les administrations publiques (l'État) ou privées (associations par exemple) qui proposent à la collectivité, à titre gratuit ou quasi gratuit, des services marchands. Le *PIB marchand* comptabilise uniquement les valeurs ajoutées réalisées par les entreprises qui produisent et offrent sur le marché des biens et services marchands.

**Administration
publique** ▶
Voir p. 36
Association ▶
Voir p. 36

Le calcul du PIB s'effectue obligatoirement en unité monétaire, mais celle-ci peut avoir été déflatée (corrigée de la variation des prix) ou non.

Le *PIB en valeur* (appelé aussi *PIB en euros courants*) est le PIB exprimé en unités monétaires dont la valeur change avec la variation des prix. Ainsi, en période d'inflation, le PIB ne s'accroît pas seulement en raison d'une augmentation des richesses créées, mais aussi en raison d'une augmentation des prix.

Inflation ▶
Voir p. 105

Le *PIB en volume* (ou *PIB en euros constants* d'une année de base donnée) est le PIB exprimé en unité monétaire déflatée, ce qui signifie que la valeur du PIB est corrigée des effets de la variation des prix.

$$\text{PIB en volume} = \frac{\text{PIB en valeur}}{\text{Indice des prix} \times 100}$$

Le PIB n'est pas un indicateur exact de création de richesses. Ainsi, par certains aspects, le PIB surestime la création de richesses : c'est le cas des dépenses de défense ou de restauration de l'environnement qui sont considérées comme une production, mais qui en réalité ne font que pallier en partie les effets pervers d'autres productions ; c'est aussi le cas de la production d'alcool ou de tabac qui peut nuire à l'intérêt général, donc diminuer la richesse réelle.

Par d'autres aspects, le PIB sous-estime la création de richesses : le travail au noir et surtout le travail domestique sont de véritables sources de richesse, pourtant non comptabilisées dans le PIB.

◄ **Travail au noir**
Voir p. 156

■ Les facteurs de production

Pour produire, les entreprises et les administrations utilisent des *facteurs de production* qui désignent les différents éléments mis en œuvre dans le cadre du processus de production. On distingue généralement deux facteurs de production principaux qui sont le travail et le capital technique :

– le *travail* est une activité humaine dont le but est de contribuer à la production de biens et de services ; c'est un facteur de production que les entreprises et les administrations achètent ;

– le *capital technique* est un facteur de production qui se décompose en capital fixe et en capital circulant. Le *capital circulant* désigne le capital technique qui est amené à être transformé ou détruit au cours du processus de production ; il s'agit des biens intermédiaires tels que les matières premières et les produits semi-finis. Le *capital fixe* est le capital technique durable utilisé durant plusieurs cycles de production ; il s'agit essentiellement des biens d'équipement et des locaux. L'acquisition de capital fixe s'appelle l'investissement.

◄ **Investissement**
Voir p. 139

Les entreprises et les administrations utilisent nécessairement ces deux facteurs de production. La *combinaison productive* désigne la proportion de capital technique et de travail utilisée pour produire. Celle-ci peut être plus ou moins capitalistique, c'est-à-dire incorporer proportionnellement plus ou moins de capital. L'*intensité capitalistique*, qui est le rapport entre la quantité de capital et celle de travail utilisée pour produire, indique si une activité utilise proportionnellement beaucoup ou peu de capital. On peut aussi calculer le *coefficient de capital*, qui est le rapport entre la quantité de capital et le volume de la production. Il s'agit de l'inverse de la productivité du capital.

Productivité
du capital ►
Voir p. 26

Au sein de la combinaison productive, les facteurs de production peuvent être complémentaires ou substituables.

Il y a *complémentarité des facteurs de production* lorsqu'il n'existe pour chaque niveau de production qu'une combinaison productive possible. Dans ce cas, la proportion de facteurs de production est fixe et l'on ne peut pas substituer un facteur à un autre. L'exemple le plus fréquent de la complémentarité des facteurs de production est celui de l'activité de transport en taxi : à chaque taxi correspond un chauffeur et à chaque chauffeur correspond un taxi (dans la réalité on pourrait imaginer un taxi pour trois ou quatre chauffeurs se relayant de jour comme de nuit).

Il y a *substituabilité des facteurs de production* lorsqu'il existe pour chaque niveau de production un grand nombre de combinaisons possibles. Dans ce cas, il est possible de substituer un facteur à un autre. Ainsi, pour terrasser une route, il est possible d'utiliser des centaines de travailleurs armés de pelles et de pioches ou quelques travailleurs aidés par des bulldozers.

Le choix de la combinaison productive résulte d'un calcul technique et économique ayant pour objectif de maximiser l'efficacité et d'atteindre l'efficience.

L'*efficacité* est la qualité de ce qui produit les effets attendus.

L'*efficience* est la qualité de la solution la plus favorable en termes de coûts et d'avantages. Ainsi, il existe plusieurs combinaisons productives efficaces, mais une seule est efficiente, il s'agit de celle qui offre une quantité produite maximale pour un coût minimal. Il s'agit donc de maximiser l'*output* et de minimiser les coûts des *inputs*. L'*output* désigne le résultat de l'activité productive, c'est-à-dire la quantité produite ; les *inputs* désignent les éléments qui entrent dans le processus productif, c'est-à-dire les facteurs de production.

Pays
développés ►
Voir p. 164

Dans les pays développés, le coût de la main-d'œuvre est élevé comparativement à celui du capital. Dans ces pays, on a donc tendance à substituer le capital au travail. La *substitution du capital* au travail désigne le phénomène qui aboutit à utiliser de plus en plus de capital et de moins en moins de travail pour un même niveau de production. Autrement dit, la combinaison devient plus capitalistique et le coefficient de capital augmente.

■ La productivité des facteurs de production

L'efficacité de la combinaison productive se mesure par la productivité. La production résulte de la mise en œuvre de différents facteurs de production ; la ***productivité*** désigne la contribution de chacun des facteurs de production à la production totale.

Il est nécessaire de distinguer la productivité physique de la productivité en valeur ; la première nous informe sur le nombre de produits qu'une unité de facteur de production contribue à produire, alors que la seconde tient compte du prix de la production.

La ***productivité physique du travail*** désigne la contribution d'une certaine quantité de travail (heure, année…) au volume de la production. Ses deux principaux indicateurs sont la productivité horaire du travail et la productivité annuelle par actif occupé :

$$\text{Productivité horaire du travail} = \frac{\text{Nombre d'unités produites}}{\text{Nombre d'heures de travail}}$$

$$\text{Productivité annuelle par actif occupé} = \frac{\text{Nombre d'unités produites dans l'année}}{\text{Nombre d'actifs occupés}}$$

La ***productivité physique du capital*** indique la contribution d'une certaine quantité de capital (généralement un certain nombre de machines) au volume de la production.

$$\text{Productivité physique du capital} = \frac{\text{Nombre d'unités produites}}{\text{Quantité de capital utilisé}}$$

Comme il n'est pas possible d'additionner différents types de capital, la productivité physique du capital ne tient compte que de la contribution d'un seul élément. Le rendement agricole est un exemple de productivité physique du capital, car il indique la quantité produite (nombres de quintaux par exemple) par hectare de terre (facteur capital).

La ***productivité en valeur du travail*** est une mesure de la productivité du travail qui tient compte du prix de la production et du prix du travail.

$$\text{On peut la définir par :} \quad \frac{\text{Valeur ajoutée}}{\text{Coût du travail}}$$

**Pays en dévelop-
pement** ►
Voir p. 165

Ainsi, la productivité en valeur du travail est généralement plus forte là où le coût du travail est moins élevé (dans certains pays en développement par exemple).

L'Insee utilise surtout comme indicateur la ***productivité appa-rente du travail*** qui est une mesure de la productivité du travail obtenue par le rapport entre la valeur ajoutée et les effectifs employés. Le qualificatif « apparente » souligne que la productivité du travail n'indique pas la seule contribution du facteur travail ; ainsi, l'augmentation de la productivité du travail provient souvent de l'acquisition de capital plus productif.

La ***productivité en valeur du capital*** est une mesure de la productivité du capital qui tient compte du prix de la production et du prix du capital.

$$\text{On peut la définir par : } \frac{\text{Valeur ajoutée}}{\text{Coût du capital}}$$

Il est nécessaire de distinguer la productivité du capital installé de la productivité du capital utilisé, car les équipements sont parfois sous-utilisés.

La ***productivité du capital installé*** est une mesure de la productivité du capital obtenue par le rapport entre la valeur ajoutée et le coût du capital installé ; elle prend en compte la totalité du capital dont l'entreprise dispose.

La ***productivité du capital utilisé*** est une mesure de la productivité du capital obtenue par le rapport entre la valeur ajoutée et le coût du capital utilisé ; elle ne prend en compte que le capital que l'entreprise utilise réellement.

En cas de sous-utilisation du capital, la productivité du capital utilisé est supérieure à celle du capital installé. Généralement, en période de crise, la baisse de la productivité du capital (installé) s'explique davantage par une sous-utilisation du capital que par une perte d'efficacité de celui-ci.

Résidu ►
Voir p. 163

La ***productivité globale des facteurs*** de production correspond au résidu, c'est-à-dire à la partie non expliquée de la croissance par la variation de la quantité des facteurs.

**Facteurs de
production** ►
Voir p. 23

La productivité marginale d'un facteur de production indique la production induite par l'emploi d'une unité supplémentaire de ce facteur de production. Celle-ci peut être croissante, constante ou dé-croissante. Elle est croissante lorsque chaque unité additionnelle de facteur de production a une productivité supérieure à la précédente, décroissante lorsqu'elle est inférieure à la précédente et constante lorsqu'elle est égale à la précédente. La théorie économique considère généralement qu'à partir d'un certain seuil, la productivité marginale est décroissante. C'est ce que l'on nomme la loi des rendements décroissants.

Loi des rendements décroissants : principe selon lequel, au fur et à mesure que l'on augmente la quantité d'un facteur de production (les autres restant à quantité constante), la production augmente moins fortement.

La loi des rendements décroissants a d'abord été présentée par Turgot, qui a noté que l'augmentation des dépenses en semences, irrigation, etc., ne peut induire une augmentation proportionnelle de la production agricole ; puis par Ricardo, qui affirme que, comme les parcelles de terre les plus fertiles sont cultivées les premières, chaque nouvelle terre mise en culture a un rendement plus faible que la précédente. Cette loi des *rendements décroissants* est largement reprise par les néoclassiques. Il s'agit ici de rendements factoriels (rendements de chaque facteur de production), mais on peut aussi prendre en compte les rendements d'échelle.

◄ **Turgot**
Voir p. 514

◄ **Ricardo**
Voir p. 518

◄ **École néoclassique**
Voir p. 520

Les *rendements d'échelle* (*rendements de la combinaison productive*) se mesurent par le rapport entre la variation de la quantité produite (*output*) et le du volume des facteurs de production (*inputs*). On parle de *rendements croissants* lorsqu'une augmentation des *inputs* induit une augmentation plus forte de la production ; *rendements constants* quand les deux varient au même rythme et *rendements décroissants* lorsque l'augmentation des facteurs de production induit une augmentation plus faible de la production.

■ Les coûts de production

Les *coûts de production* sont la somme des dépenses engagées par les entreprises (ou les administrations) pour produire. Ils dépendent du prix des facteurs de production.

Il est tout d'abord nécessaire de distinguer les coûts fixes des coûts variables.

Les *coûts fixes* sont les coûts constants sur courte période : il s'agit essentiellement du coût des machines et des bâtiments. Sur moyenne et longue période, les coûts fixes augmentent par seuils, lorsque l'entreprise procède à de nouveaux investissements.

C Les producteurs

Les producteurs sont des agents économiques qui détiennent une place centrale dans la création des richesses. Un *agent économique* est un individu ou une catégorie d'individus qui assure une fonction économique particulière : consommation ou production par exemple. Les principaux agents économiques sont les ménages, les entreprises et l'État.

Ménage ▶
Voir p. 135

Il existe de nombreux types de producteurs. Les entreprises privées recherchent majoritairement le profit, les entreprises publiques ont généralement une mission de service public et les organisations de l'économie sociale sont fondées sur les concepts d'équité et de solidarité. Les différentes activités productives sont regroupées en secteurs d'activité.

■ La nature et les objectifs des entreprises privées

Une *entreprise* est un organisme produisant des biens et des services marchands. Une *entreprise privée* est une entreprise qui appartient majoritairement à des propriétaires privés.

Le *secteur privé* désigne la partie de l'économie composée par les entreprises et les institutions sans but lucratif au service des ménages qui appartiennent majoritairement à des propriétaires privés.

Les principales formes d'entreprise

Les entreprises constituent un ensemble hétérogène que l'on peut classer selon différents critères : la taille (petites et moyennes entreprises ou grandes entreprises de plus de 500 salariés), le secteur d'activité (agriculture, industrie, services), le résultat (chiffre d'affaires ou bénéfice) ou le statut juridique.

Secteur
d'activité ▶
Voir p. 36

Chiffre
d'affaires ▶
Voir p. 31

Bénéfice ▶
Voir p. 31

Une *entreprise individuelle* est une entreprise appartenant à un propriétaire unique qui est le seul responsable de son entreprise. Sa responsabilité est illimitée, ses biens propres peuvent être saisis pour rembourser les dettes éventuelles de l'entreprise. Afin de remédier à cela, une nouvelle forme d'entreprise, à mi-chemin entre l'entreprise individuelle et la société, a été créée en 1985 : l'*entreprise unipersonnelle à responsabilité limitée (EURL)* est une entreprise appartenant à un seul propriétaire, mais qui n'est pas responsable sur ses biens propres.

Les entreprises individuelles sont les entreprises les plus nombreuses ; elles regroupent la majorité des exploitants agricoles, des artisans et des commerçants.

Une **société de personnes** est une entreprise appartenant à un nombre limité d'associés. Les associés sont indissociables de l'entreprise et ne peuvent donc pas vendre leurs parts sociales (une **part sociale** est un titre de propriété d'une partie de la société). Les sociétés de personnes sont le plus souvent de taille limitée et les associés sont généralement responsables sur leurs biens propres.

Une **société de capitaux** est une entreprise généralement de grande taille appartenant à de nombreux associés. Les associés peuvent vendre librement leurs parts (appelées actions) et ne sont pas responsables sur leurs biens. Ils participent à la gestion de l'entreprise à travers l'élection annuelle, en assemblée générale des actionnaires, d'un conseil d'administration qui, à son tour, élit un président-directeur général ou d'un conseil de surveillance qui élit un directoire.

◄ **Action**
Voir p. 99

La **SARL (société à responsabilité limitée)** est un type d'entreprise hybride entre la société de capitaux et la société de personnes. Elle permet de concilier un nombre de propriétaires limité et une responsabilité limitée aux apports des associés.

La **société anonyme** est une société de capitaux. Elle permet de réunir les capitaux nécessaires à la grande entreprise, le capital est divisé en actions librement cessibles et il est possible d'effectuer des augmentations de capital par émission de nouvelles actions. Afin de faciliter le recours à l'épargne publique, les sociétés anonymes peuvent être cotées en Bourse.

Les stratégies des entreprises

Le mobile principal de l'entreprise capitaliste est la recherche du profit. Le **profit** (ou **bénéfice**) est le revenu de l'entreprise obtenu en faisant la différence entre ses recettes (son chiffre d'affaires) et ses coûts de production. Il est mesuré par l'excédent brut d'exploitation (EBE).

◄ **EBE**
Voir p. 137

Le **chiffre d'affaires** correspond aux recettes de l'entreprise. Il est calculé ainsi : Prix de vente unitaire × Quantités vendues.

L'entreprise optimise son profit en maximisant son chiffre d'affaires et en minimisant ses coûts de production.

La **croissance externe de l'entreprise** désigne le fait qu'une entreprise s'agrandit en se regroupant, de différentes manières, avec d'autres entreprises.

La ***croissance interne de l'entreprise*** désigne le fait qu'une entreprise s'agrandit par elle-même, sans effectuer de regroupement avec d'autres entreprises.

L'***absorption*** désigne l'achat d'une entreprise (qui donc disparaît) par une autre entreprise.

La ***fusion*** désigne le regroupement de deux entreprises pour n'en former plus qu'une.

La croissance de certaines entreprises peut nuire à la concurrence et induire un ***abus de position dominante*** (situation d'une entreprise qui domine le marché et qui en profite pour imposer ses règles). Dans ce cas, le marché n'est plus totalement libre et des ***barrières à l'entrée et à la sortie*** (obstacles que rencontrent les entreprises pour entrer sur un marché donné ou pour en sortir) sont présentes.

La ***concentration*** consiste en l'augmentation de la taille moyenne des entreprises et la diminution de leur nombre.

La concentration économique peut d'abord prendre la forme d'une ***concentration horizontale*** : c'est un regroupement d'entreprises qui fabriquent le même produit. Elle débouche souvent sur des situations d'oligopole ou de monopole.

Oligopole ▶
Voir p. 69

Monopole ▶
Voir p. 68

Elle peut aussi être une ***concentration verticale*** : c'est un regroupement d'entreprises situées à différents stades du processus productif. Elle est achevée lorsque l'ensemble de la ***filière de production*** (toutes les étapes de la production, de la matière première au produit fini) est concernée. Son objectif est de réduire les coûts en supprimant les marges bénéficiaires des stades intermédiaires et d'assurer aussi la sécurité des approvisionnements et des débouchés.

Enfin, la concentration est parfois une ***concentration conglomérale*** : c'est un regroupement d'entreprises ayant des activités différentes (les produits fabriqués ne sont apparemment pas liés entre eux). On cherche à rentabiliser les capitaux en diversifiant les risques.

D'un point de vue juridique, la ***concentration financière*** est un regroupement d'entreprises qui se placent sous une direction commune, prenant alors le nom de holding. Un ***holding*** est une société financière qui contrôle et définit les orientations stratégiques

Action ▶
Voir p. 99

d'autres sociétés parce qu'elle possède un nombre suffisant d'actions pour peser sur les décisions prises. Lorsque le holding détient plus de 50 % du capital d'une société, la société dépendante est qualifiée de filiale.

Concurrence ▶
Voir p. 56

Les entreprises peuvent opter pour d'autres stratégies. Ainsi certaines différencient leurs produits pour limiter la concurrence que leur livrent d'autres entreprises ou tissent des liens d'alliance et de partenariat.

Coopération (entre entreprises) : stratégies d'entreprises visant à s'entendre sur des objectifs communs.

Différenciation (du produit) : modification d'une ou de plusieurs caractéristiques de son produit, par une entreprise, pour le distinguer de celui de ses concurrents.

■ La mesure de la performance des entreprises

L'évaluation de sa situation comptable permet à l'entreprise d'analyser ses performances et, si besoin est, de revoir sa stratégie, mais en plus, elle rend possible l'exercice du contrôle de l'entreprise par des agents extérieurs comme le fisc, une banque ayant accordé des prêts, ou même les actionnaires. Les deux documents comptables principaux qui permettent l'examen de la situation financière et économique de l'entreprise sont le bilan et le compte de résultat.

◀ Banque
Voir p. 94

La récapitulation des flux annuels : le compte de résultat

Le *compte de résultat* est un document comptable qui présente l'ensemble des charges et des recettes (produits) durant une année. Le résultat est obtenu en faisant la différence entre les produits et les charges. Lorsque le résultat est positif, l'entreprise dégage un bénéfice. Lorsque le résultat est négatif, l'entreprise réalise une perte.

Compte de résultat simplifié			
CHARGES		**PRODUITS**	
Charges d'exploitation • Achats de marchandises • Autres achats et charges externes (électricité, publicité…) • Impôts et taxes • Charges de personnel **Charges financières** **Charges exceptionnelles**		**Produits d'exploitation** • Ventes de marchandises **Produits financiers** **Produits exceptionnels**	
Bénéfice		**Perte**	
Total		**Total**	

La récapitulation de la situation patrimoniale : le bilan

Le **bilan** est un document comptable qui récapitule à un moment donné la nature et l'origine de ce que possède l'entreprise.

Le bilan n'est pas un compte de flux, il n'examine pas les opérations de l'entreprise, mais la situation de celle-ci à un moment donné ; c'est un compte patrimonial. Les premières lignes du bilan sont consacrées aux données relativement stables et, plus on descend dans le tableau, plus les variables peuvent fluctuer à courte échéance.

L'***actif (au sens de la comptabilité)*** est l'ensemble du patrimoine détenu par une entreprise. Dans le bilan, il indique comment sont employées les ressources que possède l'entreprise.

Le ***passif*** est l'ensemble des dettes d'une entreprise. Dans le bilan, il indique l'origine des ressources de l'entreprise.

L'égalité comptable du passif et de l'actif est obtenue en inscrivant le bénéfice (si l'actif est supérieur au passif) au passif et la perte (si le passif est supérieur à l'actif) à l'actif.

Bilan simplifié			
ACTIF		**PASSIF**	
Actif immobilisé • Actif corporel (locaux, matériel, fournitures…) • Actif incorporel (brevets, fonds de commerce) • Immobilisations financières (titres de participation…) **Actif circulant** • Stocks de marchandises • Créances • Disponibilités **Total**		**Capitaux propres** • Capital • Résultat **Emprunts** **Dettes** **Total**	

Les entreprises ou établissements dont l'effectif est supérieur à 300 personnes ont l'obligation de publier un bilan social. Le ***bilan social*** est un document qui récapitule, à travers des indicateurs chiffrés, les principales données sociales de l'entreprise.

Les entreprises ou établissements dont l'effectif est supérieur à 500 personnes ont l'obligation de publier un bilan carbone. Le *bilan carbone* d'une entreprise est un document qui récapitule les émissions, directes ou indirectes, de gaz à effet de serre induites par son activité.

■ Les producteurs non capitalistes

Le secteur public

Le *secteur public* désigne la partie de l'économie contrôlée par l'État, les collectivités locales et les organismes de Sécurité sociale. Il est composé des entreprises publiques et des administrations publiques.

Une *entreprise publique* est une entreprise appartenant totalement ou majoritairement à l'État ou à une collectivité locale. Comme les entreprises privées, les entreprises publiques produisent des biens et des services marchands, mais elles ne recherchent pas prioritairement le profit ; elles ont souvent une mission de *service public* (activité d'intérêt général, assurée même lorsqu'elle n'est pas rentable sous le contrôle des pouvoirs publics).

Le secteur public s'est développé par la création d'entreprises par l'État, mais aussi et surtout par la *nationalisation* (appropriation d'une entreprise par l'État).

Les nationalisations ont été effectuées dans des circonstances et pour des motifs différents :

– certaines sont liées à la conjoncture économique et politique ; c'est le cas des nationalisations d'entreprises allemandes après la première guerre mondiale ou d'entreprises accusées de collaboration (par exemple, Renault) après la seconde guerre mondiale. C'est aussi le cas des nationalisations pour motif de reconstruction après la guerre (la Compagnie nationale du Rhône par exemple) ou des nationalisations d'entreprises en difficulté auxquelles l'État vient ainsi en aide (cas de la métallurgie) ;

– d'autres sont plus structurelles. Il s'agit de la prise de contrôle de secteurs considérés comme stratégiques d'un point de vue politique (armement par exemple) ou d'un point de vue économique (secteur bancaire, transports ou énergie).

Depuis le début des années 1980, on assiste à un retour du libéralisme qui se traduit par un désengagement de l'État, donc par un mouvement de privatisations. La **privatisation** désigne la vente partielle ou totale d'une entreprise publique au secteur privé.

Une **administration** est un organisme qui produit des services non marchands.

Une **administration publique** est un organisme, contrôlé par les pouvoirs publics, qui produit des services non marchands.

On peut distinguer trois types d'administrations publiques : l'État et l'administration centrale (ministères) ; les administrations locales (services départementaux, municipaux...) ; la Sécurité sociale.

La vocation des administrations publiques est le service public.

Administration centrale ▶
Voir p. 463

Sécurité sociale ▶
Voir p. 248

Service public ▶
Voir p. 35

L'économie sociale

L'économie sociale (ou **tiers-secteur**) désigne l'ensemble des organisations (associations, coopératives et mutuelles) appartenant à des propriétaires privés, mais refusant la loi du profit. Leur mission principale est la solidarité.

Une **association** est une organisation produisant des services non marchands et regroupant des personnes réunies dans un but commun non lucratif.

Une **coopérative** est une entreprise régie par les principes de coopération et de solidarité. Une coopérative de production appartient à ses salariés et une coopérative de consommation appartient aux consommateurs.

Une **mutuelle** est une organisation à but non lucratif ayant pour objectif de prémunir ses adhérents contre certains risques (maladie, accidents de voiture...).

■ Les secteurs de l'activité économique

Un **secteur d'activité** est un ensemble d'activités économiques de même nature. Il est habituel de distinguer trois grands secteurs d'activité : les secteurs primaire, secondaire et tertiaire. Cette répartition a été réalisée pour la première fois par Colin Grant Clark puis largement utilisée par Jean Fourastié.

Colin Grant Clark (1905-1989) est un économiste britannique. Il a étudié les facteurs du développement économique et social (*The Conditions of Economic Progress*, 1940) et est connu pour sa division de l'activité économique en trois secteurs (primaire, secondaire et tertiaire).

Jean Fourastié (1907-1990) est un sociologue et économiste français. Ses principaux ouvrages sont *Le Grand Espoir du xxe siècle* (1949), *Machinisme et Bien-être* (1951), *Les Trente Glorieuses* (1979). Il est surtout connu pour ses études sur les transformations économiques et sociales de la France qui mettent en évidence l'évolution des trois grands secteurs d'activité et l'ampleur de la « révolution invisible » qui s'est produite depuis la fin de la Seconde Guerre mondiale.

Le *secteur primaire* est un secteur d'activité qui regroupe les activités liées à l'exploitation du milieu naturel telles que l'agriculture, la pêche et les activités forestières (sylviculture). Il est surtout composé de l'*agriculture*, qui désigne la culture des végétaux et l'élevage.

Dans les pays développés, la production du secteur primaire voit sa part relative diminuer dans la production totale. En effet, les besoins en produits primaires augmentent proportionnellement moins fortement que les besoins en autres produits quand l'activité économique se développe et les revenus augmentent.

◄ Besoins
Voir p. 21

La population active occupée dans le secteur primaire diminue assez fortement, car la croissance de la productivité est dans ce secteur plus forte que la croissance de la production.

◄ Population active
Voir p. 194
◄ Productivité
Voir p. 25

Le *secteur secondaire* est un secteur d'activité qui regroupe les activités industrielles, c'est-à-dire les activités de transformation et celles du bâtiment et des travaux publics.

Il est surtout composé de l'*industrie* qui désigne toutes les activités de transformation. L'Insee distingue généralement l'*industrie agro-alimentaire (IAA)* qui est l'industrie transformant les produits agricoles en produits alimentaires à destination humaine et animale (industrie des viandes, du lait des boissons…), l'industrie des biens de consommation (habillement, équipement du foyer…), l'industrie automobile, l'industrie des biens d'équipement (construction navale, aéronautique et ferroviaire, équipement mécanique…) et l'industrie des biens intermédiaires (produits minéraux, textile, chimie, composants électroniques…).

Les pays développés sont des pays industrialisés. L'*industrialisation* désigne le développement des activités industrielles et l'augmentation de la part relative de la production industrielle dans la production totale.

Or en France, depuis les années 1970, le nombre d'actifs occupés dans le secteur secondaire diminue et la part relative de la production industrielle décline au profit de celle des services. Certains auteurs craignent alors une *désindustrialisation*, c'est-à-dire un déclin absolu ou relatif de l'industrie. En réalité, les secteurs secondaire et tertiaire sont complémentaires et l'industrie conserve une place primordiale, comme en témoigne le développement des industries de haute technologie.

Le *secteur tertiaire* est un secteur d'activité qui regroupe toutes les activités de services, comme les activités administratives, bancaires, commerciales… L'Insee distingue parmi les activités tertiaires le commerce, le transport, les activités financières (banques et assurances), les activités immobilières, les services aux entreprises (postes et télécommunications, recherche et développement…), les services aux particuliers (restauration, activité culturelles, récréatives et sportives…), l'éducation, la santé, l'action sociale et l'administration. Certains auteurs considèrent que le secteur tertiaire englobe toutes les activités que l'on ne peut pas placer dans les autres secteurs. Il est vrai que ce secteur très hétérogène rassemble aussi bien des services de proximité que de grandes administrations. Pour cette raison, la création d'un secteur quaternaire a été proposée.

Banque ▶
Voir p. 94

Le *secteur quaternaire* est un secteur d'activité qui n'est pas reconnu en tant que tel par l'Insee et regrouperait l'ensemble des activités d'information et de communication (informatique, Internet…).

Le secteur tertiaire prend une place croissante dans l'économie des pays développés. La *tertiairisation* (ou *tertiarisation*) se définit par la croissance de la part des services dans la production globale qui va de pair avec la part croissante des actifs du secteur tertiaire dans la population active totale.

**Pays
développé** ▶
Voir p. 164

La tertiairisation est due à plusieurs phénomènes :

– la forte augmentation du pouvoir d'achat des ménages a transformé les structures de consommation ; une part croissante de celle-ci se tourne vers les services ;

– la production de services est rarement une production de masse ; si certaines activités du tertiaire comme le commerce, les banques ou les assurances ont des gains de productivité importants, de nombreuses activités tels les services de proximité et les services de l'administration n'enregistrent que de faibles gains de producti-

**Production
de masse** ▶
Voir p. 213

vité. Ainsi, globalement, les gains de productivité sont plus faibles que dans le secteur secondaire. La croissance de la production de services étant supérieure à la croissance de la productivité du secteur tertiaire, les besoins de main-d'œuvre sont croissants ;

– les services aux entreprises se sont multipliés sous l'effet du développement de la sous-traitance. C'est ce que l'on appelle l'*externalisation* : tendance des entreprises à se recentrer sur leur activité principale et à faire appel à d'autres entreprises pour les activités annexes, souvent celles de services (transport, gardiennage…).

◄ Sous-traitance
Voir p. 288

La tertiairisation touche également les emplois des autres secteurs. La *tertiairisation des emplois* désigne l'augmentation de la part des emplois de type tertiaire, c'est-à-dire de type non manuel. Ainsi, par exemple, dans les entreprises du secteur secondaire, le nombre de cols bleus diminue au profit de celui des cols blancs, car les techniques, dont l'automation, diminuent les besoins en travail manuel.

◄ Emplois
tertiaires
Voir p. 96
◄ Cols blancs /
Cols bleus
Voir p. 195

On assiste donc sur le long terme, dans les pays développés, à un *déversement sectoriel* qui désigne, dans un premier temps la diminution de la population active occupée dans le primaire au profit du secondaire, puis, dans un second temps, celle des secteurs primaire et secondaire au profit du secteur tertiaire.

Ce déversement sectoriel peut créer des déséquilibres :

– le secteur tertiaire n'est pas un secteur moteur comme pouvait l'être le secteur secondaire. En effet, ses effets d'entraînement sur le reste de l'économie sont moins importants, car ses consommations intermédiaires sont moins fortes ;

– les gains de productivité du secteur tertiaire sont plus faibles, ce qui, par effet de structure, tire vers le bas les gains de productivité de l'ensemble de l'économie. Cela présente un risque de ralentissement de la croissance.

◄ Consommations
intermédiaires
Voir p. 21
◄ Effet de
structure
Voir p. 553

3

REVENU ET CONSOMMATION

A Les revenus

- Revenu et pouvoir d'achat
- Les revenus primaires
- Les revenus d'activité
- Les revenus du patrimoine
- Le revenu disponible

B Consommation et épargne

- Les différentes consommations
- Les transformations de la consommation
- Les déterminants de la consommation
- Les différentes formes d'épargne
- Le patrimoine

Les revenus des ménages sont la contrepartie directe ou indirecte de leur contribution à l'activité productrice. Les ménages utilisent ces revenus pour consommer et épargner. Le mode de vie qui dépend de la consommation est indirectement influencé par le niveau de revenu d'une part et par d'autres facteurs comme le type de travail effectué ou la culture d'autre part.

A Les revenus

■ Revenu et pouvoir d'achat

Un *revenu* est une somme d'argent perçue par un agent économique en contrepartie de sa participation à la création de richesse (revenu primaire) ou pour compenser une insuffisance de revenu primaire (revenus de transfert). Les ménages sont les principaux bénéficiaires de ces revenus.

Les revenus servent d'abord à se procurer des biens et des services. La consommation est étroitement liée au revenu, mais dépend également du prix des biens achetés. Il faut donc raisonner en terme de pouvoir d'achat. Le *pouvoir d'achat* est la quantité des biens et services qu'un revenu permet de se procurer. Ce pouvoir d'achat est favorisé par l'augmentation du revenu, mais réduit par l'augmentation des prix. Il ne faut pas confondre le pouvoir d'achat avec le niveau de vie : tandis que le premier caractérise un revenu, le second est associé à une population. Le *niveau de vie* est le revenu disponible d'un individu. Pour le calculer, on divise le revenu disponible du ménage par le nombre d'unités de consommation (uc). Le niveau de vie est donc le même pour tous les individus d'un même ménage. Les unités de consommation sont généralement calculées selon une échelle qui attribue 1 uc au premier adulte du ménage, 0,5 uc aux autres personnes de 14 ans ou plus et 0,3 uc aux enfants de moins de 14 ans. Le niveau de vie étant une notion quantitative, il est possible de comparer le niveau de vie d'une population à des périodes différentes ou celui de populations différentes au même moment. Le revenu national par tête est considéré comme un bon indicateur du niveau de vie.

Revenu national ▶
Voir p. 138

■ Les revenus primaires

Les *revenus primaires* sont l'ensemble des revenus dont les ménages bénéficient en contrepartie de leur participation directe (revenus d'activité) ou indirecte (revenus du patrimoine) à la production de richesse.

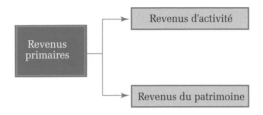

■ Les revenus d'activité

Les revenus d'activité sont les revenus que les ménages perçoivent en contrepartie de leur contribution directe à la production de biens et services. Ils se composent du revenu d'activité salariée et du revenu d'activité non salariée.

Revenu d'activité salariée

Le *revenu d'activité salariée* est le revenu qui rémunère le travail salarié. Il se compose du salaire brut et des cotisations sociales patronales.

Le *salaire brut* est le salaire qui est fixé lors de l'embauche d'un salarié. Il n'est pas le salaire réellement perçu puisqu'il faut lui soustraire les cotisations sociales salariales ainsi que certains impôts comme la CSG.

◄ CSG
Voir p. 44

Dans le cas des fonctionnaires, ce salaire s'appelle un *traitement* qui est donc le salaire rémunérant le travail des fonctionnaires.

Le salaire net est le salaire effectivement perçu par le salarié en échange de son travail. Il est égal au salaire brut auquel on a soustrait les cotisations sociales salariales et la CSG.

Les cotisations sociales financent principalement la Sécurité sociale, qui les redistribue sous forme d'allocations familiales, de pensions de retraite et de prise en charge des frais de maladie, et qui indemnisent une partie des chômeurs. C'est pourquoi elles sont partie

◄ Sécurité sociale
Voir p. 248

prenante de la rémunération des salariés. Bien qu'elles ne soient pas directement perçues par les salariés, elles alimentent des revenus qui bénéficient aux ménages. À ces cotisations sociales traditionnelles, il faut ajouter deux impôts qui se rapprochent, par leur fonctionnement, des cotisations sociales salariales. Le premier est la contribution sociale généralisée (CSG). Son principal intérêt est qu'elle n'est pas limitée au salaire, mais supportée par l'essentiel des revenus des ménages. Un point de CSG rapporte donc plus à la Sécurité sociale qu'un point de cotisation sociale.

La **CSG (contribution sociale généralisée)** est un impôt portant sur l'essentiel des revenus des ménages (salaires, traitement des fonctionnaires, revenus de la propriété et une partie des prestations sociales) et qui s'est partiellement substitué aux cotisations sociales dans le financement de l'assurance maladie. Il est prélevé à la source, c'est-à-dire avant que les ménages ne perçoivent leur revenu.

De son côté, l'employeur ne se contente pas de verser un salaire brut puisqu'il doit en plus payer des cotisations sociales patronales. L'ensemble de ces dépenses constitue un revenu immédiat ou différé pour le salarié, mais un coût pour son employeur.

Le **coût salarial** est donc l'ensemble des dépenses occasionnées par l'emploi d'un salarié. Il se compose principalement du salaire brut et des cotisations sociales patronales.

Revenu d'activité non salariée

Le **revenu d'activité non salariée** est le revenu qui est la contrepartie de l'activité productrice des non-salariés (principalement des travailleurs indépendants). Il est assimilé au bénéfice de l'entreprise au sens large, c'est-à-dire à l'excédent brut d'exploitation (EBE).

EBE ▶
Voir p. 137

Ce revenu rémunère à la fois leur travail (ils travaillent dans leur propre entreprise) et leur capital (ils possèdent leur entreprise et souhaitent tirer un revenu de leur propriété). Il est impossible de séparer la part de leur travail et de leur capital. Leur revenu est donc qualifié de mixte.

Revenus mixtes : excédent brut d'exploitation (EBE) des entrepreneurs individuels. Il rémunère à la fois le travail que l'entrepreneur accomplit dans son entreprise et les capitaux qu'il y a apportés.

Les revenus du patrimoine

Aux revenus issus directement de l'activité économique s'ajoutent ceux provenant de la possession d'un patrimoine. Ce patrimoine donne généralement lieu à des revenus : les actions procurent un dividende, les obligations (comme toutes les créances) un intérêt, les appartements loués à d'autres ménages des loyers, etc. L'ensemble de ces revenus forme ce que l'on appelle les revenus de la propriété.

Revenus de la propriété : revenus provenant des placements financiers (actions et obligations) ou immobiliers (logements, terrains) des ménages. Ils se composent de dividendes et d'intérêts d'une part, de loyers, de fermages et baux commerciaux d'autre part.

À ces revenus effectivement perçus par les ménages, l'Insee ajoute un revenu fictif représentant le loyer que se verseraient à eux-mêmes les ménages propriétaires de leur logement. Ajouté aux revenus de la propriété, ce loyer fictif complète les revenus du patrimoine.

Revenus du patrimoine : revenus de la propriété auxquels on ajoute le montant des loyers fictifs des ménages propriétaires, car on considère que ces ménages bénéficient d'un revenu représentant le montant du loyer qu'ils pourraient obtenir de leur logement s'ils le louaient.

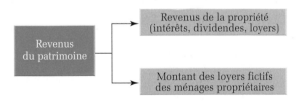

■ Le revenu disponible

Le ***revenu disponible*** est le revenu que les ménages peuvent effectivement utiliser pour la consommation et l'épargne. Il est égal au revenu primaire, diminué des cotisations sociales salariales et des impôts versés (CSG, CRDS et impôt sur le revenu), et augmenté des prestations sociales.

$$
\begin{array}{l}
 \text{Revenus d'activité} \\
\underline{+\ \text{Revenus du patrimoine}} \\
=\ \text{Revenu primaire} \\
-\ \text{Cotisations sociales et impôts} \\
\underline{+\ \text{Prestations sociales}} \\
=\ \text{Revenu disponible brut}
\end{array}
$$

Prestations sociales ▶
Voir p. 248

Administration publique ▶
Voir p. 36

Les prestations sociales (en espèces) sont des revenus versés par les administrations publiques afin de couvrir des « risques sociaux » (retraite, chômage, etc.) et effectivement perçus par les ménages. Elles se composent principalement des pensions de retraite, allocations familiales et indemnités de chômage.

Ces prestations sociales sont une des formes prises par les revenus de transfert.

Les ***revenus de transfert*** (ou ***revenus sociaux***) sont les dépenses des administrations publiques destinées à couvrir les risques sociaux. Elles se décomposent en revenus de transfert en espèce (les prestations sociales) et revenus de transfert en nature (les dépenses destinées à couvrir gratuitement un risque social). Parmi ces revenus de transfert en nature, la comptabilité nationale intègre toutes les dépenses visant à assurer la gratuité des soins (y compris les remboursements de frais de maladie).

Comptabilité nationale ▶
Voir p. 134

B Consommation et épargne

■ Les différentes consommations

La ***consommation*** est l'usage d'un bien ou d'un service qui se traduit par sa destruction totale ou partielle. La destruction est totale lorsque l'on mange une glace, partielle lorsque l'on utilise une voiture.

La ***dépense de consommation finale des ménages*** est égale à la valeur des biens et services payés par les ménages. Elle inclut les dépenses de santé non remboursées par les administrations publiques, mais ne comprend ni les achats de logements et les grosses réparations dans les logements qui sont considérés comme des investissements, ni le paiement des impôts et des cotisations sociales qui sont des prélèvements obligatoires.

Mais, pour tenir compte des services mis gratuitement à la disposition des ménages, l'Insee distingue les dépenses de consommation des ménages de leur consommation effective.

La ***consommation finale effective des ménages*** représente l'ensemble des biens et services effectivement utilisés par les ménages, que ces biens soient achetés (dépenses de consommation) ou qu'ils soient mis gratuitement à leur disposition par les administrations publiques (soins, éducation principalement), à l'exclusion, dans ce dernier cas, des services non marchands tels l'armée, la justice ou la police, dont on ne peut identifier précisément les destinataires (ils bénéficient aussi bien aux ménages qu'aux entreprises).

Les biens et services consommés peuvent être soit des biens privés soit des biens collectifs.

Un bien privé est un bien ou un service qui ne peut être consommé que par une personne ou un ménage à la fois. Les biens privés (vêtements, voitures, coupes de cheveux…) constituent la part la plus importante de la consommation des ménages. Mais il existe également des ***biens collectifs*** qui sont des services (séance de cinéma, utilisation d'une autoroute, protection du pays, signal émis par un phare…) qui peuvent bénéficier à plusieurs ménages à la fois en même temps. Dans le cas de la séance de cinéma ou d'une autoroute, il est techniquement possible de restreindre le bénéfice du service aux ménages qui acceptent de payer.

◄ **Bien privé**
Voir p. 72

Dans le cas de la sécurité (intérieure ou extérieure) ou du signal émis par un phare, une fois le service fourni, il est impossible d'en limiter le bénéfice à certains usagers qui accepteraient d'en payer le prix. On a alors affaire à un ***bien collectif pur*** qui est un bien collectif dont on ne peut réserver l'usage à certains consommateurs ou usagers. En effet, à partir du moment où le phare émet son signal, tous les navigateurs en bénéficient sans qu'il soit possible d'en exclure aucun.

◄ **Bien collectif pur**
Voir p. 73

Selon le type de bien, les consommations seront individuelles ou collectives.

■ Les déterminants de la consommation

Les déterminants économiques : revenu et prix

La consommation répond à des besoins.

Les besoins ne déterminent pas la consommation car, dans une société marchande, seuls les besoins solvables sont satisfaits.

Un **besoin solvable** est un besoin exprimé par un individu qui aura les moyens de le satisfaire à travers l'achat d'un bien ou d'un service. Ainsi, un clochard, dont les besoins essentiels ne sont pourtant pas satisfaits, consommera très peu, alors que des ménages aisés, dont l'ensemble des besoins semble satisfait, chercheront à accroître ou à diversifier leur consommation.

Élasticité-prix ►
Voir p. 560

D'un point de vue économique, la consommation dépend à la fois du revenu et des prix. En principe, la consommation augmente lorsque le prix baisse. La question est de savoir si la consommation est très sensible à la variation du prix. Pour cela, on calcule l'élasticité-prix de la consommation.

La consommation évoluant en sens inverse des prix, cette élasticité est négative. Par convention, on présente souvent cette élasticité en valeur absolue en lui donnant une valeur positive. Ainsi, une élasticité-prix égale à 1 signifie que la hausse de la consommation est proportionnelle à la baisse des prix (par exemple, une baisse des prix de 10 % se traduit par une hausse de la consommation de 10 %). L'élasticité est supérieure à 1 pour des produits très sensibles aux prix : une hausse des prix va se traduire par une baisse plus importante de la consommation. C'est le cas des céréales consommées au petit déjeuner. Par contre, pour des produits peu sensibles au prix (par exemple, le fuel, puisque les ménages sont « obligés » de chauffer leur logement), l'élasticité est inférieure à 1. Dans ce cas, une hausse des prix n'entraîne qu'une faible diminution de la consommation.

Il existe pourtant des produits dont la consommation baisse lorsque les prix baissent. C'est le cas de certains biens de luxe qui sont justement achetés en raison de leur prix élevé et de l'image attribuée à ceux qui les possèdent. Il y a donc des consommations qui ne répondent pas à une stricte logique économique.

Les déterminants sociaux : un marqueur social

Le premier sociologue à avoir étudié le rôle social de la consommation est l'américain d'origine allemande Thorstein Veblen (1857-

1929). Dans son livre *Théorie de la classe de loisir* (1899), il affirme que les très riches propriétaires cherchent à se distinguer du peuple par leur absence de travail concret et par leurs consommations ostentatoires.

Une **consommation ostentatoire** est la consommation d'un bien ou d'un service dans le seul but de signifier aux autres une position sociale ou un niveau de vie élevé. Ce type de consommation, fondé sur le gaspillage apparent, permet aux riches d'afficher leur statut social. À une époque où les congés payés n'existaient pas, les riches s'affirmaient grâce aux loisirs.

Au-delà de cette volonté d'afficher une supériorité sociale, la consommation permet également d'exprimer sa différence ou, du moins, son appartenance à un groupe social. La consommation vestimentaire ou musicale est un moyen privilégié pour une large partie des jeunes de signifier leur appartenance à cette catégorie sociale et, éventuellement, à un groupe ethnique. La consommation est alors un langage qui permet de communiquer avec les autres, les objets étant des symboles utilisés par les individus pour afficher leurs références.

◄ Groupe social
Voir p. 344

Les sociologues désignent par **effet de signes** la fonction sociale jouée par la consommation de biens ou de services, qui permet à un individu d'afficher ses goûts et ses valeurs. La consommation permet alors à un ensemble d'individus de se rassembler en partageant les mêmes signes tout en s'opposant à un ou plusieurs autres groupes caractérisés par des consommations différentes.

■ Les différentes formes d'épargne

L'*épargne* est la partie du revenu disponible qui n'est pas consommée. Pour mesurer l'effort réalisé par les ménages en matière d'épargne, il est possible de calculer un *taux d'épargne* (exprimé en %) qui est le rapport de l'épargne brute au revenu disponible des ménages.

$$\text{Taux d'épargne} = \frac{\text{Épargne}}{\text{Revenu disponible}} \times 100$$

Cette épargne se partage en deux parties qui, depuis le début des années 1990, sont globalement équivalentes :

– l'*épargne non financière* est la partie de l'épargne consacrée à l'achat de biens immobiliers (logements, terrains). Elle est donc consacrée à l'investissement des ménages ;

– l'*épargne financière* est la partie de l'épargne qui est gardée sous forme de monnaie ou de placements rémunérés (dépôts sur un compte jeune, action d'achat). La première forme d'épargne financière est le résultat d'une thésaurisation qui est le fait de conserver son épargne sous forme de monnaie (billets ou dépôts sur un compte courant non rémunéré). Cette forme d'épargne est toujours disponible, mais ne procure aucun revenu à son propriétaire. La seconde forme est le résultat d'un *placement financier* qui est l'achat de titres financiers (actions, obligations) de façon directe ou indirecte (par l'intermédiaire d'un contrat d'assurance vie par exemple). Cette forme d'épargne est rémunérée, mais comporte des risques qui nuisent à sa liquidité.

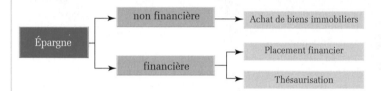

■ Le patrimoine

Alors que l'épargne est un flux, le *patrimoine* est un stock qui représente les avoirs d'un agent économique (entreprise, ménage, etc.) sous forme de biens immobiliers, de liquidités ou de placements financiers. Le patrimoine des ménages n'intègre donc pas les biens durables (voitures, télévisions, etc.) ni les œuvres d'art. Selon que l'on prenne ou non en compte les dettes du ménage, on s'intéressera à son patrimoine brut ou net.

Le *patrimoine brut* est l'avoir global d'un agent économique alors que le *patrimoine net* est obtenu en soustrayant les dettes contractées par cet agent à son patrimoine brut. Les dettes représentent en moyenne un dixième du patrimoine brut et le patrimoine net les neuf dixièmes restants. Les actifs financiers constituent un peu plus de la moitié de ce patrimoine net et les actifs immobiliers un peu moins de la moitié.

4

LE MARCHÉ

A L'échange sur le marché
- La diversité des marchés
- Les gains à l'échange

B Les mécanismes du marché concurrentiel
- La demande
- L'offre
- La confrontation de l'offre et de la demande sur le marché

C Les marchés imparfaitement concurrentiels
- La diversité des structures de marché
- Pouvoir de marché et régulation de la concurrence

D Les défaillances du marché
- Les asymétries d'information
- Les biens collectifs
- Les externalités

A L'échange sur le marché

Le **marché** est le lieu (réel ou fictif) où la demande et l'offre d'une marchandise se rencontrent et donnent naissance à des flux d'échange.

■ La diversité des marchés

Il existe une multitude de marchés différents. L'*échange marchand* (cession d'un bien ou d'un service sur un marché avec une contrepartie monétaire) a pris les formes les plus diverses, des foires du Moyen Âge jusqu'aux achats en ligne en passant par le *marché des capitaux* (marché sur lequel se confrontent la demande de capitaux et l'offre de capitaux – provenant de l'épargne ; le prix du capital est le taux d'intérêt), le marché monétaire ou le *marché du travail* (marché sur lequel la demande de travail, qui provient des entreprises et des administrations, se confronte à l'offre de travail qui provient de la population active ; le prix du travail est le salaire). Il existe autant de marchés que de produits à échanger et les modalités d'échange diffèrent fortement d'un marché à un autre.

Marché
monétaire ►
Voir p. 101

Pour les libéraux, le marché est un ordre naturel ; il est universel. Ainsi, Smith pense que les hommes ont un penchant naturel à échanger. D'autres économistes mettent l'accent sur les différentes formes prises par l'échange au cours du temps. *Karl Polanyi* (1886-1964) est un économiste et historien d'origine hongroise. Il a émigré en 1930 en Grande-Bretagne puis aux États-Unis. Son œuvre principale (*La grande transformation*, 1944) explique comment le marché n'est devenu une institution majeure dans les pays européens à partir du début du XIXᵉ siècle. Auparavant, les rapports économiques n'étaient pas séparés des autres rapports sociaux, familiaux ou politiques. C'est la séparation des sphères économiques et sociales, en partie sous l'influence des États, qui a permis l'émergence des marchés autorégulateurs. Selon Polanyi, au XXᵉ siècle a eu lieu la grande transformation qui, grâce à la mise en place de la législation sociale, a réduit la rupture entre les deux sphères qui avaient été séparées.

Le marché ne peut se passer de l'intervention de l'État. L'État doit en effet garantir les droits de propriété. Un *droit de propriété* est le droit de disposer librement d'un bien que l'on possède (ce bien n'est pas forcément économique ; il peut s'agir du droit à disposer d'air pur par exemple). La garantie des droits de propriété relève du rôle de l'État.

Les marchés sont encadrés par des *institutions* (ensemble des règles et des organisations qui structurent la société, aussi bien dans la sphère économique que dans la sphère sociale) qui ont été mises en place par les États ou qui sont le résultat de l'évolution sociale (certaines règles morales par exemple). L'État réglemente la concurrence et protège les consommateurs et les salariés par la définition d'un certain nombre de règles.

Certains contre-pouvoirs, comme les associations de consommateur, limitent aussi les éventuels abus nés de la liberté des marchés.

Les rapports économiques sont essentiellement fondés sur l'échange marchand, mais les rapports sociaux non marchands ne disparaissent pas pour autant. Les liens entre les individus ne sont pas toujours marchands ; ainsi, par exemple, un salarié est-il soumis à une hiérarchie et à des règles formelles et informelles dans l'entreprise. Dans ce cas, le lien qui unit l'entreprise et son salarié est à la fois un lien marchand et un lien de subordination.

■ Les gains à l'échange

Qu'ils s'effectuent entre individus ou entre nations, les échanges présentent de nombreux avantages.

Sans échange, les individus devraient produire eux-mêmes la totalité de ce qu'ils consomment ; l'échange permet donc d'accroître très fortement la diversité des produits consommés. Grâce aux échanges, les individus peuvent se spécialiser (certains produisent des automobiles, d'autres sont médecins) ce qui permet de gagner en efficacité. Le *gain de l'échange* se mesure par la différence entre le prix auquel le vendeur ou l'acheteur était prêt à effectuer la transaction et le prix réel de l'échange.

L'échange entre nations présente deux avantages principaux : se procurer des produits que le pays ne peut pas produire ; se procurer des produits qui sont moins chers à l'étranger. Il permet aussi la spécialisation.

Les échanges, donc la spécialisation des individus et des nations, sont avantageux en cas d'avantages absolus (les deux partenaires échangeant deux produits : l'un est plus efficace pour la production du premier produit, l'autre pour la production du second produit), mais aussi même lorsque des individus et des nations sont moins productifs que d'autres dans tous les produits ; il suffit qu'il existe

◁ Spécialisation
Voir p. 271

◁ Avantage
absolu
Voir p. 275

Avantage comparatif ►
Voir p. 275

un avantage comparatif. C'est le cas lorsqu'un individu ou une nation, moins productif que ses partenaires dans toutes les activités, est moins désavantagé dans certaines d'entre elles. Chaque individu ou chaque nation a alors intérêt à produire le bien pour lequel il est le plus avantagé ou le moins désavantagé et à acheter l'autre.

La spécialisation est nécessaire, car aucun individu ou aucune nation ne peut produire tous les produits dont ils ont besoin. Les avantages productifs, qu'ils soient absolus ou comparatifs, conduisent à la spécialisation et celle-ci permet d'accroître les gains de l'échange, car elle permet d'accroître la productivité des individus et des nations.

Productivité ►
Voir p. 25

B Les mécanismes du marché concurrentiel

L'étude du marché est le domaine privilégié de la microéconomie. La *microéconomie* est un système d'analyse de l'économie qui étudie le comportement des principaux agents économiques (essentiellement les consommateurs et les producteurs) et postule que c'est l'agrégation de leurs comportements qui forme l'économie. Ces agents économiques rationnels évoluent dans une économie de marché régulée par la variation des prix ; ils se livrent à un *calcul économique*, c'est-à-dire une comparaison systématique des avantages et des coûts de chacune des possibilités de choix de façon à maximiser la satisfaction.

Agent économique ►
Voir p. 30

Pour que la régulation par les prix soit optimale (le *prix* est la valeur d'échange d'une marchandise), donc pour que l'économie soit réellement et totalement une *économie de marché* (système économique libéral régi par la loi du marché), il est nécessaire que la *concurrence* (compétition entre les offreurs sur un même marché) soit effective et que soient donc respectées les conditions de la *concurrence pure et parfaite*, c'est-à-dire les conditions qui assurent une libre variation et permettent à la loi de l'offre et de la demande d'être opérante :

– l'*atomicité* du marché (multitude d'offreurs et de demandeurs) est nécessaire pour qu'aucun des agents ne puisse à lui seul maîtriser les prix ou le niveau de la production ;

– grâce à l'*homogénéité* des produits (ceux-ci sont semblables afin d'être comparables), la concurrence s'effectue sur le prix et pas sur la qualité du produit ;

– la libre entrée, la libre sortie du marché et la mobilité des facteurs de production permettent de fluidifier ce dernier ;

– la transparence du marché permet à tous les agents d'obtenir toutes les informations nécessaires.

◄ **Facteur de production**
Voir p. 23

La *loi de l'offre et de la demande* désigne le mécanisme selon lequel les prix diminuent lorsque l'offre est supérieure à la demande et augmentent lorsque la demande est supérieure à l'offre, ce qui induit un rééquilibrage. Ce mécanisme n'est effectif que si le prix est parfaitement flexible.

■ La demande

La *demande* est, en microéconomie, la quantité d'un produit que les agents économiques sont prêts à acheter à un prix donné. En macroéconomie, la demande est l'ensemble des emplois de la production : consommation finale, consommation intermédiaire, investissement et exportations.

◄ **Consommation finale**
Voir p. 47
◄ **Consommation intermédiaire**
Voir p. 21
◄ **Investissement**
Voir p. 139

Le terme de demande s'applique à des objets ou produits différents : demande de biens et services (c'est celle-ci qui sera surtout étudiée ici), mais aussi demande de travail, demande de capital ou demande de monnaie.

Le consommateur est un agent rationnel qui cherche à maximiser son *utilité* (degré de satisfaction généralement procuré par la consommation des produits) et, de ce fait, à acheter au meilleur prix les produits qui lui apportent le plus de satisfaction. L'*équilibre du consommateur*, appelé aussi optimum du consommateur, est le niveau d'utilité maximal que le consommateur peut atteindre avec un budget donné.

◄ **Exportation**
Voir p. 268
◄ **Biens et services**
Voir p. 20-21
◄ **Demande de travail**
Voir p. 203
◄ **Capital**
Voir p. 23
◄ **Monnaie**
Voir p. 92-93
◄ **Utilité marginale**
Voir p. 521
◄ **Menger**
Voir p. 523

Chaque consommateur rationnel n'achète un produit que s'il lui procure davantage d'utilité que ne lui coûte en désutilité son prix. Or, chaque unité consommée supplémentaire a une utilité inférieure à la précédente ; l'utilité marginale est donc décroissante.

Si nous ne possédons pas de véhicule, la première automobile achetée nous procure une grande satisfaction, la seconde aussi, mais moins que la première et ainsi de suite. On peut aussi reprendre le célèbre exemple de Carl Menger, qui explique qu'un premier litre de blé servira à l'alimentation et aura donc une grande utilité, un second litre de blé pourra être utilisé pour l'alimentation du bétail et aura donc un niveau d'utilité inférieur et le troisième litre pourra servir à faire de l'alcool, d'où une utilité encore plus faible.

Le choix entre deux biens

La théorie du consommateur suppose que tout consommateur a un ensemble bien défini de préférences et qu'il n'est jamais totalement saturé d'un bien, ce qui signifie que, même si l'utilité marginale est décroissante, elle n'est jamais nulle et toujours positive. Pour simplifier l'étude mathématique et la représentation graphique, l'analyse microéconomique suppose que les produits soient parfaitement divisibles et qu'il soit donc toujours possible d'ajouter ou de soustraire n'importe quelle quantité de produit.

Considérons un bien représentant l'ensemble de l'alimentation et un autre représentant l'habillement. Le consommateur choisit la combinaison de consommation optimale entre ces deux biens. Il est tout à fait possible d'imaginer qu'une relativement forte consommation d'habillement et une relativement faible consommation d'alimentation lui procurent la même utilité qu'une relativement faible consommation d'habillement et une relativement forte consommation d'alimentation.

Utilité ►
Voir p. 57

À partir de là, on comprend que, pour un niveau d'utilité totale donné, il existe une infinité de combinaisons de ces deux biens ; chacune de ces combinaisons procure indifféremment la même utilité au consommateur. La ***courbe d'indifférence*** est la courbe qui retrace toutes les combinaisons de deux biens procurant le même niveau d'utilité au consommateur. À chaque nouveau degré d'utilité correspond une nouvelle courbe d'indifférence ; plus l'utilité est élevée, plus la courbe d'indifférence se situe sur la droite.

Les courbes d'indifférence

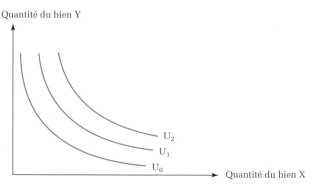

Imaginons que le consommateur dispose pour se procurer ces biens d'un budget de 100 euros. Chaque bien « alimentation » vaut 10 euros et chaque bien « habillement » en vaut 20. Avec son budget, le consommateur peut acheter différentes combinaisons des deux biens : il peut décider de n'acheter que de l'alimentation – dans ce cas, il pourra s'en procurer 10 unités – ou n'acheter que de l'habillement – dans ce cas, il pourra s'en procurer 5 unités –, mais le plus probable est qu'il achète une combinaison de ces deux biens.

Pour représenter graphiquement le domaine des choix possibles, il faut tracer la **droite de budget** (appelée aussi **ligne de budget** ou **ligne des prix**), qui est la droite retraçant toutes les combinaisons des deux produits que le consommateur peut acheter avec son budget – dans notre exemple, toutes les combinaisons de biens d'alimentation et d'habillement qu'il peut obtenir pour 100 euros. Pour cela il suffit de déterminer le nombre de biens Y qu'il peut se procurer s'il n'achète que des biens Y (ce point que l'on posera sur l'axe des y correspond à R/py – dans notre exemple, si le bien Y est l'habillement : 100/20 = 5) et le nombre de bien X qu'il peut se procurer s'il n'achète que des biens X (ce point que l'on posera sur l'axe des x correspond à R/px – dans notre exemple, si le bien X est l'alimentation : 100/10 = 10).

La droite de budget

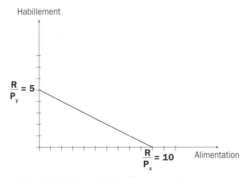

Chaque point de la ligne de budget représente une combinaison des deux biens que le consommateur peut acheter en dépensant la totalité de son budget ; tous les points situés en dessous de la droite appartiennent aussi au domaine des choix possibles, mais leur choix n'implique pas la dépense de la totalité du budget.

Le **maximum du consommateur** (appelé aussi équilibre du consommateur) correspond à la combinaison de biens de consommation qui maximise son utilité pour un budget donné. Le choix du consommateur résulte donc à la fois de la contrainte budgétaire (budget dont il dispose et prix des biens) et de son système de préférence qui, dans le cas de l'arbitrage entre deux biens, est représenté pas sa **carte d'indifférence** (ensemble des courbes d'indifférence du consommateur). La combinaison choisie, celle qui maximise l'utilité pour un budget et un système de prix donnés, est celle qui se situe à l'intersection entre cette ligne des prix et la courbe d'indifférence la plus élevée (celle qui représente l'utilité la plus forte), c'est-à-dire le point où la ligne de budget est la tangente de la courbe d'indifférence.

Courbe d'indifférence ▶
Voir p. 58
Utilité ▶
Voir p. 57

L'optimum du consommateur

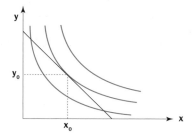

Une modification du prix d'un des deux biens peut provoquer deux effets :

– l'**effet de substitution** désigne la modification de la combinaison de consommation à la suite de la variation du prix d'un des biens : le bien dont le prix relatif a augmenté est moins consommé au profit de l'autre bien ;

– l'**effet de revenu** désigne la modification du pouvoir d'achat du consommateur à la suite de la variation du prix d'un des biens : une augmentation du prix réduit le pouvoir d'achat, donc la satisfaction globale, alors qu'une baisse du prix augmente le pouvoir d'achat, donc la satisfaction globale.

La fonction de demande du consommateur

Si la demande globale du consommateur dépend surtout de son niveau de revenu, sa demande pour un bien particulier résulte essentiellement du prix de ce bien. Ici, le terme « prix » doit être compris au sens large : c'est-à-dire le prix relatif du bien par rapport aux autres biens.

La demande est dans la grande majorité des cas une fonction décroissante du prix. La théorie de l'utilité permet de le comprendre : le consommateur rationnel consomme tant que son utilité marginale est supérieure à la désutilité que représente le prix ; si l'utilité était mesurable (comme le pensaient les premiers microéconomistes), on pourrait dire que l'équilibre du consommateur se situe au point qui égalise l'utilité marginale et la désutilité du prix de vente (au-dessus, il a un manque à gagner). Lorsque le prix augmente, la demande diminue donc.

◄ **Utilité**
Voir p. 57

◄ **Utilité marginale**
Voir p. 521

Mais la réaction de la demande face à une modification de prix n'est pas équivalente pour tous les produits. Ainsi, par exemple, la demande de sel de table ou d'allumettes ne change quasiment pas quand le prix varie, alors que la demande d'automobiles varie fortement par rapport au prix. C'est l'élasticité de la demande par rapport au prix qui mesure le degré de variation de la demande lorsque le prix varie. L'élasticité se mesure par le rapport du taux de variation de la demande et du taux de variation du prix.

◄ **Élasticité**
Voir p. 558

Les **biens de première nécessité** sont des produits qui ont une demande relativement inélastique, alors que les **biens de luxe** sont des produits qui ont une demande relativement élastique.

La pente de la **courbe de demande** (courbe qui détermine la quantité demandée en fonction du prix ; elle est généralement décroissante) résulte donc du degré d'élasticité de la demande par rapport au prix. Une droite verticale correspond à une demande inélastique ; plus la pente est faible, plus l'élasticité est forte.

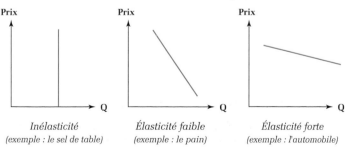

Différentes élasticités-prix

Inélasticité
(exemple : le sel de table)

Élasticité faible
(exemple : le pain)

Élasticité forte
(exemple : l'automobile)

Dans certains cas, parfois reconnus par l'analyse microéconomique, la demande n'est pas une fonction décroissante du prix :

– l'*effet Giffen* met en évidence que la baisse du prix de certains produits de toute première nécessité, appelés produits inférieurs, peut provoquer une baisse de leur demande (symétriquement, la hausse de leur prix induit une hausse de leur demande). Ainsi, la baisse du prix du pain peut permettre aux consommateurs d'acheter davantage de produits alimentaires supérieurs, donc moins de pain ;

– l'*effet d'anticipation* met en évidence que la hausse du prix peut aussi susciter une hausse de la demande si le consommateur craint que cette hausse ne se poursuive. Cet effet joue aussi pour la baisse des prix conduisant alors à une baisse de la demande ;

– l'*effet d'ostentation*, appelé aussi *effet Veblen*, car il a été mis en avant par l'économiste sociologue américain d'origine scandinave Thorstein Veblen (1857-1929), montre que, pour des produits de luxe, certains demandeurs préfèrent des achats à prix élevé, signes de leur statut ou du groupe social auquel ils se réfèrent ;

– l'*effet de marque*, appelé aussi *effet Akerlof*, met en évidence que le consommateur peut être amené à préférer des produits chers, gages, selon lui, d'une meilleure qualité.

Statut ▻
Voir p. 333

Groupe social ▻
Voir p. 344

Akerlof ▻
Voir p. 547

Offre de travail ▻
Voir p. 203

Profit ▻
Voir p. 31

Production ▻
Voir p. 20

Facteur de production ▻
Voir p. 23

Loi des rendements décroissants ▻
Voir p. 27

Coût fixe ▻
Voir p. 27

■ L'offre

L'*offre* désigne en microéconomie la quantité d'un produit que les agents économiques sont prêts à vendre (et éventuellement à produire) à un prix donné. En macroéconomie, l'offre globale est l'ensemble des ressources en biens et services (production et importations).

Le terme d'offre s'applique pour des marchandises et produits différents : offre de biens et services (c'est celle-ci qui sera surtout étudiée ici), mais aussi offre de travail, offre de capital ou offre de monnaie.

L'entrepreneur est un agent rationnel qui cherche en premier lieu le profit. L'activité de l'entreprise est la production ; pour cela, elle achète des facteurs de production, qu'elle combine de la façon la plus efficace possible.

Le *coût marginal* est le coût induit par la production d'une unité supplémentaire. En raison de la loi des rendements décroissants, il est d'abord une fonction décroissante (les coûts fixes sont de mieux en mieux rentabilisés), puis croissante (loi des rendements décroissants) de la quantité produite.

Coût moyen et marginal

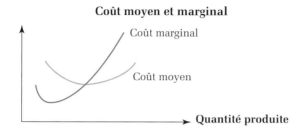

L'entreprise cherche à maximiser son profit. Pour déterminer la quantité à produire qui le maximise, elle compare ce que lui rapporte et ce que lui coûte chaque unité produite. Il s'agit alors de comparer le coût marginal et la *recette marginale* (recette de la dernière unité produite et vendue) et de produire la quantité qui permet exactement d'égaliser ces deux termes. Produire moins signifierait un manque à gagner et produire plus signifierait une perte.

◀ **Coût marginal**
Voir p. 62

En situation de concurrence pure et parfaite, l'entreprise est un *preneur de prix* (agent économique n'ayant à lui seul aucune influence sur le niveau du prix) ; le prix provient du marché. En raison de l'atomicité du marché chaque entreprise ne peut agir que très marginalement sur les prix et les quantités produites. Dans ces conditions la demande à l'entreprise est infinie pour un prix donné. Elle peut être représentée par une droite horizontale : au-dessus du prix du marché, les ventes sont nulles et aucune entreprise ne vend en dessous du prix du marché puisque la totalité de la production peut être écoulée à ce prix.

◀ **Atomicité du marché**
Voir p. 56

◀ **Prix de marché**
Voir p. 65

Dans une situation de concurrence pure et parfaite, la recette marginale de l'entreprise est égale au prix de vente puisque chaque unité vendue supplémentaire lui rapporte ce prix de vente. L'entreprise doit donc produire la quantité qui égalise le prix de vente et le coût marginal.

◀ **Concurrence pure et parfaite**
Voir p. 56

◀ **Entreprise**
Voir p. 30

Au-dessus de ce point, l'entreprise a un manque à gagner et, en dessous, l'entreprise réalise une perte sur la dernière unité produite.

On peut donc affirmer qu'au-dessus d'un certain seuil, la *courbe d'offre* (courbe qui détermine la quantité produite en fonction du

Le ***surplus du consommateur*** désigne l'utilité gagnée par les consommateurs qui disposent de produits à prix plus bas que ce qu'ils étaient prêts à payer. Inversement, les offreurs qui auraient proposé des prix plus faibles que le prix d'équilibre se retrouvent avec un surplus. Le ***surplus du producteur*** désigne le gain induit par la différence entre le prix d'équilibre et le prix qu'ils avaient posé au départ.

Le surplus du consommateur et du producteur

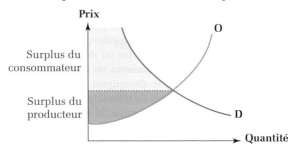

Prix ►
Voir p. 56

Fonction de demande ►
Voir p. 61

Production ►
Voir p. 20

Le prix est un signal. Il oriente les ressources vers les secteurs où la demande est forte. Si, à la suite d'une modification de la fonction de demande, le prix augmente, les producteurs vont accroître leur production. À l'inverse, si le prix baisse, les producteurs réduiront leur production. Le prix des facteurs de production indique aux producteurs quelle combinaison des facteurs de production choisir. Par exemple, si le prix relatif du travail par rapport au capital augmente, les producteurs utiliseront plus de capital et moins de travail.

Pour chaque combinaison des quantités demandées ou offertes par rapport aux prix, le consommateur maximise son utilité et le producteur son profit. En participant aux échanges marchands, les individus améliorent donc leur situation. Ainsi le prix permet-il l'***allocation des ressources***, c'est-à-dire la répartition et l'affectation des différentes richesses dans une économie.

Pénurie ►
Voir p. 16

Surproduction ►
Voir p. 119

Chômage ►
Voir p. 132

Épargne ►
Voir p. 51

La flexibilité des prix permet l'égalité entre l'offre et la demande, donc l'équilibre sur tous les marchés : ni pénurie ni surproduction sur le marché des biens et des services ; ni chômage ni pénurie d'actifs sur le marché du travail ; toute l'épargne est investie et toutes les opportunités d'investissement sont satisfaites sur le marché du capital.

L'équilibre ne peut être atteint si les prix sont rigides. Par exemple, la fixation par l'État, par des syndicats ou des groupes de pression, d'un prix supérieur au prix d'équilibre provoque une situation de surproduction, une offre plus importante que la demande. À l'inverse, la fixation d'un prix inférieur au prix d'équilibre provoque une situation de pénurie, une offre inférieure à la demande. Dans les deux cas, cette situation provoque un *rationnement de l'offre ou de la demande* : quand l'offre et la demande ne sont pas égales, les quantités échangées le sont au niveau le plus bas de l'offre ou de la demande. L'offre est rationnée quand son niveau est supérieur à celui de la demande et la demande est rationnée quand son niveau est supérieur à celui de l'offre.

◄ État
Voir p. 443
◄ Syndicat
Voir p. 416
◄ Groupe de pression
Voir p. 348

Le rationnement de l'offre et de la demande

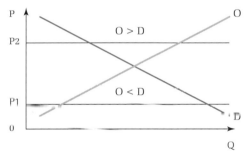

Pour un prix P2, le marché est en situation de surproduction.
Pour un prix P1, le marché est en situation de pénurie.

C Les marchés imparfaitement concurrentiels

■ La diversité des structures de marché

Une *structure de marché* se caractérise par le nombre d'offreurs et de demandeurs présents sur le marché ainsi que par les stratégies mises en œuvre par les offreurs. On distingue trois grandes formes de marché : la concurrence pure et parfaite, le monopole et la concurrence imparfaite (entente, oligopole et concurrence monopolistique).

◄ Concurrence pure et parfaite
Voir p. 56
◄ Concurrence imparfaite
Voir p. 69
◄ Oligopole
Voir p. 69
◄ Concurrence monopolistique
Voir p. 69

Le monopole

La situation opposée à celle de la concurrence est celle du monopole. Le *monopole* désigne à la fois la forme de marché sur lequel se trouve un seul offreur et l'entreprise qui est le seul offreur sur le marché. (Le *monopsone* désigne à la fois la forme de marché sur lequel se trouve un seul demandeur et l'entreprise qui est le seul demandeur sur le marché).

On différencie habituellement trois types de monopoles : le *monopole naturel* (forme de monopole justifié par des conditions techniques – coûts fixes élevés, par exemple – qui font que des entreprises concurrentes ne seraient pas rentables), le *monopole légal* (forme de monopole protégé par des règlements administratifs) et le *monopole d'innovation* (forme de monopole, étudiée par Schumpeter, résultant de la fabrication par l'entreprise d'un nouveau produit ; il s'agit d'un monopole temporaire, car l'innovation est rapidement imitée par d'autres entreprises).

Le monopole a parfois intérêt à discriminer. Un *monopole discriminant* est un monopole qui propose des prix différents en fonction de l'élasticité de la demande par rapport aux prix de sa clientèle.Plus l'élasticité est faible, plus le prix est élevé. Ainsi, les producteurs automobiles vendent généralement plus cher sur leur marché d'origine, en raison de la préférence nationale, qu'à l'étranger ; les prix des billets d'avion sont plus élevés pour les hommes d'affaires, dont la demande est plus rigide, qui voyagent en semaine ; les billets de train sont moins chers pour les étudiants, dont les revenus sont faibles…

Pour mener de façon optimale cette stratégie de prix, le monopole doit être capable de bien connaître les fonctions de demande de chaque catégorie de consommateurs.

Le monopole n'est pas un preneur de prix, mais un *faiseur de prix* (agent économique qui est en mesure de fixer le prix sur un marché). Pour cela, il doit tenir compte de l'élasticité de la demande par rapport au prix. La demande qui s'adresse au monopole n'est pas infinie (comme en concurrence pure et parfaite), elle est une fonction décroissante du prix, car la demande au monopole est identique à la demande au marché. Lorsqu'un monopole produit une unité supplémentaire, il est obligé de diminuer le prix pour pouvoir vendre davantage. La *rente de monopole* désigne le surprofit du monopole ; contrairement à celui des entreprises en concurrence pure et parfaite, ce surprofit est durable même sur longue période.

Coût fixe ►
Voir p. 27

Innovation ►
Voir p. 146
Schumpeter ►
Voir p. 527

Élasticité ►
Voir p. 558

Fonction de
demande ►
Voir p. 61

Concurrence
pure et
parfaite ►
Voir p. 56
Surprofit ►
Voir p. 64

La concurrence imparfaite

La **concurrence imparfaite** est une forme de marché intermédiaire entre le monopole et la concurrence pure et parfaite. Il existe trois principaux cas de concurrence imparfaite : le cartel, la concurrence monopolistique et l'oligopole.

Un **cartel** est un regroupement de producteurs qui s'entendent pour fixer les prix et la quantité produite. Lorsque plusieurs entreprises créent un cartel, elles passent un accord entre elles afin de limiter la concurrence et de se retrouver dans la situation la plus proche possible du monopole. Les cartels durables sont rares, car la formation d'un cartel impose des coûts de négociation et, surtout, des coûts de surveillance très élevés. Chacun des membres du cartel est incité à tricher en vendant moins cher ou en produisant plus ; une surveillance est donc nécessaire. De plus, lorsque le cartel est efficace, les surprofits qu'il engendre incitent de nouvelles entreprises à entrer sur le marché.

◄ **Monopole**
Voir p. 68

◄ **Surprofit**
Voir p. 64

La **concurrence monopolistique** est une forme de marché sur lequel les offreurs différencient leur produit afin de tenter de le rendre unique et de profiter ainsi d'un certain avantage de monopole. L'entreprise qui cherche à différencier son produit veut développer une « concurrence hors prix » (concurrence qui porte sur des critères autres que le prix : qualité des produits, service après-vente,...). Cette différenciation peut porter sur des critères objectifs (couleur, esthétique, résistance) ou sur des critères subjectifs (mode, prestige de la marque). Ce sont ces stratégies de différenciation qui incitent à faire usage de la publicité. La compétitivité des entreprises ne dépend donc pas que du prix ; la compétitivité produit (compétitivité qui porte sur des critères autres que le prix : qualité des produits, service après-vente…) est souvent déterminante.

◄ **Différenciation**
Voir p. 33
◄ **Compétitivité**
Voir p. 270
◄ **Compétitivité produit**
Voir p. 270
◄ **Entreprise**
Voir p. 30

L'**oligopole** est une forme de marché sur lequel se trouvent un nombre limité d'offreurs. Chaque décision de chaque entreprise a une influence sur les autres entreprises ; elles doivent donc adopter un comportement de type stratégique. Dans le cas du **duopole** (forme de marché sur lequel se trouvent uniquement deux offreurs), on considère que chaque entreprise peut soit chercher à dominer le marché, soit se comporter en satellite.

■ Pouvoir de marché et régulation de la concurrence

Concurrence
pure et
parfaite ►
Voir p. 56

Preneur
de prix ►
Voir p. 63

En concurrence pure et parfaite, toutes les entreprises sont des preneurs de prix et aucune ne peut fixer un prix supérieur à celui du marché. Lorsque le marché est en situation de monopole ou de concurrence imparfaite, les entreprises ont intérêt à profiter d'un *pouvoir de marché* (capacité à fixer un prix supérieur à celui qui résulterait de la concurrence) pour augmenter leur profit. Pour être en mesure d'identifier si une entreprise détient un pouvoir de marché, il est nécessaire de définir ce qu'est un *marché pertinent* : il s'agit d'un segment de marché sur lequel un produit est en concurrence avec d'autres produits que les consommateurs considèrent comme substituables. Le marché pertinent présente deux dimensions : une dimension « produit » (tous les produits qui, par leurs caractéristiques, sont interchangeables) et une dimension « territoire » (zones dans lesquels les conditions de concurrence sont suffisamment homogènes).

Barrière à
l'entrée ►
Voir p. 32

Monopole ►
Voir p. 68

Ce pouvoir de marché ne se maintient que s'il existe des barrières à l'entrée. Les entreprises ont en effet intérêt à mettre en œuvre des stratégies qui dissuadent de nouveaux producteurs d'entrer sur le marché. Ainsi, le monopole peut faire savoir qu'il réaliserait des investissements lui permettant de produire plus et de baisser son prix si de nouvelles entreprises se présentaient sur son marché. Il peut aussi vendre à un « prix limite » inférieur au prix maximisant le profit ou même accepter momentanément de vendre en dessous du coût moyen, quitte à faire des pertes.

Réglementation ►
Voir p. 243

Les barrières à l'entrée peuvent aussi résulter des réglementations, de contraintes technologiques ou naturelles, ou bien de la possession d'un savoir-faire spécifique.

Optimum ►
Voir p. 524

En situation de monopole, le niveau de la production est plus faible et celui des prix plus élevé que ceux qui résulteraient d'une situation de concurrence. Comme la situation de monopole éloigne de l'optimum, l'État doit intervenir pour interdire le monopole (c'est, par exemple, l'objet des lois antitrust aux États-Unis) sauf en situation de monopole naturel, car cela conduirait à empêcher l'activité. Lorsque les conditions techniques du marché rendent nécessaire un monopole, les pouvoirs publics doivent le contrôler en mettant en œuvre une réglementation adaptée de façon à ce que les prix et le niveau de production ne soient pas contraires à l'intérêt général.

Les opérations de concentration sont réglementées et doivent être notifiées à la Commission européenne lorsqu'elles portent sur un montant de chiffre d'affaires important. L'objectif n'est pas d'interdire les concentrations, mais de prévenir les situations d'abus de position dominante.

◄ **Abus de position dominante**
Voir p. 32

Par ailleurs, dans le cadre européen, les pays doivent déréglementer et libéraliser leurs services publics, notamment ceux qui sont en réseau (gaz, électricité, télécommunications, transports ferroviaires). Généralement, les infrastructures restent en situation de monopole (monopole naturel), alors que l'exploitation des services est ouverte à la concurrence, donc à des opérateurs privés.

◄ **Monopole naturel**
Voir p. 68

◼D◼ Les défaillances du marché

Les trois principales défaillances du marché sont les asymétries d'information, les externalités et les biens collectifs.

◄ **Externalité**
Voir p. 74

◄ **Bien collectif**
Voir p. 47

◄ **Concurrence pure et parfaite**
Voir p. 56

◼ Les asymétries d'information

Une des conditions de la concurrence pure et parfaite est la transparence du marché, c'est-à-dire l'information complète et gratuite pour tous les agents économiques. Pourtant, l'information est souvent imparfaite. Ainsi, l'*information asymétrique* (ou *asymétrie d'information*) désigne la situation où un seul des deux agents se livrant à la transaction dispose d'une information complète.

Il existe essentiellement deux cas d'information asymétrique : tout d'abord la *sélection adverse* (ou *anti-sélection*), qui désigne la situation où l'agent, victime de manque d'information, risque de sélectionner uniquement les mauvais produits ; ensuite, l'*aléa moral*, qui est une situation dans laquelle l'agent mal informé n'est pas en mesure de contrôler l'action de son partenaire, qui peut en profiter pour adopter un comportement opportuniste.

Les deux principaux exemples de sélection adverse sont celui des voitures d'occasion (présenté par Akerlof) et celui des assurances (présenté par Rothschild et Stiglitz). Dans les deux cas, la sélection adverse a tendance à chasser les bons produits du marché (seul les mauvais produits sont sélectionnés) et les bons assurés (ceux dont le risque est le plus faible) et peut même, à terme, faire disparaître le marché. En effet, lorsque certains agents ne peuvent pas connaître la qualité exacte de chaque produit, ils sont obligés d'opter pour un prix reflétant l'ensemble des produits se trouvant sur le marché (une

◄ **Akerlof**
Voir p. 547

◄ **Stiglitz**
Voir p. 546

sorte de moyenne des prix de tous les produits incluant ceux de bonne qualité et ceux de mauvaise qualité). À ce prix-là, l'agent informé refuse de vendre ses produits de bonne qualité (car leur valeur est supérieure) ou d'acheter des produits de moindre qualité.

Une solution est de donner un signal ayant pour objectif d'informer de la qualité de son produit ou de sa motivation. Par exemple, les vendeurs de voiture d'occasion peuvent offrir une garantie qui sera un signal de qualité ; une entreprise peut proposer de reprendre et de rembourser les produits qui n'ont pas donné satisfaction. Un travailleur peut montrer ses références dans des emplois précédents.

Les deux exemples d'aléa moral les plus connus sont :

Tire-au-flanc ▶
Voir p. 549

– le modèle du « tire-au-flanc » (qui désigne les cas où il est difficile de contrôler la bonne volonté d'un agent) ; par exemple, les dirigeants d'une entreprise peuvent être accusés de tirer au flanc par les actionnaires si ces derniers ne sont pas absolument sûrs qu'ils

Dividendes ▶
Voir p. 99
Productivité ▶
Voir p. 25

mettent tout en œuvre pour maximiser les dividendes, ou les salariés par les chefs d'entreprise si ces derniers ne sont pas sûrs que les salariés font tous les efforts de productivité nécessaires ;

– l'exemple de l'assuré qui adopte un comportement particulièrement risqué sachant qu'il n'en supportera pas lui-même la totalité des conséquences.

■ Les biens collectifs

Le marché n'est efficace que pour la production des biens privés. Un **bien privé** est rival, car son usage par un consommateur réduit les possibilités de consommation des autres consommateurs, et avec exclusion (on dit aussi exclusif), car un paiement direct est exigé et il est possible d'exclure tout consommateur qui refuserait de payer.

Certains biens sont rivaux mais sans exclusion, d'autres sont non rivaux mais avec exclusion, et d'autres enfin sont non rivaux et sans exclusion.

Bien rival / Bien non excluable ▶
Voir p. 252
Productivité ▶
Voir p. 25

Un **bien commun** est un bien rival mais sans exclusion. On peut prendre l'exemple de la pêche en mer : il est impossible d'exclure en faisant payer un prix pour avoir prélevé du poisson qui n'appartient à personne en particulier, mais toute pêche fait diminuer les ressources maritimes. Le marché n'est pas efficient pour ce type de biens, car chacun est tenté de pêcher le plus possible, d'où un risque de pénurie.

Un **bien collectif impur** (ou **bien de club**) est non rival, car son coût n'est pas directement lié au nombre de consommateurs, mais avec exclusion. La production de certains de ces biens admet la concurrence entre les entreprises (salles de cinéma, salles de fitness…), mais dans d'autres cas, lorsque les coûts fixes sont très importants, la concurrence n'est pas possible ; il s'agit, par exemple, des autoroutes à péage ou des réseaux de voie ferrée.

◄ Coût fixe
Voir p. 27
◄ Concurrence
Voir p. 56
◄ Bien non rival
Voir p. 252

Un **bien public** (ou **bien collectif pur**) est non rival, car son coût de production n'augmente pas à chaque consommation supplémentaire, mais sans exclusion. Il a pour vocation de répondre aux besoins, exprimés ou non, d'un maximum de personnes. Comme il n'est pas possible d'exclure les utilisateurs qui ne paient pas, c'est aux pouvoirs publics de se charger de la production de ce type de biens et de contraindre tous les individus à contribuer à leur financement grâce à l'impôt.

◄ Impôt
Voir p. 235

	Biens privés	Biens publics	Biens communs	Biens de club
Rivalité	Oui	Non	Oui	Non
Exclusion	Oui	Non	Non	Oui
Exemples	Baguette de pain, coupe de cheveux	Digue, défense nationale	Ressources primaires non renouvelables	Salle de cinéma, autoroute, lignes téléphoniques
Efficience	Régulation par le marché	Régulation par les pouvoirs publics	Réglementation par les pouvoirs publics	Régulation par le marché lorsque la concurrence est possible ; réglementation par les pouvoirs publics en cas de monopole naturel

■ Les externalités

Une ***externalité*** (ou ***effet externe***) est une répercussion de l'activité d'un agent économique sur d'autres agents qui ne donne pas lieu à une compensation monétaire. Certaines externalités sont positives (ex. : implantation d'une usine qui profite aux commerçants locaux), mais la plupart des externalités sont négatives (pollution, épuisement des ressources naturelles, coûts sociaux et médicaux d'un travail éprouvant...).

Optimum ►
Voir p. 524

Recette marginale ►
Voir p. 63

Coût marginal ►
Voir p. 62

La présence d'externalité éloigne l'économie de son optimum :

– l'entreprise rationnelle égalise sa recette marginale avec son coût marginal, mais elle ne tient pas compte des effets externes négatifs engendrés par son activité (ex. : pollution) ; or son coût marginal privé est plus faible que le coût marginal réel qui englobe le coût marginal de l'entreprise, mais aussi les coûts additionnels supportés par l'entourage. Ne tenant compte que du coût marginal privé, l'entreprise produit et offre une quantité qui est trop élevée par rapport à l'optimum ;

– si une entreprise produit un effet externe positif (par exemple, un parc d'attraction qui attire des touristes dont profitent les commerçants d'une commune), elle ne tient compte dans son calcul que de son coût marginal privé. En réalité, son activité crée un avantage social qu'il faudrait prendre en compte. Ici, le coût social est plus faible que le coût privé, ce qui conduit à un niveau de production trop faible par rapport à l'optimum.

Le marché étant inefficient dans les situations d'externalité, l'État peut intervenir pour internaliser l'effet externe en taxant les activités à effets externes négatifs et en subventionnant les activités à effets externes positifs.

5

ENTREPRISE ET ORGANISATION

A Un mode de coordination des activités économiques

La production d'un bien ou d'un service fait l'objet, dans les circonstances habituelles, d'une coordination d'activités différentes, mais complémentaires réalisées dans le cadre d'une entreprise. Pourquoi l'agencement de ces différentes activités a-t-il besoin de se réaliser dans ce mode d'organisation coordonnée (l'entreprise) alors qu'un enchaînement d'activités indépendantes et d'échanges sur un marché pourrait conduire au même résultat ?

■ Théorie de la firme et coûts de transaction

• Un article de Ronald Coase de 1937 a contribué à renouveler l'analyse du rôle et du statut de l'entreprise. Dans *The Nature of the Firm*, R. Coase s'interroge sur les raisons profondes de l'existence de *firmes* qu'il définit comme un mode de coordination d'activités économiques. R. Coase examine l'hypothèse d'une production réalisée par un très grand nombre de micro-entreprises indépendantes coordonnées par un système d'échanges sur un marché : cette solution impliquerait des coûts de transaction multiples et élevés. Les *coûts de transaction* se définissent comme l'ensemble des coûts liés à la vente ou à l'achat d'un produit. Ce sont donc des coûts externes, extérieurs au périmètre de l'activité de production de l'entreprise proprement dit, par exemple, des dépenses liées à la recherche d'information sur les acheteurs ou sur les concurrents, à l'adaptation au marché ou au progrès technique, à la négociation des contrats, etc. Ces coûts viennent alourdir le strict coût de production des biens et services. La théorie néoclassique ne prend pas en compte ces coûts et considère que la coordination par le marché est toujours la plus efficace. R. Coase rejette cette hypothèse néoclassique en montrant que, lorsque les coûts de transaction sont élevés, la coordination de l'activité économique au sein d'une firme est plus efficiente, même si cette dernière solution engendre des coûts d'organisation. Les *coûts d'organisation* sont l'ensemble des dépenses nécessaires au fonctionnement d'une entité telle qu'une entreprise ou une administration (secrétariat, circulation de l'information, incitation, contrôle…). Tant que les coûts d'organisation de la coordination par la firme sont inférieurs aux coûts de transaction de la coordination par le marché, la création d'une entreprise se trouve justifiée. Dans la même logique, l'intégration à l'entreprise existante d'une activité supplémentaire (production de biens intermédiaires, distribution ou recherche par exemple) peut se révéler moins coûteuse que l'appel à une activité extérieure. C'est cette logique de comparaison de coûts qui permet de répondre à la question : telle entreprise doit-elle produire par elle-même ou externaliser une partie de sa production vers un partenaire sous-traitant ?

◄ Sous-traitance
Voir p. 288

La supériorité organisationnelle de la firme s'explique, selon R. Coase, par l'existence d'un pouvoir d'autorité et d'une *hiérarchie*, définie ici comme une organisation dans laquelle chaque élément est lié aux autres par des relations de subordination et de contrôle. L'organisation de la firme est donc fondée sur un *principe hiérar-chique* qui est un classement, une échelle de commandement qui définit le statut de chaque agent. Cette approche, qui aborde l'entreprise comme une institution, a donné lieu à partir des années 1970 à des développements mettant l'accent sur une vision contractuelle de l'entreprise.

◄ Institution
Voir p. 323

• La théorie des coûts de transaction de O. Williamson (1932-) a précisé la nature des facteurs pouvant expliquer l'existence de coûts de transaction. Le premier facteur tient, selon l'auteur, à la rationalité limitée des agents économiques. La *rationalité limitée* est une rationalité restreinte par des contraintes cognitives et par le coût de l'information. Elle s'oppose à la rationalité absolue. Cette mise en cause de l'hypothèse de rationalité parfaite de l'agent économique résulte des travaux de l'économiste américain Herbert Simon (1916-2001), qui considère que les individus ne peuvent prévoir tous les événements susceptibles d'intervenir et que, dans ces conditions, ils ne recherchent pas la solution optimale, mais s'arrêtent, le plus souvent, à la première solution qu'ils jugent satisfaisante. Selon O. Williamson, cette solution non optimale engendre des coûts de transaction. Le deuxième facteur susceptible d'engendrer des coûts de transaction tient à l'existence d'une asymétrie d'information, situation où un seul des deux agents (ou des deux coéchangistes) dispose d'une information complète. Cela débouche sur un aléa moral qui est une situation dans laquelle l'agent non informé ne peut contrôler ou évaluer l'action de son partenaire. Ce déséquilibre peut se traduire, de la part du coéchangiste, par des *comportements oppor-tunistes* qui consistent à profiter du caractère forcément incomplet des contrats qui ne peuvent prévoir toutes les situations. La firme doit donc se protéger contre le risque qu'un cocontractant n'abuse

◄ Rationalité
Voir p. 521

◄ Asymétrie
d'information
Voir p. 71

◄ Aléa moral
Voir p. 548

de la situation et ne réalise une sorte de « hold up » sur l'enjeu du contrat : cela est d'autant plus crucial que l'entreprise a réalisé des investissements spécifiques (compétences particulièrement pointues, équipements techniques peu courants, etc.). Pour éviter ce genre de coûts de transaction, il peut s'avérer préférable de produire soi-même plutôt que d'entrer dans une relation de dépendance vis-à-vis d'un fournisseur de biens et de services. Certains mouvements d'absorption de sous-traitants stratégiques, détenant un savoir-faire rare, peuvent être analysés dans cette logique.

Absorption ►
Voir p. 32

■ D'autres fondements théoriques : droits de propriété et relation d'agence

Certains économistes abordent la question de la nature de l'entreprise à travers la notion de droits de propriété. Dans cette optique, la firme est définie comme une structure spécifique de droits de propriété, composés des droits d'usage d'un bien, d'une compétence ou d'un titre (usus), des droits d'en retirer un revenu (fructus) et d'en disposer (abusus). Cette définition des droits de propriété est donc particulièrement large puisqu'elle recouvre tout ce qui peut donner un pouvoir d'influence direct ou indirect dans l'entreprise. Elle inclut donc aussi bien la possession d'un terrain que la détention d'un brevet, la maîtrise d'une compétence professionnelle, la propriété d'une marque, etc. L'entreprise est ainsi un lieu d'échange de ces droits sur la base de multiples contrats entre les détenteurs. Armen Alchian et Harold Demsetz ont analysé l'entreprise capitaliste comme mettant en œuvre une structure des droits de propriété permettant d'aboutir à l'efficience maximale.

D'autres analyses (Michael Jensen, William Meckling et Eugène Fama) précisent la théorie des droits de propriété en abordant l'entreprise comme une *relation d'agence*, c'est-à-dire une relation contractuelle entre un principal (ou mandant) et un agent (ou mandataire). L'entreprise serait donc un réseau de contrats multiples, chacun d'entre eux visant la coopération des membres de l'organisation. Ces contrats entre le principal et un agent qui agit en son nom doivent être incitatifs pour ce dernier et, en même temps, préserver les intérêts du principal face aux risques de conflits d'intérêt entre les deux contractants. Un exemple typique de cette situation est celui qui met en relation les propriétaires du capital (actionnaires) et les gestionnaires d'une entreprise (managers). L'intérêt des actionnaires tient à la valorisation des titres et à la distribution de dividendes élevés alors que l'intérêt des managers est plus centré sur des enjeux productifs liés à la taille de l'entreprise, à sa place sur le marché face aux concurrents et à sa réussite technique. L'un des « contrats » qui permet de concilier les deux logiques est la distribution aux managers de *stocks-options*, options d'acquisition d'actions offertes par une entreprise à ses cadres à un prix préférentiel et qui représentent une forme d'intéressement aux résultats de l'entreprise.

B L'organisation de l'entreprise

La question de la manière optimale d'organiser l'entreprise a fait l'objet, dès la fin du XIXe siècle, de démarches parallèles, à la fois empiriques, avec l'organisation scientifique du travail (OST) de F. W. Taylor, et théoriques, avec l'analyse de l'organisation bureaucratique par Max Weber. Par la suite s'est développée une sociologie des organisations, champ important de la sociologie, qui étudie notamment la division des tâches et les règles de fonctionnement qui garantissent l'efficacité au sein des entreprises et des administrations.

■ Le modèle taylorien

Le modèle développé par F. W. Taylor (1856-1915) est à la fois le résultat d'observations et de préconisations empiriques et d'une théorisation exposée dans L'organisation scientifique du travail (*The Principles of Scientific Management*, 1911). L'*OST (appelée aussi taylorisme)* est un mode d'organisation fondé sur la séparation verticale des fonctions de conception et d'exécution, la division horizontale des tâches en segments parcellaires et le contrôle de la qualité d'exécution des tâches par la hiérarchie. D'un point de vue technique, le système taylorien affiche la prétention de mettre en œuvre le « *one best way* », solution technique et ergonomique conçue comme la meilleure possible, donc la plus efficace sur le plan économique. Cette méthode repose sur une organisation censée être optimale du poste de travail, une analyse précise des gestes d'exécution complétée par un chronométrage des opérations. Ces éléments permettent de définir la productivité attendue de l'opérateur. Ce système est complété par le principe de la *rémunération au rendement*, qui consiste à faire dépendre le salaire de chaque opérateur de sa productivité individuelle.

◁ Organisation scientifique du travail
Voir p. 212

◁ Productivité
Voir p. 25

Ce modèle s'est développé aux États-Unis dans la première moitié du xxᵉ siècle, puis en Europe occidentale après la Seconde Guerre mondiale, enrichi par les apports de l'industriel H. Ford, qui a notamment systématisé l'introduction du convoyeur, base technique du *travail à la chaîne*, organisation de la production en postes de travail interdépendants et reliés par un système de transport des pièces d'un poste à l'autre. Opposé au salaire au rendement, H. Ford inverse la logique de rémunération préconisée par Taylor en fixant une norme de salaire élevée incitatrice à la productivité.

Cette double expérience s'appuie sur l'hypothèse de rationalisation de l'organisation de l'entreprise, hypothèse que vont remettre en cause certaines analyses sociologiques. Dès les années 1930, les analyses de l'école des relations humaines, école de psychologie sociale qui analyse en quoi les relations qu'un individu entretient avec son environnement humain interagissent sur son comportement. Le chef de file de ce courant, E. Mayo (1880-1949), met en évidence les limites psychosociologiques du modèle taylorien : celui-ci analyse l'opérateur comme un individu isolé, obéissant à une rationalité strictement limitée à ses propres intérêts économiques. E. Mayo montre l'importance de la pression qu'exerce le collectif de travail (atelier, bureau, service, etc.) sur les comportements individuels. Le collectif de travail peut, par exemple, se sentir menacé par les performances trop élevées d'un de ses membres, car elles amènent la hiérarchie à mettre le groupe en observation, à modifier la norme de rendement et à sanctionner les moins performants. Le groupe sécrète donc une norme implicite qui garantit la tranquillité de l'ensemble des membres tout en tolérant une légère marge de rendement supérieur de la part de certains. Ces études mettent aussi en évidence l'importance des facteurs relationnels indépendants de la sphère économique dans la performance du groupe : jeux d'influence entre individus, hiérarchie non explicite de prestige, capacité de coopération, autorité morale de certains membres du groupe.

D'autres courants ont développé, à partir des années 1950, une critique plus radicale de l'organisation tayloro-fordiste en dénonçant le caractère déshumanisant du travail à la chaîne. Dans son livre, *Le Travail en miettes* (1956), G. Friedman (1902-1977) analyse les effets contre-productifs de cette forme d'organisation du travail (malfaçons, freinage de la productivité, démotivation, etc.). Cette remise en cause ouvre la voie à l'émergence de nouvelles formes

École des relations humaines ▻
Voir p. 214

Psychologie sociale ▻
Voir p. 12

Norme ▻
Voir p. 332

d'organisation du travail s'intégrant dans une conception repensée de la firme.

■ Le modèle bureaucratique : un idéal type

Max Weber (1864-1920) a mis au centre de son analyse des grandes organisations collectives le concept de *bureaucratie*, mode de fonctionnement fondé sur l'application du principe de la rationalisation des activités. Fidèle à sa méthodologie de l'idéal-type, le sociologue caractérise les grandes organisations modernes, publiques ou privées, par un certain nombre de traits communs :

◀ **Rationalisation**
Voir p. 151

◀ **Idéal-type**
Voir p. 499

– les membres de l'organisation sont choisis en fonction de leurs compétences selon des modalités s'appuyant sur la détention de diplômes et/ou une sélection par le concours ouvert à tous ;
– les liens au sein de la structure sont des liens entre fonctions et non des relations de personne à personne ;
– les fonctions sont spécialisées et leur périmètre est strictement défini ;
– les relations sont codifiées par des obligations formelles définies et prévisibles ;
– enfin, la cohérence du système est assurée à la fois par une hiérarchie des grades et des fonctions codifiée dans un organigramme et par une exigence de contrôle renforcée.

◀ **Hiérarchie**
Voir p. 77

L'impersonnalité des relations et le caractère abstrait des règles sont donc des garanties du primat de la règle sur l'arbitraire et donnent à la bureaucratie un fondement légal-rationnel.

Pour Max Weber, la bureaucratie est techniquement supérieure aux autres formes d'organisation ; elle est plus précise, plus rapide, réductrice de conflit et source d'économies, aussi bien en moyens humains qu'en matériel. Elle s'oppose en cela à l'administration par les notables qui est caractérisée par l'imprécision des missions, la confusion des intérêts d'affaires et des intérêts personnels, l'achat de charges administratives et un fonctionnement quotidien qui s'appuie sur la distribution de faveurs et de privilèges.

◀ **Légal-rationnel**
Voir p. 443

Avant même d'avoir donné lieu à une théorisation par Max Weber, le modèle bureaucratique avait fait, dès le XIXe siècle, l'objet d'analyses critiques.

Karl Marx, dans *Le 18 brumaire de Louis-Napoléon Bonaparte* (1852), affirme que la bureaucratie est un corps parasitaire dont les traits empiriques sont la compétence, le goût du secret, le culte de l'autorité, le matérialisme sordide (« la chasse aux postes ») et le spiritualisme (c'est-à-dire une abstraction inutile, à défaut d'un travail productif), lui aussi sordide. Le bureaucrate veut tout à la fois ; faute d'une fonction réelle, il est condamné à une activité incessante.

Le point de vue des libéraux, exprimé par J. S. Mill dans *La Liberté* (1859), est assez proche, paradoxalement, de cette perspective. Il énonce la loi de prolifération bureaucratique, théorie selon laquelle l'intérêt de la bureaucratie est de croître indéfiniment, de multiplier les emplois inutiles, source de rémunération pour ses membres.

Au cours du xxᵉ siècle, différents auteurs ont mis l'accent sur les dysfonctions de la bureaucratie. Il s'agit d'analyses en termes d'effets pervers : le fonctionnement normal de l'appareil bureaucratique débouche sur des conséquences non souhaitées, particulièrement improductives.

Dans les années 1940 et 1950, trois auteurs anglo-saxons, Gouldner, Merton et Selznick, ont mis en évidence les causes des dysfonctionnements du modèle bureaucratique : l'exigence de contrôle de chaque échelon par l'échelon immédiatement supérieur multiplie les risques de conduites rigides de chaque échelon dans le but de se protéger de la critique et de la sanction.

Ces conduites peuvent être empreintes de *ritualisme*, comportement consistant à privilégier le protocole prévu à l'objectif recherché, ou encore de *routine*, comportement privilégiant l'imitation des situations antérieures. Ces pratiques détournent ainsi l'ensemble du système de son objectif initial, c'est-à-dire la satisfaction de la clientèle ou des usagers. La lourdeur de l'organisation bureaucratique devient alors un obstacle à l'adaptation au changement et à la réponse personnalisée aux cas particuliers qu'elle rencontre. R. K. Merton qualifie ce processus de *cercle vicieux des organisations bureaucratiques*, enchaînement de règles de contrôle et de rigidité de comportements pouvant déboucher sur l'inefficacité globale de l'institution, voire sur sa paralysie.

M. Crozier a mené une analyse critique du modèle bureaucratique français dans plusieurs ouvrages (*Le Phénomène bureaucratique*, 1963 ; *Le Monde des employés de bureau*, 1965 ; *L'Acteur et le système*, 1977), analyse qu'il fait reposer sur le concept de rationalité limitée emprunté à H. Simon.

Rationalité limitée ▶
Voir p. 77

Par exemple, le modèle taylorien (« *the one best way* ») suppose qu'il n'existe qu'une seule solution répondant à une rationalité soi-disant absolue alors que, si on applique le concept de rationalité limitée, il n'apparaît plus que comme une solution parmi d'autres. Plus généralement, le modèle bureaucratique s'appuie sur le principe de rationalité, mais ses dysfonctionnements démontrent qu'il laisse se développer des espaces informels de liberté et d'autonomie que les acteurs vont utiliser dans des stratégies de négociation et d'élargissement de leur pouvoir. Le *pouvoir au sens de Crozier* traduit la capacité d'un individu à contrôler une source d'incertitude déterminante pour la bonne marche de l'organisation. La lutte pour le pouvoir apparaît de la sorte centrale dans les organisations. Celles-ci y répondent soit en figeant les rapports par des structures rigides, soit en essayant de maintenir des équilibres fluides, c'est-à-dire des modalités de travail et de coopération qui s'adaptent selon les évolutions de l'environnement. La solution de l'organisation bureaucratique présente un coût (puisqu'elle est relativement imperméable à l'innovation et qu'elle ne se corrige pas facilement en fonction de ses erreurs), mais elle a aussi l'avantage de protéger les individus et d'assurer un minimum de sécurité et de stabilité dans les rapports interpersonnels.

■ La dimension culturelle de l'entreprise

Le fonctionnement et l'organisation de l'entreprise sont ancrés dans les pratiques sociales et culturelles. C'est ce que montrent notamment les *théories de la contingence*, théories qui mettent l'accent sur les facteurs externes à l'organisation et qui influencent son mode d'organisation. La *théorie de la contingence culturelle* affirme que l'organisation de l'entreprise est en rapport étroit avec les caractéristiques culturelles en vigueur dans une région ou un pays donnés. La théorie de la contingence structurelle est une théorie qui énonce que les règles d'organisation collective sont en rapport étroit avec le milieu externe dans lequel baigne l'entreprise.

Ainsi, de nombreuses études mettent l'accent sur l'impact des cultures nationales. M. Crozier montre clairement que l'organisation bureaucratique française, impersonnelle et centralisée, correspond à des traits culturels bien présents dans la société française, à savoir l'isolement des individus et des catégories, la peur du face-à-face et l'attitude ambivalente vis-à-vis de l'autorité (les relations d'autorité sont à la fois évitées et reconnues comme très importantes). Dans ces conditions, l'administration centralisée à la française est un modèle rationnel et efficace permettant de répondre à deux exigences contradictoires : préserver l'indépendance de chacun et assurer le succès de l'action collective.

La référence culturelle est aussi présente à travers l'avènement d'une *sociologie de l'entreprise*, c'est-à-dire d'une sociologie dont le programme d'étude porte sur la relation entre la société globale et l'entreprise considérée sous l'angle des phénomènes identitaires et culturels. Certains auteurs, comme D. Segrestin (*Sociologie de l'entreprise*, 1992) et R. Sainsaulieu (L'*Entreprise, une affaire de société*, 1990), mettent en évidence l'existence de *cultures d'entreprise*, formes de régulation des rapports sociaux au sein des entreprises qui sont un foyer de production de l'identité collective et, au-delà, de l'identité individuelle. Dans le même esprit, les travaux de P. d'Iribarne (*La Logique de l'honneur*, 1989 ; L'*Épreuve des* Management ▶ Voir p. 85 *différences*, 2009) montrent que le management des entreprises est marqué par les singularités culturelles des divers pays dans lesquels elles sont implantées.

Enfin, les approches en termes de contingence structurelle conçoivent l'organisation comme un système ouvert aux influences extérieures. P. R. Lawrence et J. W. Lorsch (*Adapter les structures de l'entreprise*, 1973) posent la question de savoir comment une entreprise est amenée à transformer ses modes d'organisation pour s'adapter à l'environnement. Plus un environnement externe est sûr (par exemple, lorsque le marché sur lequel opère l'entreprise est stable et lui assure ainsi un niveau de commandes permanent), plus la structuration interne de l'entreprise sera rigide ou bureaucratique. Inversement, plus l'environnement est incertain, plus la souplesse prévaudra dans l'organisation des relations de travail. Les organisations sont ainsi conduites à adopter des structures qui correspondent aux caractéristiques spécifiques de leur environnement.

C Gouvernance et prise de décision dans l'entreprise

■ Les parties prenantes

Dès les années 1930, des travaux mettent l'accent sur la pluralité des intervenants dans l'activité de l'entreprise, sur son impact social et sa responsabilité. Ce sont les travaux de R. E. Freeman (*Strategic Management: A Stakeholder Approach*, 1984) qui popularisent la notion de *parties prenantes* (ou *stakeholders*), qui sont les individus, les groupes d'individus ou les institutions qui peuvent affecter ou être affectés par la réalisation des objectifs de l'entreprise. Cette définition est évidemment très large. L'entreprise n'est plus seulement une organisation dont il faut comprendre le fonctionnement interne, mais elle est décrite comme un lieu ouvert, un espace de relations diverses en osmose permanente avec ses partenaires. Cette analyse en termes de « *stakeholder society* » se fonde sur l'idée que l'entreprise ne sert pas uniquement les intérêts de ses propriétaires, mais que sa responsabilité va beaucoup plus loin, qu'elle génère des externalités qui doivent être prises en compte dans son mode de direction. Cette vision partenariale peut s'inscrire dans une perspective étroite et techniciste, centrée sur les intérêts de l'entreprise et de ses actionnaires ; elle peut, à l'inverse, s'orienter vers la prise en compte plus large des responsabilités sociétales de l'entreprise en y incluant des acteurs qui, *a priori*, peuvent sembler relativement éloignés du champ étroit de l'entreprise (associations de consommateurs, par exemple).

◄ **Externalité**
Voir p. 74

Les parties prenantes peuvent être internes à l'entreprise (propriétaires, dirigeants, salariés, syndicats) ou externes (pouvoirs publics, institutions financières, clients, fournisseurs, associations diverses, etc.). Certaines parties prenantes, comme les sous-traitants, se situent dans une zone frontière, ni complètement à l'intérieur de l'entreprise, ni totalement à l'extérieur. Certains auteurs incluent dans cet ensemble les concurrents directs de l'entreprise.

◄ **Sous-traitance**
Voir p. 288

Ce courant d'analyse de l'entreprise donne lieu à différents types d'approches, l'approche instrumentale et stratégique d'une part, l'approche éthique d'autre part.

L'approche instrumentale et stratégique s'attache à décrire et à décrypter le réseau de relations que l'entreprise entretient avec ses parties prenantes, l'objectif étant d'améliorer l'efficacité du management. Le *management* recouvre l'ensemble des techniques et des méthodes de gestion utilisées pour organiser une entreprise (ou une administration).

◄ **Réseau**
Voir p. 349

L'approche éthique se donne une ambition plus sociétale. Elle s'attache à prendre en compte et à intégrer dans le mode de management des exigences morales liées à l'impact que l'activité de l'entreprise a sur l'ensemble de son environnement de manière à renforcer sa légitimité aux yeux des acteurs sociaux. Il s'agit, en quelque sorte, d'instaurer une forme de contrat implicite de confiance entre la société et l'entreprise, mettant en relief la **responsabilité sociale de l'entreprise (RSE)**, qui désigne la prise en compte par l'entreprise des enjeux sociaux de son activité. La RSE peut donner lieu à une évaluation à travers une série d'indicateurs de performance sociale aussi divers que les solutions écologiques adoptées, la politique d'intégration de personnes handicapées, l'embauche de salariés à faible employabilité, l'implantation dans des zones à fort taux de chômage ou encore la prise en compte d'objectifs de santé publique, etc. En France, la loi fait désormais obligation aux entreprises de plus de 500 salariés de publier un certain nombre d'indicateurs de performance sociale.

Employabilité ▶
Voir p. 201

■ La gouvernance

Le thème de la gouvernance d'entreprise (*corporate governance*) est apparu dans les années 1990, même si des travaux précurseurs avaient posé les jalons dès les années 1930, période durant laquelle la question du pouvoir dans l'entreprise s'était déjà posée du fait de l'évolution des grandes entreprises. La **gouvernance d'entreprise** désigne donc les modalités d'organisation du pouvoir et du contrôle des dirigeants au sein d'une entreprise. Le terme est également utilisé dans un sens plus restreint pour qualifier la relation entre les propriétaires du capital et les organes de décision (conseil d'administration, directoire, conseil de surveillance).

Dans une entreprise, ces questions de gouvernance sont liées au mode de propriété et aux modalités de répartition de la valeur créée. L'évolution des entreprises a mécaniquement entraîné des transformations des relations entre propriétaires du capital et dirigeants ainsi que des changements dans les modes de gouvernance. Au début du xxe siècle, et notamment après la crise des années 1930, se développe le **modèle managérial** qui désigne un système de direction des entreprises par des salariés-managers, soumis à un contrat de travail et percevant des rémunérations fixes. À travers une relation d'agence, le recrutement de ces cadres dirigeants est alors fondé sur leur compétence en matière d'expertise économique et financière, et leur statut reste celui de salarié. Mais leur position particulière dans l'entreprise, notamment leur rôle de décideurs, ont amené des

Relation
d'agence ▶
Voir p. 78

économistes tels que J. K. Galbraith (1908-2006) à analyser la nature du pouvoir de cette « technostructure ». Selon Galbraith, ce modèle managérial peut générer des conflits d'intérêts entre actionnaires et managers, ces derniers ayant tendance à privilégier la croissance de la taille de l'entreprise, de ses parts de marché et de l'évolution du chiffre d'affaires plutôt que la maximisation de la rentabilité du capital, critère de référence habituel des actionnaires. Ces conduites de valorisation de leurs compétences de gestionnaires peuvent entrer en contradiction avec les intérêts des apporteurs de capital mesurés à l'aune des dividendes distribués.

◄ Techno-structure
Voir p. 531

◄ Rentabilité
Voir p. 143

◄ Dividende
Voir p. 99

Les années 1980 ont vu le passage au *modèle actionnarial de gouvernance*, désignant un système de contrôle par les actionnaires et notamment les investisseurs institutionnels. Les critères de gouvernance en sont alors radicalement transformés. L'objectif prioritaire devient la maximisation du rendement des titres, c'est-à-dire des dividendes, mais aussi leur valorisation de manière à générer des plus-values boursières. La valeur actionnariale est donc devenue la finalité du modèle de gouvernance, dont la logique s'appuie désormais sur des incitations spécifiques visant en particulier à mobiliser les dirigeants vers cet objectif. Les managers ont été peu à peu transformés en managers-actionnaires, leur rémunération étant complétée par l'attribution de stock-options.

◄ Investisseur institutionnel
Voir p. 110

◄ Plus-value
Voir p. 494

◄ Stock-option
Voir p. 79

■ Du conflit à la coopération dans l'entreprise

Les théories traditionnelles du management font du conflit dans l'entreprise un obstacle, un dysfonctionnement. Ainsi, Henri Fayol (1842-1925), considéré comme l'un des pères des théories du management, rangeait le conflit parmi les catastrophes auxquelles s'expose le fonctionnement de l'entreprise. Ce type d'approche débouchait donc sur deux solutions : au mieux, il s'agissait d'éviter les situations de conflit et, au pire, de l'éliminer au plus vite par l'explication des choix mis en œuvre par la direction. Toute négociation est *a priori* jugée inutile, compte tenu de l'asymétrie supposée de l'information entre les acteurs en place.

◄ Management
Voir p. 85
◄ Conflit
Voir p. 414

La nature constructive du conflit est pourtant apparue assez tôt, notamment dans les travaux de Mary Parker Follett (1868-1933), souvent considérée comme une des pionnières de la démocratie participative (*The New State*, 1918 ; *Constructive Conflict*, 1925). Elle

◄ Démocratie participative
Voir p. 455

propose d'aborder la question du conflit dans les organisations à partir de trois postulats nouveaux. D'une part, l'individu est unique et cette singularité est, selon M. Parker Follett, source de richesses et de diversité pour l'entreprise. D'autre part, le conflit doit être envisagé de façon sereine comme un mode normal et nécessaire de confrontation des points de vue. Enfin, les partenaires ne doivent pas être sous-estimés, leurs objectifs divergents ayant leur légitimité propre.

Une fois ces conditions posées, trois façons de résoudre le conflit s'offrent, selon l'auteur, aux parties en présence. La première est la domination ou la soumission : elle consiste à faire taire la critique ou la contestation en expliquant la mesure que certains rejettent. Cette solution est la plus simple et elle a l'avantage de la rapidité mais, à terme, elle fait disparaître la diversité des points de vue et implique donc qu'il y ait un perdant. La deuxième méthode est la recherche d'un *compromis*, arrangement où chacun cède un peu de terrain et renonce à une partie de ses objectifs ou de ses attentes. Cette solution présente le risque de n'être que temporaire et, à terme, inefficace : les problèmes sont refoulés, les rancœurs conduiront à ce que le conflit resurgisse ultérieurement. La seule bonne méthode est donc, selon Mary Parker Follett, « l'intégration », entendue ici comme la recherche de solutions qui satisferont les attentes des parties en présence sans qu'aucune n'ait à renoncer à ses objectifs. Cette voie suppose l'explication réciproque de la nature des attentes de chacun permettant une réévaluation des enjeux et elle nécessite aussi que l'ensemble des partenaires fassent preuve de créativité. L'auteur mobilise un exemple simple pour illustrer l'intégration. Imaginons deux personnes présentes dans une bibliothèque ; l'une souhaite ouvrir la fenêtre, l'autre craint les courants d'air. La clarification de leurs attentes réciproques, à savoir aérer pour l'une, ne pas recevoir directement l'air frais pour l'autre, a conduit à une solution simple : ouvrir la fenêtre de la pièce voisine. Les deux personnes résolvent leur désaccord par la voie de l'intégration des points de vue de chacun. Le *conflit constructif* est donc, selon Mary Parker Follett, un conflit dont le mode de sortie débouche sur de nouvelles bases d'organisation qui éviteront des conflits ultérieurs et favoriseront la coopération.

6

MONNAIE ET FINANCEMENT

A Les mécanismes monétaires et financiers

- La monnaie : définition, fonctions et formes
- Le financement de l'activité économique
- La création de la monnaie
- Équilibres et déséquilibres monétaires

B Instabilité financière et régulation

- La globalisation financière
- L'instabilité financière
- La régulation financière

A Les mécanismes monétaires et financiers

■ La monnaie : définition, fonctions et formes

La monnaie est un instrument de paiement accepté par les différents membres d'une collectivité.

Avec le développement de l'activité économique, le besoin de monnaie devient croissant. Très rapidement, l'ancienne forme d'échange, le **troc** (échange direct d'une marchandise contre une autre marchandise sans usage de monnaie), s'est vue dépassée et une véritable monnaie est devenue nécessaire.

Selon une présentation assez simplificatrice de l'histoire monétaire, le troc existait avant la monnaie et a été remplacé avantageusement par celle-ci. On serait passé d'un *équivalent simple* (valeur d'une marchandise évaluée par rapport à celle d'une autre marchandise) à un *équivalent général* (marchandise unique dont la valeur permet d'évaluer celle de toutes les autres marchandises) : c'est une des caractéristiques de la monnaie.

Avec la *division sociale du travail* (spécialisation de chaque producteur dans une activité bien définie), les échanges se sont multipliés. De ce fait, les inconvénients du troc ont été rapidement mis en évidence : il est inapproprié aux échanges de produits périssables et non divisibles ; il ne permet pas de mesurer la valeur des produits et, surtout, il suppose à chaque fois que chacun ait besoin de ce que l'autre produit.

Produit ►
Voir p. 20

Le troc et la monnaie ne doivent toutefois pas être opposés :

– avant l'usage de la monnaie, le troc n'était pas la seule forme d'échange. Une partie non négligeable des échanges s'effectuait aussi sous forme de dons croisés ;

– même si elle n'était pas utilisée dans les échanges, une forme de monnaie coexistait bien souvent avec le troc. En effet, un équivalent général est nécessaire pour comparer la valeur des marchandises entre elles. Une marchandise plus convoitée que les autres (coquillages, bijoux…) jouait souvent ce rôle ;

Souveraineté ►
Voir p. 445

– la monnaie a un emploi très ancien, car elle est liée à la notion de pouvoir et de souveraineté (les pièces sont souvent frappées à l'effigie des chefs d'État) ;

– le troc est encore parfois utilisé.

Les fonctions de la monnaie

Les **fonctions de la monnaie** désignent à la fois les fonctions classiques, ou instrumentales (intermédiaire dans les échanges, mesure des valeurs et instrument de réserve), et des fonctions plus générales d'entretien du lien social et de mise en cohérence des différents comportements économiques des agents d'une même collectivité.

◄ **Lien social**
Voir p. 392

La monnaie assure traditionnellement trois fonctions :
– la fonction principale d'intermédiaire dans les échanges : le **pouvoir libératoire** désigne la capacité d'une monnaie d'éteindre les dettes ; ce pouvoir est assorti de l'obligation pour les agents d'accepter la monnaie concernée en moyen de paiement ;
– la fonction d'**étalon des valeurs** (équivalent général permettant de comparer la valeur des différentes marchandises entre elles) ;
– la fonction de **réserve des valeurs** désigne la possibilité qu'offre la monnaie d'épargner, c'est-à-dire de renoncer à une consommation présente et d'opter pour une consommation future.

Ces trois fonctions ne définissent qu'imparfaitement la monnaie :
• La monnaie est un étalon instable, car sa valeur est fluctuante ; elle diminue en cas d'inflation et augmente en cas de déflation. Un exemple éloquent est l'hyperinflation allemande de 1923 ; peut-on parler d'étalon alors qu'en quelques mois, le mark a perdu un billion de fois sa valeur ?

◄ **Inflation**
Voir p. 105
◄ **Déflation**
Voir p. 106
◄ **Hyperinflation**
Voir p. 106

• Les fonctions de réserve et d'intermédiaire des échanges peuvent se révéler contradictoire. Ce phénomène a été mis en évidence par la **loi de Gresham** : principe énoncé par un banquier anglais du XVIe siècle, Thomas Gresham, selon lequel « la mauvaise monnaie chasse la bonne ». En effet, lorsque deux signes monétaires sont utilisés simultanément (l'or et l'argent dans le bimétallisme qui était en vigueur dans la plupart des pays d'Europe), la monnaie la plus appréciée, l'or en l'occurrence, est thésaurisée, alors que la « mauvaise monnaie », ici l'argent, est la seule à être utilisée dans les échanges. L'or remplissait donc correctement sa fonction de réserve, mais imparfaitement sa fonction d'intermédiaire dans les échanges, tandis que l'argent n'assurait qu'une fonction d'intermédiaire.

La monnaie ne remplit réellement ses fonctions que lorsqu'elle est parfaitement acceptée, donc lorsque les agents économiques lui accordent leur confiance ; c'est seulement à cette condition qu'ils l'acceptent comme paiement et qu'ils sont prêts à l'utiliser comme instrument de réserve. Facilitatrice des échanges économiques, la monnaie crée du lien entre les individus d'une même société et est un instrument de tissage de relations sociales diverses, notamment de dépendance.

Dépendance ▶
Voir p. 174

Les formes de la monnaie

La nature des moyens de paiement évolue. Les *formes de la monnaie* regroupent les différents aspects qu'ont pris et que prennent actuellement les moyens de paiement. La tendance générale est celle de la *dématérialisation de la monnaie* (la monnaie revêt, au fil du temps, une forme de moins en moins matérielle). Après avoir pris des aspects très concrets comme des vases, des coquillages, des bijoux ou des animaux d'élevage, elle prend la forme de billets, puis se dématérialise totalement sous la forme de monnaie scripturale.

Monnaie
scripturale ▶
Voir p. 93

Les premières formes de monnaie étaient des objets très appréciés par les individus et revêtant une importance certaine dans l'activité économique. Ces marchandises avaient généralement comme qualité de ne pas être périssables, donc de pouvoir être mises en réserve, et d'être divisibles.

La *monnaie-marchandise* désigne une marchandise particulière qui est utilisée comme monnaie (intermédiaire dans les échanges, étalon, réserve de valeur) et qui a deux caractéristiques principales : son pouvoir d'achat est égal à sa valeur intrinsèque ; elle est une marchandise fortement appréciée par les individus.

Au fil du temps, les métaux précieux furent les monnaies-marchandises les plus utilisées. Leur première forme fut celle de lingots, qui étaient pesés à chaque échange, puis, par commodité mais aussi afin de permettre au pouvoir politique d'exercer un contrôle, des pièces de poids identique frappées sous sa surveillance.

Pouvoir
politique ▶
Voir p. 442

La *monnaie métallique* est une monnaie sous forme de métaux précieux ; son pouvoir d'achat est égal à la valeur des métaux précieux qui la composent.

Alors que le système le plus répandu était le *bimétallisme* (système monétaire qui utilise conjointement deux métaux précieux, généralement l'or et l'argent), les pays européens ont progressivement adopté au XIXe siècle le *monométallisme* (système monétaire qui n'utilise qu'un seul métal précieux, généralement l'or) en raison de la loi de Gresham. On retrouve ici la qualité obligatoire d'une bonne monnaie : les agents économiques doivent l'apprécier et avoir confiance en elle.

Loi de
Gresham ▶
Voir p. 91

L'inconvénient majeur de l'or est son poids ; il a donc paru plus commode, pour les transactions importantes, de régler le paiement à l'aide d'un billet qui permet au créancier d'aller lui-même retirer l'or à la banque, ou même de le conserver afin de l'utiliser de nouveau dans une transaction ultérieure. Le billet convertible est ainsi apparu en Europe au début du XVIIIe siècle (l'assignat français en est un exemple). Le billet convertible n'est pas une monnaie au sens strict, il n'est qu'un support facilitant le paiement (l'or demeure la seule monnaie).

◄ Banque
Voir p. 94

Les agents économiques se sont progressivement habitués à l'utilisation de la **monnaie-papier** (monnaie sous forme de billets) et l'ont peu à peu appréciée « pour elle-même », et non plus seulement pour la quantité d'or qu'elle pouvait représenter. On assiste alors à la disparition de la monnaie-marchandise et à l'apparition de la monnaie fiduciaire ; la monnaie n'a plus de valeur en elle-même.

Pour répondre aux besoins accrus de l'économie en monnaie et parce que les billets sont encombrants pour les transactions importantes (même s'ils le sont moins que l'or), se sont développés des règlements par jeux d'écriture, matérialisés par des ordres de virement (les chèques par exemple).

La même évolution se reproduit : la confiance dans cette nouvelle sorte de monnaie (monnaie scripturale) s'étend, le billet devient de moins en moins nécessaire... La monnaie est non seulement fiduciaire mais aussi dématérialisée.

La monnaie actuelle se présente soit sous une forme manuelle, soit sous une forme scripturale :

– la **monnaie manuelle** (monnaie qui passe de la main à la main) regroupe la monnaie divisionnaire (pièces de monnaie) – émise par le Trésor public et qu'il ne faut pas confondre avec la monnaie métallique, car sa valeur n'a pas de rapport avec la quantité de métal contenue dans la pièce – et la monnaie fiduciaire (du latin *fides*, signifiant « confiance »), constituée par les billets de banque émis par la Banque centrale (la Banque centrale européenne en Europe) ;

◄ Banque
centrale
Voir p. 100

– la **monnaie scripturale**, constituée des dépôts à vue des ménages et des entreprises dans les banques, est une forme de monnaie parfaitement liquide (contrairement, par exemple, aux comptes sur livret ou aux dépôts à terme), car il est possible de l'utiliser à tout moment grâce à des instruments de circulation comme le chèque ou la carte bancaire. Le progrès des technologies de l'information et de la communication a renforcé la dématérialisation monétaire en multipliant les instruments de circulation : carte de paiement, titre universel de paiement, porte-monnaie électronique... La monnaie scripturale est aujourd'hui la forme monétaire de loin la plus utilisée. Cette forme de monnaie n'existerait donc pas sans les banques. La ***banque*** (appelée aussi banque commerciale ou banque de second rang pour la distinguer de la Banque centrale) est un intermédiaire financier qui collecte des dépôts, accorde des crédits et effectue des transactions sur les marchés financiers.

Crédit ▶
Voir p. 96

Marché financier ▶
Voir p. 99

Épargne ▶
Voir p. 51

Actif ▶
Voir p. 34

Depuis plusieurs années se sont développés des produits d'épargne (comptes sur livret, comptes d'épargne logement...) qui ne sont pas au sens strict de la monnaie, car ils ne sont pas parfaitement liquides.

La ***liquidité*** désigne la plus ou moins grande facilité de conversion d'un actif en moyens de paiement. Ainsi, la monnaie est parfaitement liquide ; les sommes contenues sur un livret A sont relativement liquides, car elles peuvent être utilisées rapidement ; les Sicav sont un peu moins liquides, car il faut les vendre avant de pouvoir les utiliser comme moyen de paiement.

Les ***agrégats monétaires*** (M1, M2, M3) sont des indicateurs regroupant les avoirs aisément transférables en moyens de paiement détenus par les agents non financiers résidents ; ils sont classés selon leur degré de liquidité. M1 représente la monnaie (ou disponibilités monétaires) au sens strict et M3 la ***masse monétaire*** (ensemble des moyens de paiement en circulation dans une économie ou une zone monétaire).

Agrégats monétaires de la zone euro

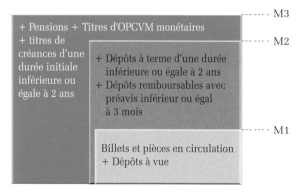

M3

+ Pensions + Titres d'OPCVM monétaires
+ titres de créances d'une durée initiale inférieure ou égale à 2 ans

M2

+ Dépôts à terme d'une durée inférieure ou égale à 2 ans
+ Dépôts remboursables avec préavis inférieur ou égal à 3 mois

M1

Billets et pièces en circulation
+ Dépôts à vue

■ Le financement de l'activité économique

Afin de financer leurs investissements, les entreprises disposent de plusieurs moyens ; elles peuvent faire appel à leurs ressources internes ou à des ressources externes.

Les différents modes de financement

Une entreprise s'autofinance lorsqu'elle utilise ses propres ressources pour investir. L'*autofinancement* désigne le financement des investissements d'un agent économique grâce à sa propre épargne. La *capacité d'autofinancement* d'une entreprise est constituée de son bénéfice et des sommes qui ont été mises de côté pour l'amortissement du matériel (afin de compenser la perte de valeur due à l'usure et à l'obsolescence) et pour les provisions (afin de se couvrir d'un risque éventuel, le non-paiement d'une facture par exemple).

◄ **Épargne**
Voir p. 51

◄ **Bénéfice**
Voir p. 31

◄ **Amortissement**
Voir p. 141

Le taux d'autofinancement est le rapport entre la capacité d'autofinancement des entreprises et l'investissement. L'autofinancement est la source de financement considérée comme la plus avantageuse et témoigne d'ailleurs souvent de la bonne santé de l'entreprise. Mais l'autofinancement ne couvre que rarement l'ensemble du financement de l'investissement, car il dépend des profits antérieurs et les entreprises peuvent être incitées à emprunter si les taux d'intérêt sont faibles. L'autofinancement, source privilégiée de financement, comporte des effets pervers : pour améliorer leur capacité d'autofinancement, les entreprises peuvent être tentées de gonfler leurs prix ou de diminuer la part de profit distribué sous forme de dividendes, ce qui risque de détourner les actionnaires.

◄ **Taux d'auto-financement**
Voir p. 142

◄ **Profit**
Voir p. 31

◄ **Taux d'intérêt**
Voir p. 96

◄ **Dividende**
Voir p. 99

Le *financement externe direct* (ou *financement désintermédié*) est le financement par le marché financier. Ce financement est dit direct ou désintermédié, car il ne fait pas appel à l'intermédiation bancaire et permet de mettre directement en contact l'offre et la demande de capitaux.

Deux moyens principaux permettent aux entreprises de se financer sur le marché financier :

– l'émission d'actions, qui permet d'augmenter le capital de l'entreprise, mais qui risque de modifier la structure de l'assemblée générale des actionnaires et, parfois, du conseil d'administration si les anciens actionnaires ne profitent pas de leur droit préférentiel de souscription ;

◄ **Action**
Voir p. 99

– l'émission d'obligations, emprunt public, qui génère le versement d'un intérêt annuel et le remboursement de capital selon les
échéances fixées.

Le *financement externe indirect* (ou *financement intermédié*)
est le financement par le crédit bancaire. Ce financement est dit indirect ou intermédié, car les banques jouent un rôle d'intermédiaire
entre les épargnants et les emprunteurs en transformant les dépôts
en crédits.

L'*intermédiation* désigne un mode de financement dans lequel
les banques jouent un rôle d'intermédiaire en collectant des dépôts
et en accordant des prêts.

Les banques effectuent alors une *transformation monétaire* (utilisation de dépôts pour accorder des crédits dont les échéances sont
différentes ; par exemple, octroi de prêts à long terme à partir de
dépôts à court terme ou à vue).

Le financement externe indirect a non seulement un coût supérieur
au financement direct (il faut rémunérer l'activité bancaire), mais en
plus il risque de rendre les entreprises dépendantes des banques.

Crédit et taux d'intérêt

Le **crédit** désigne la mise à disposition par une personne ou un
organisme (souvent spécialisé, comme les banques ou les sociétés
de crédit) d'une ressource (une somme d'argent dans la plupart des
cas) contre l'engagement d'un remboursement dans le futur, généralement assorti d'un intérêt.

L'*intérêt* est le revenu de l'agent qui accorde un crédit, il rémunère le fait de renoncer à la liquidité en mettant celle-ci à la disposition d'autrui. Le *taux d'intérêt* est le prix du crédit, c'est-à-dire
le prix de la renonciation à la liquidité ; il rémunère également le
risque de crédit, c'est-dire le risque pour le créancier de ne pas être
remboursé à l'échéance prévue en raison d'un retard ou d'une défaillance de son débiteur.

Ainsi, plus le risque de crédit est estimé important, plus le taux
d'intérêt demandé est élevé. Des *agences de notation* (organismes
dont la fonction est d'évaluer le risque de crédit des emprunteurs
privés et publics) attribuent des notes (de AAA pour les risques les
plus faibles à DDD pour les risques les plus élevés) aux emprunteurs ; de celles-ci dépendent la facilité d'obtention d'un crédit et le
niveau de taux d'intérêt.

Le risque de crédit ne concerne pas uniquement les emprunteurs privés ; les plus gros débiteurs sont les États. Plus ils sont endettés, donc moins solvables, plus les taux d'intérêt qui leur sont demandés sont élevés, ce qui aggrave encore leur dette et réduit leur solvabilité. Ils doivent alors donner un signe fort aux agences de notation et aux créanciers en réduisant fortement leurs dépenses.

◄ **Dette**
Voir p. 183

Le ***taux d'intérêt nominal*** est le taux d'intérêt courant ; il ne tient pas compte de l'évolution des prix. Le ***taux d'intérêt réel*** est le taux d'intérêt déflaté ; l'effet de l'évolution des prix a été supprimé : le taux d'intérêt réel se calcule par le rapport entre le taux d'intérêt nominal et l'indice des prix (multiplié par 100).

Il existe plusieurs types de crédit, que l'on peut distinguer en fonction de leurs destinations et de leurs échéances :

– le ***crédit à l'investissement*** est un crédit à moyen ou long terme à destination des entreprises, qui sert à financer les achats d'équipement ;

◄ **Entreprise**
Voir p. 30
◄ **Ménage**
Voir p. 135

– le ***crédit à la consommation*** est un crédit à court ou moyen terme à destination des ménages, qui sert à financer les dépenses de consommation ;

– le ***crédit de trésorerie*** est un crédit à court terme à destination des entreprises et des ménages, qui sert à financer les besoins de trésorerie ;

– le ***crédit à l'exportation*** est un crédit à court et moyen terme à destination des entreprises, qui sert à financer les exportations et certains investissements à l'étranger ;

◄ **Exportation**
Voir p. 268
◄ **Investissement**
Voir p. 139

– le ***crédit habitat-promoteur*** est un crédit à moyen ou long terme à destination des entreprises et des ménages, qui sert à financer l'achat de terrains, la construction et l'amélioration d'immeubles ;

– l'***escompte*** est un crédit à court terme à destination des entreprises. Les entreprises règlent rarement leurs achats au comptant. Le plus souvent, l'entreprise débitrice signe une reconnaissance de dette (appelée effet de commerce ou traite) à l'entreprise créancière qui peut, si elle a besoin de liquidité, la faire escompter à la banque. Dans ce cas, la banque achète la traite en faisant payer un intérêt et se tourne à échéance (généralement 90 jours) vers l'entreprise débitrice pour le remboursement de l'emprunt.

Économie d'endettement et économie de marché financier

Investissement ▸
Voir p. 139

Épargne brute ▸
Voir p. 51

Certains agents économiques (généralement les ménages) épargnent et dégagent une *capacité de financement* (un agent économique est en capacité de financement lorsque ses investissements sont inférieurs à son épargne brute. Il peut mettre une partie de son épargne à la disposition des agents qui ont des besoins de financement) : leurs dépenses sont inférieures à leurs revenus. D'autres agents économiques (généralement les entreprises et l'État) ont, au contraire, un *besoin de financement* (un agent économique est en besoin de financement lorsque ses investissements sont supérieurs à son épargne brute) : leurs revenus ne sont pas suffisants pour couvrir leurs dépenses.

Les capacités de financement peuvent être globalement suffisantes pour couvrir les besoins de financement ; les termes *économie de marchés financiers*, ou *économie de marchés de capitaux*, ou encore *économie de financement désintermédié* désignent une économie dans laquelle le recours aux banques et à la création monétaire est marginal ; le financement s'effectue essentiellement par autofinancement et recours au marché financier.

Les capacités de financement peuvent, en revanche, être insuffisantes pour couvrir les besoins de financement ; le terme *économie d'endettement* désigne une économie principalement financée par le crédit bancaire et à la création monétaire.

Création
monétaire ▸
Voir p. 100

Pendant la période des Trente Glorieuses, l'économie s'est progressivement transformée en une économie d'endettement. En effet, les capacités de financement se sont révélées insuffisantes pour couvrir les besoins de financement considérables de l'économie dus aux fortes croissances de l'investissement et de la demande de consommation.

Consommation ▸
Voir p. 46

Pour couvrir leurs besoins de financement, les agents économiques ont eu de plus en plus recours au crédit, d'ailleurs favorisé par des taux d'intérêt peu élevés et par une inflation rampante.

Inflation
rampante ▸
Voir p. 106

Mais, à force d'emprunter, de nombreux agents économiques se sont retrouvés lourdement endettés. L'*effet boomerang*, appelé aussi parfois *effet de massue*, désigne les limites de l'économie d'endettement, qui sont le surendettement des agents économiques et l'inflation induite par le recours massif au crédit.

Inflation ▸
Voir p. 105

Les années 1970 marquent les limites d'une création monétaire peu contrôlée et d'un financement surtout intermédié. Depuis les années 1980, le financement de l'économie a tendance à se désintermédier. Il est en effet possible de remarquer une hausse importante du financement externe direct (recours au marché financier) au détriment du financement externe indirect (recours à l'emprunt bancaire).

Le *marché financier* est le marché des capitaux à long terme ; c'est le lieu d'émission et d'échange des valeurs mobilières (actions et obligations principalement). Les *valeurs mobilières* désignent l'ensemble des titres négociables et susceptibles d'être cotés (actions, obligations, titres d'OPCVM...).

La Bourse de Paris est installée depuis 1826 au palais Brongniart ; elle comprend le marché financier, le marché des changes et celui des métaux précieux.

Pour se financer sur le marché financier, les entreprises émettent des titres financiers (appelés aussi valeurs mobilières) dont les deux principaux sont les actions et les obligations :

l'*action* est une part de propriété de l'entreprise (société anonyme principalement), qui donne droit au dividende et au vote lors de l'assemblée générale. Le *dividende* est la fraction du bénéfice perçue par l'*actionnaire* (propriétaire d'au moins une action) ;

– l'*obligation* est un titre de créance négociable émis par des États et par des entreprises sous forme de sociétés ; l'obligataire ne possède pas de part dans le capital de l'entreprise, mais reçoit un intérêt qui ne dépend pas des résultats de l'entreprise. Le *coupon* désigne les intérêts versés au détenteur de l'obligation.

◄ Intérêt
Voir p. 96

Les nouvelles actions et obligations sont émises sur le *marché primaire* (marché sur lequel sont émises les valeurs mobilières ; il n'est pas localisé, l'achat de nouveaux titres s'effectuant aux guichets des banques ou directement auprès des entreprises), puis cotées sur le *marché secondaire* (marché sur lequel s'échangent les valeurs mobilières après leur émission). La *cotation* désigne la détermination, en fonction de l'offre et de la demande, du cours boursier, c'est-à-dire du prix du titre.

Une entreprise peut, pour augmenter son capital, avoir plusieurs fois recours à l'émission d'actions, mais, à chaque fois, les anciens actionnaires bénéficient d'un droit préférentiel de souscription.

◄ Capital
Voir p. 23

■ La création de monnaie

La monnaie étant constituée de papier et de jeux d'écriture, il est virtuellement possible d'en créer de façon illimitée ; pourtant, des règles très strictes régissent la création monétaire.

Crédit ▶
Voir p. 96

La **création monétaire** provient essentiellement du crédit. Pour comprendre le mécanisme de la création monétaire, il est nécessaire de rappeler que, si les dépôts permettent aux banques d'accorder les crédits, les crédits, à leur tour, font les dépôts. En effet, les agents économiques empruntent pour faire face à une dépense et, dans la majorité des cas, l'argent prêté par les banques sous forme de crédit leur revient à elles-mêmes ou à d'autres banques sous forme de dépôt. Grâce à un dépôt initial, la banque accorde un crédit qui permet l'ouverture d'un nouveau dépôt et qui a donc comme effet d'accroître la quantité d'avoirs en monnaie. C'est donc le crédit qui crée la monnaie.

Le **multiplicateur de crédit** mesure la quantité de monnaie qui peut être créée à partir d'un dépôt initial ; il est égal à l'inverse du taux de réserve. Si, par exemple, la banque prête l'équivalent de 80 % des dépôts et en conserve 20 % (taux de réserve), le multiplicateur est de 5 (120 %).

La création de monnaie comporte aussi des limites :
– le remboursement du crédit détruit la monnaie créée ;
– la demande de crédit des agents économiques est limitée par leurs besoins et leurs budgets ;
– la liquidité des banques est limitée : si les crédits font les dépôts, les dépôts sont nécessaires pour accorder des crédits ;
– les **réserves obligatoires** (fraction des liquidités que les banques reçoivent et qu'elles doivent déposer sur un compte non rémunéré à la Banque centrale) limitent aussi les possibilités de crédit ;
– la Banque centrale peut contrôler la création de monnaie par une politique monétaire appropriée.

Politique monétaire ▶
Voir p. 233

Les banques commerciales ne sont pas les seules à créer de la monnaie. La **Banque centrale** (institution financière qui est chargée de veiller sur la monnaie d'un pays ou d'une zone monétaire comme l'Union européenne ; elle émet les billets, facilite le refinancement des banques commerciales et se charge de la mise en œuvre de la politique monétaire) crée de la monnaie sous deux formes différentes :
– les billets qu'elle émet ;

– la **monnaie Banque centrale**, c'est-à-dire une monnaie scripturale utilisée dans les règlements entre les banques et la Banque centrale.

Elle crée de la monnaie en monétisant des actifs non monétaires,
c'est-à-dire en donnant aux banques de la monnaie (créée de toute
pièce) en échange de titres et de devises.

Trois cas principaux peuvent se produire :

– la Banque centrale rembourse aux banques les **bons du Trésor**
(emprunts émis par l'État) qu'elles avaient souscrits ;

– la Banque centrale rachète des devises contre de la monnaie
nationale ;

◄ **Devise**
Voir p. 313

– la Banque de France rachète aux banques des **traites**, c'est-à-
dire des créances à court terme, si celles-ci ont besoin de liquidités.

La création de monnaie a donc trois sources :

– le crédit à l'État ;

◄ **Crédit**
Voir p. 96

– l'achat de devises ;

– le crédit aux entreprises et aux ménages.

À chaque crédit correspond en contrepartie une **créance** (montant qui est dû à un agent économique). Les **contreparties de la
masse monétaire** désignent les créances qui correspondent aux crédits ayant permis la création de monnaie. Leur examen permet de
connaître la part de chaque facteur dans le processus de création
monétaire. On distingue deux grandes catégories :

– la contrepartie extérieure, qui permet l'examen de la situation
du pays avec le reste du monde : entrées et sorties de devises ;

– la contrepartie créances sur les résidents qui regroupe : les
créances sur le Trésor public (créances à l'État), d'une part ; les
créances sur l'économie, c'est-à-dire sur les ménages et les entreprises (principale source de création monétaire), d'autre part.

◄ **Trésor public**
Voir p. 238

Lorsque les banques ont besoin de liquidités, elles peuvent s'en
procurer sur le marché interbancaire ou sur le marché monétaire.
Le **marché monétaire** est le marché des capitaux à court ou moyen
terme, sur lequel les banques commerciales et quelques entreprises
s'échangent des liquidités. Le **marché interbancaire** est un com-
partiment du marché monétaire. Son accès est réservé aux établissements de crédit et à certaines institutions financières, comme la
Banque centrale ou le Trésor public.

Politique monétaire ▶

Voir p. 233

Taux d'intérêt ▶

Voir p. 96

Taux directeur ▶

Voir p. 234

La Banque centrale utilise le marché monétaire dans le cadre de sa politique monétaire. La politique monétaire désigne l'action sur les variables économiques au moyen de la quantité de monnaie en circulation et des taux d'intérêt. Les mesures visant à diminuer la quantité de monnaie et à augmenter les taux d'intérêt limitent la hausse des prix, mais aussi la croissance. Les mesures visant à augmenter la quantité de monnaie et à diminuer les taux d'intérêt favorisent la croissance, mais aussi la hausse des prix.

Ainsi, en fonction de l'objectif qu'elle s'est donnée (le taux directeur est l'objectif que se fixe la Banque centrale en matière de taux d'intérêt du marché monétaire), la Banque centrale peut intervenir sur le marché monétaire pour offrir ou demander des liquidités. Si elle demande des liquidités sur le marché monétaire, le taux d'intérêt sur ce marché (appelé parfois le prix de l'argent au jour le jour) augmente ; cette hausse est répercutée sur les taux d'intérêt que les banques demandent à leurs clients. Le crédit devient donc plus cher et la demande de crédit baisse.

La politique de l'*open market* est une politique monétaire indirecte qui consiste, pour la Banque centrale, à agir sur le taux d'intérêt selon les objectifs qu'elle s'est donnée, en achetant ou en vendant des titres contre des liquidités sur le marché monétaire.

Réserves obligatoires ▶

Voir p. 100

La Banque centrale peut aussi intervenir sur la création monétaire en jouant sur les réserves obligatoires. Les banques ont en effet l'obligation de détenir en monnaie centrale, sur un compte non rémunéré à la Banque de France, un pourcentage de leurs dépôts, qui constitue les réserves obligatoires. La *politique des réserves obligatoires* est une politique monétaire indirecte qui consiste à faire varier le taux de réserves obligatoires pour agir sur les liquidités des banques, donc sur le volume des crédits qu'elles accordent.

Depuis le 1er janvier 1999, la conduite de la politique monétaire en Europe a été transférée à la Banque centrale européenne qui utilise trois instruments principaux :
– les opérations d'*open market* ;
– les *facilités permanentes*, qui sont des procédures qui permettent à la Banque centrale européenne de fournir ou de retirer des liquidités au jour le jour. Deux instruments sont utilisables : la *facilité de prêt marginal* (possibilité pour les banques d'obtenir de la Banque centrale des liquidités à 24 heures, à un taux déterminé par la Banque centrale) ; la *facilité de dépôt* (possibilité pour les

banques de déposer à la Banque centrale des liquidités à 24 heures, à un taux déterminé par la Banque centrale). Les taux de ces facilités encadrent, en temps normal, les taux d'intérêt courts sur le marché monétaire ;
– la politique des réserves obligatoires.

Par ailleurs, la Banque centrale a aussi un rôle de **prêteur en dernier ressort** (agent qui garantit la liquidité bancaire et qui protège l'économie du risque d'une illiquidité qui provoquerait une crise majeure du système financier – le rôle de prêteur en dernier ressort revient généralement à la Banque centrale). Il s'agit pour la Banque centrale de créer de la monnaie centrale pour assurer la liquidité des banques et éventuellement éviter des faillites bancaires qui affecteraient l'ensemble de l'économie.

■ Équilibres et déséquilibres monétaires

La monnaie est-elle neutre ?

La conception de la **neutralité de la monnaie** (indépendance des sphères monétaire et réelle ; les variables monétaires – niveau et évolution des prix notamment – n'ont aucun effet sur les variables réelles – niveau de la production, de la demande, de l'emploi...) est notamment présentée par la **théorie quantitative de la monnaie**, qui est une analyse monétaire qui considère, à la suite de Jean Bodin, Stuart Mill ou Irving Fisher, que le niveau des prix dépend directement de la quantité de monnaie.

◄ **Bodin**
Voir p. 512

◄ **Mill**
Voir p. 520

L'**équation de Fisher** est une formalisation de la théorie quantitative de la monnaie. Elle est d'abord présentée par Stuart Mill, puis reprise par Irving Fisher : $M \times V = P \times T$
– M est la quantité de monnaie en circulation ;
– V est la vitesse de circulation de la monnaie, c'est-à-dire le nombre de fois qu'une unité monétaire est utilisée durant une période donnée ;
– P représente le prix moyen ;
– T est le montant total des transactions effectuées dans une année, c'est-à-dire approximativement la production, déduction faite de la variation des stocks.

Si V et T sont considérés comme des variables indépendantes (sphère réelle) et constantes à court terme, toute augmentation de la quantité de monnaie se traduit par une augmentation des prix.

Production ▸
Voir p. 20
Keynes ▸
Voir p. 532
Épargne ▸
Voir p. 51
Préférence pour la liquidité ▸
Voir p. 533
Spéculation ▸
Voir p. 110

Revenu ▸
Voir p. 42

Élasticité ▸
Voir p. 558
Facteur de production ▸
Voir p. 23

Sous cette hypothèse, la monnaie est neutre, car toute variation de la quantité de monnaie est contrebalancée par une modification des prix, mais n'influe pas sur le niveau réel des transactions et de la production.

Keynes s'oppose à cette conception de la neutralité de la monnaie, car la monnaie peut être demandée pour elle-même. Il affirme qu'une unité monétaire peut aussi être thésaurisée. La **thésaurisation** désigne la partie de l'épargne qui n'est pas placée et qui quitte donc le circuit économique.

La préférence pour la liquidité a trois motifs selon Keynes :
– un motif de spéculation : les individus thésaurisent en vue d'un placement ultérieur, plus rémunérateur que ne le sont les placements du moment ;
– un motif de précaution : ils thésaurisent en vue de se couvrir contre un risque éventuel ;
– un motif de transaction : il s'agit d'une thésaurisation qui permet de couvrir l'intervalle entre l'encaissement du revenu (une seule fois par mois pour les salariés) et son utilisation (durant tout le mois).

Ainsi, selon les keynésiens, une augmentation de la quantité de monnaie peut, en accroissant les moyens de paiement mis à la disposition de l'économie, avoir un effet positif sur la croissance économique ; cela dépend de l'élasticité de la production par rapport à la demande :
– en situation de plein emploi des facteurs de production, la production n'est pas prête à satisfaire une demande additionnelle (inélasticité de la production par rapport à la demande) et seuls les prix augmentent ;
– si certains facteurs de production ne sont pas utilisés et si les entreprises ont confiance en l'avenir, la production peut réagir positivement à une augmentation de la demande et de la quantité de monnaie (dans ce cas, la production est élastique par rapport à la demande).

Les débats sur la neutralité de la monnaie et sur la quantité optimale de monnaie sont nombreux.

Ainsi, un débat « *currency principle* contre *banking principle* » a eu lieu au XIXe siècle en Grande-Bretagne. La polémique portait sur la création monétaire : la quantité de monnaie doit-elle suivre l'activité économique ou faut-il la limiter au stock d'or ?

Ricardo ▸
Voir p. 518

Le **currency principle**, dont un partisan est David Ricardo, est une conception qui considère que la quantité de monnaie fiduciaire et scripturale en circulation ne doit pas dépasser le stock d'or ; une gestion restrictive de la monnaie permet de lui conserver sa valeur et, par conséquent, la confiance que les agents économiques peuvent lui accorder.

La quantité d'or ne dépendant pas uniquement de l'activité économique (mais aussi des découvertes de gisements d'or), le **banking principle**, dont les principaux partisans sont Thomas Cooke et Stuart Mill, est une conception qui affirme que la quantité de monnaie ne doit pas être limitée par le stock d'or, car elle doit suivre l'activité économique et s'y adapter.

Le débat actuel oppose monétaristes, keynésiens et nouveaux économistes classiques.

Les monétaristes (dont le chef de file est Milton Friedman) et les keynésiens considèrent que la quantité de monnaie doit au moins suivre l'activité économique. Ainsi, trop peu de monnaie est préjudiciable à la croissance, et ils s'accordent sur le fait que la raréfaction monétaire du début des années 1930 fut un facteur d'aggravation de la crise.

◄ **Monétarisme**
Voir p. 539

◄ **Nouveaux économistes classiques**
Voir p. 544

◄ **Friedman**
Voir p. 540

En revanche, ils s'opposent sur la détermination de la quantité optimale de monnaie :

– les keynésiens considèrent que la monnaie peut doper l'économie ;

– les monétaristes considèrent quant à eux que toute augmentation de la quantité de monnaie supérieure à celle de la production conduit à une augmentation des prix. Or, l'inflation est source de déséquilibres puisqu'elle nuit à la compétitivité et altère les anticipations des agents économiques.

La nouvelle économie classique considère que la monnaie est parfaitement neutre et qu'aucune variation de sa quantité n'est susceptible de modifier l'équilibre réel.

Inflation et désinflation

L'**inflation** désigne la hausse généralisée des prix. Le taux d'inflation désigne le taux de variation du niveau général des prix.

La **désinflation** désigne, au sens strict, le ralentissement de la hausse des prix ; ceux-ci continuent d'augmenter, mais moins fortement. Au sens le plus courant, elle caractérise une période de faible inflation faisant suite à une période de forte inflation (à partir du milieu des années 1980 en France, par exemple).

La **déflation** désigne au sens strict la baisse généralisée des prix (taux d'inflation négatif). Ce terme est parfois utilisé pour caractériser une période de baisse des prix et de la production (crise des années 1930 par exemple).

Les causes générales de l'inflation sont :

Demande ►
Voir p. 57

Offre ►
Voir p. 62

– l'***inflation par la demande***, qui désigne la hausse des prix induite par un excès de la demande sur l'offre. En effet, en économie de marché, les prix sont fixés par la confrontation entre l'offre et la demande ; si la demande excède l'offre, ils ont tendance à augmenter. Il y a donc un risque d'inflation lorsque la demande s'accroît et que la production est inélastique par rapport à celle-ci (l'offre ne suit pas les variations de la demande) ; c'est le cas lorsque le plein emploi

Facteur de
production ►
Voir p. 23

des facteurs de production (main-d'œuvre et capital) empêche toute augmentation à court terme de la production et que les anticipations des entreprises sont mauvaises ;

– l'***inflation par les coûts***, qui désigne la hausse des prix induite par une hausse des coûts de production. En effet, les entreprises cherchent à répercuter la hausse des coûts de production sur les prix. On appelle ***inflation importée*** l'inflation qui provient d'un autre pays par le biais de l'augmentation du prix des produits importés ; l'exemple le plus frappant est celui de la hausse du prix des matières premières et, particulièrement, celui du pétrole lors des deux

Choc pétrolier ►
Voir p. 126

Productivité ►
Voir p. 25

chocs pétroliers de 1973 et 1979. Le coût le plus souvent incriminé dans les mécanismes inflationnistes est le salaire : toute augmentation des coûts salariaux supérieure à celle de la productivité est source d'inflation. L'inflation est souvent un processus auto-entretenu par la ***spirale inflationniste*** : mécanisme cumulatif de hausse des prix ; la hausse des prix conduit généralement à une hausse des salaires (revendication de la part des salariés qui ne veulent pas que leur pouvoir d'achat diminue), qui augmente les coûts de production, ce qui mène à une hausse des prix… ;

– l'inflation par la monnaie, qui désigne la hausse des prix induite par une augmentation de la quantité de monnaie supérieure à celle de la production.

Durant l'entre-deux-guerres, les déséquilibres monétaires sont fréquents. Ainsi, en Allemagne, l'inflation s'est progressivement aggravée, au point de devenir une ***hyperinflation*** (très forte augmentation cumulative et incontrôlée des prix).

Trente
Glorieuses ►
Voir p. 158

L'inflation a accompagné la croissance des Trente Glorieuses. L'inflation est alors rampante. Une ***inflation rampante*** est une inflation assez forte (mais dont le taux est généralement inférieur à 10 %), structurellement installée dans l'économie. Les raisons principales de ces tendances inflationnistes sont : le déséquilibre monétaire international, dû à la trop forte augmentation de moyens de paiements internationaux (surtout le dollar) ; le développement du recours au crédit de la part des entreprises et des ménages, mais aussi de la part de l'État afin de couvrir ses déficits budgétaires ; les hausses considérables de la demande (aussi bien de consommation que d'investissement).

◄ **Crédit**
Voir p. 96
◄ **Déficit budgétaire**
Voir p. 239

C'est dans cet environnement d'inflation rampante que le choc pétrolier a joué un rôle de détonateur. Malgré la baisse du prix relatif du pétrole, entre 1975 et 1979 (date du second choc pétrolier), l'inflation demeure importante. En effet, l'économie est toujours une économie d'endettement, les salaires augmentent plus fortement que la productivité. Mais surtout, l'inflation est un phénomène cumulatif qui s'auto-entretient par la spirale inflationniste et par les échanges internationaux. La **stagflation** (situation d'une économie qui connaît à la fois une forte inflation et une stagnation de la production, induisant généralement du chômage) s'installe. L'*inflation galopante (forte inflation ; la hausse des prix devient cumulative et le taux d'inflation dépasse 10 %)* apparaît.

◄ **Économie d'endettement**
Voir p. 98
◄ **Spirale inflationniste**
Voir p. 106

Depuis le début des années 1980 (1985 pour la France), la tendance est à la désinflation. Cette désinflation a été permise par un environnement économique international favorable (contre-choc pétrolier et dépréciation du dollar après 1985), mais surtout par la mise en place dans tous les pays développés de politiques qui modèrent la création monétaire et ravivent la concurrence.

◄ **Contre-choc pétrolier**
Voir p. 127
◄ **Dépréciation**
Voir p. 317

Inflation et croissance

Certains économistes pensent que l'inflation a un *effet de seuil* (à partir d'un certain niveau, un phénomène produit un effet différent de l'effet initial) sur la croissance. En effet, jusqu'à un certain seuil, l'inflation favorise la croissance :

– l'inflation accompagne les périodes de croissance ; ainsi, la phase A des cycles Kondratieff se caractérise par une augmentation de la production et des prix alors que la phase B correspond à une baisse de la production et des prix ;

◄ **Cycle Kondratieff**
Voir p. 118

– en diminuant la valeur de la monnaie, l'inflation facilite les remboursements et favorise les agents emprunteurs.

Compétitivité ►
Voir p. 270

Solde
commercial ►
Voir p. 269

Mais trop d'inflation est un obstacle à la croissance :

– trop d'inflation, mais surtout un *différentiel d'inflation* (écart entre le taux d'inflation d'un pays et ceux de ses partenaires) fortement positif, nuit à la compétitivité des entreprises et au solde commercial et, par ce biais, à la production nationale ;

– trop d'inflation risque de provoquer une fuite des capitaux due à la défiance envers la monnaie ;

– l'excès d'inflation induit des anticipations pessimistes : l'effritement de la valeur de la monnaie peut saper la confiance en l'économie nationale et conduire les entreprises à moins investir. Par crainte d'une dépréciation de leurs réserves, les agents économiques peuvent être incités à moins épargner.

Salaire
nominal ►
Voir p. 203

Courbe de
Philips ►
Voir p. 256

Samuelson ►
Voir p. 534

Chômage ►
Voir p. 132

Politique
économique ►
Voir p. 231

Fiedman ►
Voir p. 540

En 1958, l'économiste néo-zélandais William Alban Phillips publie les résultats d'une étude comparant l'évolution du taux de chômage et celle du salaire nominal en Grande-Bretagne entre 1867 et 1957. En période de croissance, le taux de chômage a tendance à baisser alors que le salaire tend à augmenter. En revanche, la crise conduit à une hausse du chômage et à une baisse du salaire nominal. La courbe de Phillips établit une relation inverse entre le taux de croissance des salaires nominaux et le taux de chômage.

Samuelson interprète cette courbe et met en évidence une symétrie entre l'inflation (souvent due à l'augmentation des salaires nominaux) et le chômage ; ce qui implique un choix de politique économique : opter pour un faible taux d'inflation, mais dans ce cas accepter un chômage important, ou au contraire diminuer le chômage, quitte à tolérer de l'inflation.

Selon Friedman, la courbe de Phillips est une droite verticale à long terme ; le choix des gouvernements s'articule en réalité entre plus ou moins d'inflation. L'activité économique et le chômage retournent toujours à leur niveau naturel.

Chômage
naturel ►
Voir p. 540

Politique de
relance ►
Voir p. 232

Les économistes keynésiens reconnaissent l'existence de ce taux de chômage naturel ; ils le désignent parfois par le terme de *NAIRU (Non Accelerating Inflation Rate of Unemployment)*, c'est-à-dire le taux de chômage compatible avec une inflation stable. Une politique de relance ne peut être efficace pour réduire le chômage qui si le taux de chômage effectif est supérieur au NAIRU ; sinon elle n'a aucun effet sur le chômage et ne fait qu'accroître l'inflation. Le *NAWRU (Non Accelerating Wage Rate of Unemployment)* désigne le taux de chômage compatible avec la stabilité des salaires nominaux.

B Instabilité financière et régulation

■ La globalisation financière

Depuis les années 1970-1980, les banques voient leur rôle de transformation des liquidités et d'intermédiation s'affaiblir au profit du développement du marché financier.

◄ Intermédiation
Voir p. 96

Afin de combler le manque à gagner de la *désintermédiation* (processus selon lequel le financement de l'économie passe de moins en moins par le crédit bancaire et de plus en plus par l'autofinancement et le recours au marché financier), les banques opèrent de plus en plus ce que l'on pourrait appeler une *intermédiation de marché* (financement par le marché financier, mais avec une intervention des banques en tant qu'intermédiaires entre les agents économiques et le marché financier). Ainsi, le particulier qui préfère acheter des Sicav plutôt que de déposer son argent à la banque devra tout de même passer par elle et lui verser une commission.

Le marché financier peut aussi avoir une fonction d'intermédiation. L'*intermédiation financière* désigne la pratique qui consiste, pour des intermédiaires financiers, à acheter des titres (de longue échéance) émis par des entreprises à l'aide des fonds qu'ils ont eux-mêmes collectés par l'émission de titres auprès des épargnants (souvent à plus courte échéance).

Le processus de désintermédiation doit donc être nuancé ; il n'est d'ailleurs que l'une des facettes des profondes mutations que la sphère financière a connues. La *globalisation financière* désigne le mouvement de constitution d'un marché financier global, mondial et unifié des capitaux ; elle se caractérise par « les trois D » : désintermédiation, déréglementation et décloisonnement.

La *déréglementation financière* désigne l'assouplissement des règles régissant l'activité bancaire, le fonctionnement des marchés financiers et les mouvements internationaux de capitaux. Ainsi, la levée du contrôle des changes a provoqué un développement considérable du *marché des changes* (marché sur lequel sont échangées les différentes devises entre elles – une devise désignant la monnaie d'un autre pays). En limitant les domaines réservés (monopole des agents de change et ouverture difficile de nouvelles banques), la déréglementation a créé de profondes mutations. Les mécanismes de marché se sont en partie substitués à une régulation étatique.

◄ Banque
Voir p. 94

◄ Marché
Voir p. 54

Le *décloisonnement* consiste en la suppression des barrières entre les différents compartiments nationaux et internationaux des marchés financiers. Il a permis la constitution d'un marché mondial des capitaux.

Les acteurs des marchés financiers

Différents épargnants interviennent sur le marché financier : les ménages, les entreprises et les *investisseurs institutionnels* qui sont des organismes disposant de ressources importantes à placer : les compagnies d'assurance, les caisses de retraite, les fonds de pension, les OPCVM…

Les *fonds de pension* sont des institutions qui collectent l'épargne des ménages et les cotisations des employeurs dans le cadre d'un système de retraite par capitalisation. Les fonds collectés sont placés sur les marchés financiers. Ils sont surtout importants aux États-Unis et en Grande-Bretagne.

Les *OPCVM (organismes de placement collectif en valeurs mobilières)* sont des organismes collectant l'épargne pour ensuite l'investir sur le marché monétaire ou financier. Les Sicav et les fonds communs de placement sont les OPCVM les plus fréquents.

Les *Sicav (société d'investissement à capital variable)* sont des sociétés anonymes ayant pour objet la gestion d'un portefeuille de valeurs mobilières. Leur capital est variable, car il augmente par émission d'actions nouvelles souscrites par les épargnants et il diminue par remboursement de capital aux épargnants.

Les *FCP (fonds commun de placement)* sont des copropriétés de titres. Contrairement aux Sicav, les FCP ne sont pas des entreprises et n'ont pas la personnalité juridique. Elles sont plus spécialisées que les Sicav et s'adressent davantage aux entreprises qu'aux ménages.

Se sont aussi développés des *fonds spéculatifs (hedge funds)* qui sont des institutions financières qui cherchent à atteindre des rendements très élevés grâce à des stratégies financières particulièrement risquées.

Un *portefeuille* désigne l'ensemble des titres (actions, obligations, Sicav…) détenus par un agent économique.

Les motifs du placement boursier sont de trois ordres :

– la *spéculation*, qui est une transaction effectuée dans le but de réaliser une plus-value grâce à la revente d'un actif à un cours supérieur à celui de l'achat ;

Cotisations ►
Voir p. 236

Retraite par capitalisation ►
Voir p. 253

Société anonyme ►
Voir p. 31

Action ►
Voir p. 99

Obligation ►
Voir p. 99

Plus-value ►
Voir p. 494

– la recherche du rendement, c'est-à-dire du dividende, dans le cas de l'action, ou de l'intérêt, dans le cas de l'obligation. Le *price earning ratio (PER)* est un indicateur permettant d'évaluer le prix relatif d'une action ; c'est le rapport entre le cours du titre et son bénéfice net par action ;

– la participation au capital d'une entreprise (uniquement pour les actions).

◄ **Bénéfice**
Voir p. 31

Les échanges de titres s'effectuent sur le marché secondaire, mais les entreprises qui veulent prendre le contrôle d'une autre entreprise peuvent avoir recours aux OPA et OPE.

◄ **Entreprise**
Voir p. 30

Une *offre publique d'achat (OPA)* est une intention annoncée publiquement de prendre le contrôle d'une société par rachat de ses titres aux actionnaires.

Une *offre publique d'échange (OPE)* est une intention annoncée publiquement de prendre le contrôle d'une société par l'échange de titres contre ceux de la société cible.

Un *indice boursier* est un indicateur permettant de mesurer les évolutions d'un marché boursier. Chaque marché d'actions a un ou plusieurs indices. En France, le CAC 40 est le plus connu, mais il en existe de nombreux autres : SBF 120, SBF 250, MIDCAC…

Le *CAC (cotation assistée en continu)* désigne à la fois le système informatique de cotation à la Bourse de Paris et l'indice boursier de la place de Paris représentant les 40 actions les plus échangées.

Les principaux indices boursiers mondiaux sont :

– le *Dow Jones*, qui est le principal indice de la Bourse de New York. Créé en 1884, il a comme base 100 en 1928 ;

– le *Nikkei*, qui est le principal indice de la Bourse de Tokyo. Il regroupe 225 actions avec une base de 176,21 en 1949 ;

– le *Dow Jones Stoxx (DJS)*, qui est le principal indice boursier européen. Créé en 1998, il couvre 16 pays d'Europe et compte plus de 600 valeurs.

La diversité des marchés financiers et des produits financiers

Alors qu'un *marché au comptant* est un marché financier à règlement immédiat, un *marché à terme* est un marché caractérisé par le décalage de temps entre la conclusion du contrat et son exécution. La plupart de ces marchés à terme sont des *marchés dérivés* : marchés sur lesquels les cours des produits traités sont liés aux cours d'autres produits (actions, obligations, taux d'intérêt…). Leur objectif est de permettre la couverture des risques de change, de taux et de portefeuille.

Le **Matif (Marché à terme international de France)** est un marché à terme, créé en 1986, sur lequel se négocient des contrats à terme fermes et optionnels portant sur des taux ou des marchandises.

Le **Monep (Marché des options négociables de Paris)** est un marché à terme, créé en 1987, sur lequel se négocient des contrats à terme fermes ou des options sur indices ou sur actions.

Le **Liffe (London International Financial Futures Exchange)** est le principal marché à terme britannique dont le produit est notamment lié aux taux d'intérêt à court terme. Il a été créé en 1982.

Sur ces marchés à terme s'échangent des contrats fermes et des options. Une **option** est un droit, et non une obligation, d'acheter ou de vendre, à un prix convenu à l'avance, une certaine quantité d'un actif en contrepartie du paiement d'une prime.

Différents marchés, comme le **second marché** (marché financier, créé en France en 1983, destiné aux entreprises de taille moyenne) et le **nouveau marché** (créé en France en 1996, spécialisé dans les entreprises ayant un fort potentiel de croissance) ont été fusionnés en 2005. Le nouveau marché avait pris exemple sur le **Nasdaq** (marché financier américain créé en 1971 et spécialisé dans les entreprises de haute technologie).

Valeurs mobilières ►
Voir p. 99

Créance ►
Voir p. 101

Risque de crédit ►
Voir p. 96

Les **actifs financiers** regroupent l'ensemble des valeurs mobilières et créances détenues par un agent économique. La tendance générale est celle de la **titrisation**, c'est-à-dire de la transformation de créances en titres négociables sur les différents marchés financiers et monétaires. Cela permet aux établissements de crédit de refinancer une partie de leurs encours et de transférer le risque de crédit sur d'autres agents.

De nouveaux titres sont ainsi apparus ; il s'agit, d'une part, de titres s'échangeant au comptant et, d'autre part, de titres s'échangeant sur les marchés à terme.

Marché monétaire ►
Voir p. 101

Liquidité ►
Voir p. 94

Les **titres de créance négociables (TCN)** sont des produits qui permettent un financement direct sur le marché monétaire ; ils sont apparus dans les années 1980. Ces produits, dont les billets de trésorerie et les certificats de dépôt, sont dits négociables, car ils peuvent être vendus avant terme et ont donc un certain degré de liquidité. Un **billet de trésorerie** est un titre de créance négociable que les entreprises peuvent émettre de façon à se procurer sur les marchés les fonds à court terme dont elles ont besoin. Un *certificat de dépôt* est un titre de créance à court terme émis par une institution financière. Les bons du Trésor ont changé de nature. Alors qu'il existait de nombreux types de bons du Trésor, la réforme de 1985 a unifié le système en créant les bons du Trésor négociables. Le *bon du Trésor négociable* est un titre représentatif d'une créance de l'État dont la souscription est ouverte à tous, aussi bien aux banques, aux entreprises, aux particuliers, qu'aux agents économiques étrangers.

◄ **Créance**
Voir p. 101
◄ **Banque**
Voir p. 94

De nombreux produits financiers existent ; cela va du *swap*, qui est un échange de contrat (les *swaps* de devises permettent d'échanger une dette libellée dans une monnaie contre une dette libellée dans une autre monnaie ; les *swaps* de taux d'intérêt permettent d'échanger des dettes libellées dans une même monnaie, mais ne bénéficiant pas du même taux – par exemple, variable ou fixe) aux *produits exotiques* (il s'agit des divers produits financiers complexes et peu diffusés vendus à des investisseurs spécifiques).

◄ **Taux d'intérêt**
Voir p. 96

■ L'instabilité financière

À partir des années 1980, les marchés financiers se sont très rapidement développés. La sphère financière s'est en partie déconnectée de la sphère réelle. Les cours boursiers évoluent ainsi de façon parfois indépendante de l'activité économique. L'instabilité financière se caractérise par la volatilité des cours (à la hausse comme à la baisse) et par le risque systémique.

La volatilité des cours

Lorsque les anticipations sont positives, un phénomène de bulle financière peut se produire. Une *bulle financière* (appelée aussi *bulle spéculative*) désigne la *capitalisation boursière* (valeur totale de tous les titres cotés) excessive, due à la surcotation des titres induite par la spéculation. Dans ce cas, la valeur des titres est sans commune mesure avec les *fondamentaux* (données principales de la situation économique d'une entreprise – rentabilité, perspectives de profit… – ou d'un pays – croissance, inflation…). En principe, les fondamentaux devraient déterminer le cours des valeurs mobilières. Un ajustement devient inévitable lorsque, en raison de la spéculation, les cours boursiers sont surévalués par rapport aux résultats de

◄ **Valeurs mobilières**
Voir p. 99
◄ **Spéculation**
Voir p. 110

l'économie et des entreprises ; un ajustement perturbe généralement négativement la sphère non financière. En effet, en diminuant les actifs financiers des agents économiques, le krach financier déprime la consommation et l'investissement, car les ménages et les entreprises tentent de reconstituer leur épargne. Cela est dû à l'*effet de richesse* (relation positive entre le cours des actifs financiers – qui se répercute sur la richesse des agents économiques – et la demande de consommation et d'investissement).

Actif financier ▶
Voir p. 112
Épargne ▶
Voir p. 51
Consommation ▶
Voir p. 46
Investissement ▶
Voir p. 139

Le risque systémique

Avec la globalisation et les facilités d'accès à l'information, le risque de krachs boursiers augmente. Le *risque systémique* désigne un risque pouvant mettre en danger la pérennité du système financier dans son ensemble ; il est dû à des facteurs divers dont les principaux sont les effets pervers dus à l'agrégation d'actions individuelles pourtant rationnelles, le risque de faillite des établissements systémiques et la procyclicité du crédit (évolution dans le même sens que le cycle économique) :

Établissement systémique ▶
Voir p. 114

– prise individuellement, chaque action de chaque intervenant peut être rationnelle (par exemple, vente des titres quand leurs cours baissent), mais leur agrégation provoque un approfondissement de la crise. Le problème est que, par *comportement mimétique* (attitude qui consiste, pour un intervenant sur un marché, à adopter le comportement supposé des autres intervenants), la hausse des cours appelle la hausse des cours et la baisse des cours appelle la baisse des cours. Le marché est alors sensible aux rumeurs et certaines prophéties deviennent autoréalisatrices (une *prophétie autoréalisatrice* est la réalisation d'un événement – par exemple, une chute des cours boursiers – anticipée par les agents économiques qui, agissant dans le sens de cette anticipation, créent de par leur comportement l'événement qu'ils prévoyaient) ;

– certains établissements bancaires sont dits systémiques ; un *établissement systémique* est un établissement, généralement de grande taille, dont la crise éventuelle peut provoquer une contagion à l'ensemble du système financier national ou international. Certaines banques sont ainsi protégées de la faillite par les pouvoirs publics, qui les considèrent « *too big to fail* » (trop grosses pour faire faillite) ; cela peut inciter ces banques à accepter des risques trop importants et suscite donc un problème d'aléa moral ;

Banque ▶
Voir p. 94
Aléa moral ▶
Voir p. 71
Désintermédiation ▶
Voir p. 109

– malgré la tendance à la désintermédiation, le crédit n'a pas disparu ; il est au contraire fortement procyclique : il augmente très fortement durant les phases d'expansion économique et s'effondre durant les phases de récession. Ainsi, le crédit a un effet déstabilisateur important qui amplifie les cycles économiques et induit une instabilité financière source de risque systémique.

■ La régulation financière

Face à l'augmentation des risques, il est nécessaire de mettre en place des instruments de régulation. Le contrôle doit se réaliser au niveau national (ainsi, l'*AMF – Autorité des marchés financiers –* est en France l'autorité administrative chargée de surveiller les marchés financiers) mais aussi international, car la finance est mondialisée. Le G20 est ainsi l'instance principale qui organise la coopération internationale en matière d'instabilité financière.

◄ Régulation
Voir p. 230

De façon à limiter les risques d'instabilité financière, il importe d'édicter des règles microprudentielles et macroprudentielles.

Les *règles microprudentielles* sont des règles qui s'imposent aux établissements financiers afin de limiter les risques d'insolvabilité, donc de défaillance ; l'objectif est d'améliorer la quantité et la qualité des fonds propres des établissements de crédit. Le comité de Bâle (1974) impose ainsi un rapport minimal de 8 % entre les fonds propres et les crédits distribués. Bâle 2 et Bâle 3 cherchent à renforcer ces règles prudentielles, mais se heurtent aux réticences des banques et au manque de supervision internationale. Bâle 3 propose de faire passer le ratio de 8 % à 10,5 % à l'horizon de 2019.

◄ Fonds propres
Voir p. 143

Avec la prise de conscience du risque systémique, la mise en œuvre d'une politique macroprudentielle semble de plus en plus nécessaire. La *politique macroprudentielle* regroupe les différentes mesures destinées à réduire le risque systémique et à limiter les effets de contagion inhérents aux marchés financiers.

Les mesures prudentielles pourraient aussi consister à encadrer la titrisation. En effet, en titrisant certaines de leurs créances, les banques transfèrent une partie de leurs risques de crédit à des institutions moins encadrées et réglementées qu'elles ne le sont elles-mêmes. Il est effectivement très difficile d'encadrer les fonds spéculatifs (*hedge funds*), dont beaucoup sont implantés dans des paradis fiscaux.

◄ Risque de crédit
Voir p. 96
◄ Fonds spéculatifs
Voir p. 110

Un *paradis fiscal* est une place financière qui fait bénéficier à ses clients d'une exonération fiscale et du secret bancaire. Des fonds spéculatifs s'y installent pour pouvoir se développer de façon libre et n'avoir aucun compte à rendre sur la provenance des fonds qu'ils gèrent ou sur leur degré de solvabilité. La lutte contre l'instabilité financière passe donc par plus de transparence et par la lutte contre les paradis fiscaux ; ainsi l'OCDE a-t-elle publié une liste noire pour inciter les pays en question à accepter de conclure des accords d'échange d'informations.

7

CRISES ET FLUCTUATIONS

A Les cycles

- Les cycles longs
- Les cycles majeurs et mineurs

B Les principales interprétations des fluctuations

- Les chocs de demande
- Les chocs d'offre
- Des phénomènes de surajustement

C La nature des crises

- Crises de l'Ancien Régime, crises mixtes et crises classiques
- La crise de fin de xxe siècle

La croissance économique est un phénomène instable. Les *fluctuations économiques* désignent les variations des grandeurs économiques (production, emploi, niveau des prix…) dues à l'instabilité de la croissance, c'est-à-dire à la succession de période d'expansion et de ralentissements, voire de récession.

La *crise économique* est un ensemble de déséquilibres économiques se traduisant généralement par une dépression ou une récession, par des problèmes monétaires (inflation ou déflation) et, le plus souvent, par un sous-emploi.

La *récession* désigne la baisse de la production (taux de croissance économique négatif).

Inflation ►
Voir p. 105

Déflation ►
Voir p. 106

Sous-emploi ►
Voir p. 199

A Les cycles

Un *cycle* est une fluctuation qui revient avec une certaine régularité et une certaine périodicité. Chaque cycle est composé d'une phase ascendante (croissance économique) et d'une phase descendante (crise économique).

■ Les cycles longs

Kondratieff, dans *Les Vagues longues de la conjoncture* paru en 1926, remarque que les prix suivent des vagues longues de variation.

Le *cycle Kondratieff*, ou *cycle long*, est un cycle dont la durée varie de 40 à 60 ans. C'est Schumpeter qui, le premier, a utilisé l'appellation « cycle Kondratieff ». Un cycle Kondratieff est composé de deux phases : une phase d'expansion (souvent qualifiée de phase A), durant laquelle les prix et la production augmentent, et une phase de récession (souvent qualifiée de phase B), durant laquelle les prix baissent et la production diminue ou augmente faiblement.

Les principales explications des cycles Kondratieff sont l'irrégularité du progrès technique et de la quantité de monnaie :

– Selon Schumpeter, la croissance économique s'explique essentiellement par l'action du progrès technique, et c'est l'irrégularité de celui-ci qui explique les irrégularités de la croissance.

Des périodes à fort progrès technique succèdent à des périodes à faible progrès technique. En effet, les innovations se manifestent par grappes. Une *grappe d'innovations* désigne un nombre important d'innovations qui surviennent durant une même période, car elles

Schumpeter ►
Voir p. 527

Expansion ►
Voir p. 154

Progrès
technique ►
Voir p. 159

Monnaie ►
Voir p. 92-93

Croissance
économique ►
Voir p. 154

Innovation ►
Voir p. 146

sont dépendantes les unes et les autres. Ainsi, une innovation dans un secteur crée des goulets d'étranglement (un **goulet d'étranglement** est un déséquilibre dû aux différences de capacités productives de deux secteurs liés entre eux) dans les secteurs complémentaires (une innovation dans le tissage nécessite, par exemple, des innovations complémentaires dans le filage) qui sont ainsi incités à innover à leur tour.

Les phases A correspondent à des périodes de progrès technique important (*take-off* ou deuxième révolution industrielle par exemple), alors que les phases B correspondent à des périodes de faible progrès technique.

◄ *Take-off*
Voir p. 171
◄ Théorie quantitative de la monnaie
Voir p. 103

– F. Simiand s'inspire de la théorie quantitative de la monnaie et considère que la succession des phases serait due à la variation du rapport entre la quantité de monnaie et le volume de la production. Ainsi, en cas d'augmentation de la quantité de monnaie (due, par exemple, à la découverte de nouveaux gisements d'or), les prix augmentent, ainsi que la demande et, par conséquent, la production. Mais une augmentation trop importante de la production par rapport à la quantité de monnaie risque de créer un déséquilibre entre l'offre et la demande de biens et de services, une **surproduction** (situation d'un secteur ou d'une économie caractérisée par l'excès de l'offre sur la demande. Cela conduit généralement à une baisse de la production et des prix), donc une baisse des prix. On retrouve ici les deux phases.

Les cycles Kondratieff n'expliquent pas toutes les grandes crises : la crise des années 1970-1980, avec ses tensions inflationnistes et son progrès technique important, ne présente pas beaucoup d'analogies avec une phase B d'un cycle Kondratieff. De la même façon, les crises de l'Ancien Régime étaient essentiellement des crises de sous-production agricole qui semblent bien étrangères à la théorie des cycles.

■ Les cycles majeurs et mineurs

Le **cycle des affaires**, appelé aussi **cycle majeur** ou **cycle Juglar** (du nom de l'économiste français – 1819-1905 – qui les a mis en lumière dans *Les crises commerciales et leur retour périodique en France*) est un cycle ayant une durée moyenne de 6 à 10 ans.

La théorie traditionnelle des cycles suppose que l'économie est toujours en déséquilibre. Lorsque la demande est supérieure à l'offre, les prix augmentent ainsi que la production, mais au lieu de parvenir à une situation d'équilibre (la hausse des prix permet d'augmenter l'offre et de diminuer la demande), l'économie se retrouve dans la situation opposée : l'offre devient supérieure à la demande, ce qui se traduit par une baisse des prix et une baisse de la production. L'économie passe donc d'un déséquilibre à un autre.

Le *cycle mineur*, ou cycle Kitchin (du nom de l'économiste américain qui les a mis en évidence en 1923), est un cycle court d'une durée approximative de 40 mois. Il a une faible amplitude : ni vraie crise ni expansion forte, mais seulement accélération économique et décélération.

Stock ►
Voir p. 136

Il y aurait une certaine périodicité dans la gestion des stocks ; ainsi des périodes durant lesquelles les entreprises stockent (d'où une production plus forte) succéderaient à des périodes durant lesquelles les entreprises vident leurs stocks (d'où une production moins forte).

B Les principales interprétations des fluctuations

La *croissance potentielle*, qui désigne la croissance économique qu'autorise la pleine utilisation des facteurs de production et que l'on peut assimiler à la croissance de longue période, n'est pas toujours la croissance effective ; la croissance effective peut être plus forte lorsque l'économie connaît une embellie ou au contraire moins forte lorsqu'elle traverse une récession. La croissance effective résulte de la conjonction de nombreux facteurs dont les principaux se situent du côté de la demande.

Demande ►
Voir p. 57
Consommation ►
Voir p. 46
Investissement ►
Voir p. 139
Dépense publique ►
Voir p. 228
Exportation ►
Voir p. 268

■ Les chocs de demande

Les entreprises ne produisent que si elles peuvent vendre, donc si elles anticipent une demande. Chaque composante de la demande (consommation des ménages, investissement des entreprises, dépenses publiques, exportations) peut être appréhendée comme un débouché à la production, donc une contribution à la croissance économique. Par le biais de la demande, un grand nombre de facteurs jouent sur la croissance.

Un **choc de demande** désigne une modification de la demande, due à tout autre facteur que la variation des prix, ayant un impact microéconomique et/ou macroéconomique. Au niveau macroéconomique, il peut être dû à de nombreux facteurs, aussi bien internes (importance du crédit, données démographiques, budget de l'État...) qu'extérieures (croissance ou politique plus ou moins protectionniste des pays partenaires...). Un choc de demande joue sur le niveau des prix et sur le niveau de la production : un choc positif accroît le niveau des prix et celui de la production, alors qu'un choc négatif fait diminuer le niveau des prix et celui de la production.

Exemple de choc de demande positif

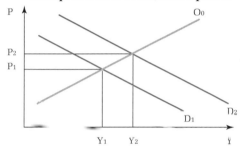

(P désigne le niveau général des prix et Y le niveau général de la production.)

Les analyses traditionnelles expliquent les fluctuations essentiellement par des chocs de demande. Elles considèrent que la croissance suit une tendance générale (résultant de facteurs de production, donc de facteurs d'offre) et que les fluctuations (résultant de l'instabilité de la demande) sont des déviations temporaires de part et d'autre de cette tendance générale qu'elles n'affectent pas sur le long terme. Il est alors généralement admis qu'il faut lisser les fluctuations grâce aux politiques conjoncturelles contracycliques : mettre en œuvre une politique de relance de la demande lorsque la croissance effective ralentit et une politique d'austérité lorsque l'augmentation des prix et du niveau de la production est trop forte.

◄ **Politique contracyclique**
Voir p. 233

■ **Les chocs d'offre**

Les chocs perturbant la croissance peuvent aussi être des chocs d'offre. Un **choc d'offre** désigne une modification de l'offre, due à un tout autre facteur que la variation des prix, ayant un impact microéconomique et/ou macroéconomique. Une innovation qui permet de diminuer le coût marginal, une nouvelle réglementation, une catastrophe naturelle, une variation du prix des biens de production... sont autant de chocs d'offre qui peuvent agir sur la croissance. Comme le choc de demande, le choc d'offre joue sur le niveau des prix et sur le niveau de la production : un choc d'offre positif accroît le niveau de la production et fait diminuer le niveau des prix alors qu'un choc négatif accroît le niveau des prix et fait diminuer celui de la production.

Exemple de choc d'offre positif

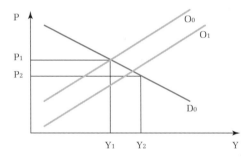

(P désigne le niveau général des prix et Y le niveau général de la production.)

Pour les économistes du cycle réel, qui sont des nouveaux économistes classiques, les fluctuations économiques s'expliquent essentiellement par des chocs d'offre dus au progrès technique. Ils pensent que la tendance générale de la croissance n'existe pas ; les déterminants de la croissance et ceux des fluctuations sont les mêmes. Les fluctuations sont dues à des chocs de l'offre qui ont une influence permanente.

■ Les phénomènes de surajustement

Le cycle est souvent expliqué par des phénomènes de *surajustement* (surréaction due à un mécanisme qui provoque un mouvement plus ample que ne l'exigerait le retour à l'équilibre). Fisher montre en 1933 comment l'endettement explique le cycle : dans la phase de croissance, les profits anticipés sont supérieurs aux taux d'intérêt, ce qui incite les entreprises à s'endetter (effet de levier de l'endettement). Il en résulte un surendettement lorsque les impératifs de remboursement deviennent importants ; les anticipations deviennent pessimistes, la dépression s'installe et ne prendra fin que lorsque la plus grande partie de la dette sera éliminée. On peut aussi citer les bulles spéculatives, qui peuvent gonfler de façon excessive en période de croissance et dont l'éclatement crée la récession. Les mouvements de taux de change sont aussi souvent plus amples que ne l'exigerait un simple retour à l'équilibre ; ce phénomène de surajustement des taux de change, par rapport aux taux d'intérêt ou aux fondamentaux de l'économie, crée une grande volatilité de ceux-ci.

◄ Profit
Voir p. 31
◄ Taux d'intérêt
Voir p. 96
◄ Dette
Voir p. 183
◄ Bulle spéculative
Voir p. 113
◄ Taux de change
Voir p. 313

L'économiste russe Turgan-Baranovski explique en 1894 le cycle par le déséquilibre (et le surajustement) entre l'investissement et l'épargne. En période d'expansion, l'investissement augmente et l'épargne devient insuffisante ce qui enclenche la crise. La récession durera jusqu'à ce que l'épargne soit élevée (relativement à la situation économique), ce qui favorisera la reprise de l'investissement et le retour à l'expansion. Le cycle s'explique donc par l'incapacité du système à ajuster les besoins de financement aux capacités de financement

◄ Investissement
Voir p. 139
◄ Épargne
Voir p. 51
◄ Expansion
Voir p. 154
◄ Besoin de financement
Voir p. 98
◄ Capacité de financement
Voir p. 98

L'économiste français A. Aftalion explique le cycle par l'accélérateur de l'investissement. Il montre en 1909 que l'investissement est une fonction de la variation de la production et non du niveau de production. Lorsque la croissance de la production augmente, l'investissement croit fortement (ce qui accentue l'expansion) alors que, lorsque la croissance de la production diminue (cela ne signifie pas nécessairement que la production baisse), l'investissement diminue (ce qui favorise l'entrée dans la récession). L'investissement est donc une variable instable que le système parvient difficilement à ajuster aux besoins de la production.

◄ Accélérateur de l'investissement
Voir p. 143

Aftalion propose l'exemple du fourneau : tant que la pièce est froide, on a tendance à le charger de combustible, puis elle devient trop chaude et on n'ajoute plus de combustible jusqu'à ce qu'elle soit trop froide. En combinant l'accélérateur de l'investissement d'Aftalion et le multiplicateur de l'investissement de Kahn, mis en évidence par Keynes, P. A. Samuelson montre comment l'instabilité de l'investissement peut créer des mouvements oscillatoires qui expliquent les cycles.

◄ Multiplicateur de l'investissement
Voir p. 147
◄ Keynes
Voir p. 532
◄ Samuelson
Voir p. 534

C La nature des crises

Les crises sont de nature différente ; ainsi, leurs causes peuvent être exogènes (un *facteur exogène* est une cause extérieure au phénomène étudié) ou endogènes (un *facteur endogène* est une cause interne au phénomène étudié).

■ Crises de l'Ancien Régime, crises mixtes et crises classiques

Les crises de l'Ancien Régime et les crises mixtes ont des causes exogènes : la sous-production agricole.

La *crise de l'Ancien Régime*, ou *crise à antécédence agricole*, ou *crise frumentaire*, est une crise économique spécifique aux économies dominées par le poids de l'agriculture ; ses causes sont toujours liées à la production agricole. La crise de 1788-1789, analysée par Labrousse, en est un exemple éloquent. Un incident climatique provoque une chute de la production agricole ayant deux effets principaux : l'augmentation des prix des produits agricoles et la forte baisse des revenus des agriculteurs. Ces difficultés de l'agriculture se diffusent rapidement à l'ensemble de l'économie.

Révenu ▶
Voir p. 42

La *crise mixte* est une crise du capitalisme naissant (la crise de 1846-1850 en est un exemple). Elle a une antécédence agricole, mais sa diffusion provoque une crise financière et industrielle. Les premiers enchaînements de la crise mixte sont semblables à ceux des crises de l'Ancien Régime, mais en plus, les dysfonctionnements atteignent aussi le secteur monétaire et financier, ce qui tend à accentuer la crise. En raison de la crise agricole, certains capitaux se détournent de l'industrie pour contribuer à l'achat des produits agricoles dont les prix ont augmenté et, éventuellement, pour les importer. Le manque de capitaux nuit donc à l'industrie, ce qui aggrave la crise et est à l'origine de difficultés bancaires.

Industrie ▶
Voir p. 37

Une *crise classique*, comme la grande dépression de la fin du XIXe siècle ou la grande crise des années 1930, est une crise provoquée par une surproduction et se caractérisant par la baisse (ou le ralentissement) de la production et la baisse des prix.

La *grande dépression* désigne la crise de surproduction qui a touché l'Europe à partir des années 1870-1880 (entre 1873 et 1896 pour la France).

La *grande crise*, ou crise des années trente, désigne la crise de surproduction de grande ampleur qui a touché tous les pays industriels dans les années trente. Elle a débuté aux États-Unis en 1929 par le krach boursier de Wall Street, puis s'est diffusée dans tout le monde développé.

Ces crises font suite à une période de croissance importante à l'origine d'une très forte spéculation boursière et d'une tendance à la surproduction (certains auteurs préfèrent le terme de *sous-consommation* : situation provoquée par la faiblesse des revenus d'une grande partie de la population et caractérisée par l'insuffisance de la consommation pour écouler l'ensemble de la production). Elles ont comme détonateur des difficultés bancaires et financières : série de krachs boursiers (le **krach boursier** est un effondrement du cours des valeurs mobilières – les actions sont généralement les plus touchées – sur le marché boursier) et de difficultés bancaires (krachs boursiers de Vienne et de Berlin en 1873 et, pour le cas de la France, krach bancaire de l'Union générale et chute boursière de 1882) pour la grande dépression ; krach boursier qui secoua Wall Street le jeudi 24 octobre 1929 pour la crise des années trente. Elles ont des manifestations comparables : le choc boursier déprime la demande et conduit à des anticipations pessimistes ; la production diminue, ce qui conduit au chômage et à la diminution des revenus, qui suscite celle de la demande qui accentue la baisse de la production. C'est la *spirale récessionniste* (cercle vicieux à l'origine de l'auto entretien de la crise : le ralentissement de la production provoque celui des revenus, donc celui de la demande, donc celui de la production…) et déflationniste.

◄ Surproduction
Voir p. 119

◄ Demande
Voir p. 57
◄ Taux de
croissance
anuel moyen
Voir p. 155
◄ Développement
Voir p. 164
◄ Pouvoir d'achat
Voir p. 42
◄ Pauvreté
Voir p. 430
◄ Consommation
de masse
Voir p. 213
◄ Protection
sociale
Voir p. 404
◄ État-
providence
Voir p. 230

■ La crise de fin de xxᵉ siècle

La situation préalable : une forte croissance

La croissance des années 1960 fut beaucoup plus forte que celle de toutes les autres périodes de l'histoire économique. Entre 1950 et 1974, le taux de croissance annuel moyen des pays de l'OCDE était de 4,2 % (5,5 % pour la France). Cela a conduit à un développement très rapide caractérisé par de fortes hausses du pouvoir d'achat et une réduction de la pauvreté, la consommation de masse et l'apparition d'une société de loisirs, le développement de la protection sociale et plus largement de l'État-providence.

La conjonction d'un grand nombre de facteurs favorables a rendu cette croissance possible parmi lesquels figurent notamment les gains

Productivité ►
Voir p. 25

Croissance
démographique ►
Voir p. 218

Baby-boom ►
Voir p. 197

Crédit ►
Voir p. 96

Investissement ►
Voir p. 139

Concentration ►
Voir p. 32

Production de
masse ►
Voir p. 213

Choc pétrolier ►
Voir p. 126

PNB ►
Voir p. 22

Myrdal ►
Voir p. 170

Rapport
Meadows ►
Voir p. 188

importants de productivité, la croissance démographique (baby-boom), le développement du crédit, les interventions de l'État, les fortes croissances de la demande et de l'investissement, la concentration des entreprises, la production de masse et l'internationalisation des échanges.

Certains de ces facteurs s'essoufflent à partir de la fin des années 1960 ; c'est le cas de la productivité, qui ralentit en raison de la crise de l'organisation fordiste du travail, de la demande des ménages, qui ralentit en raison d'une saturation relative en biens durables et du ralentissement démographique, de l'investissement des entreprises, qui ralentit en raison de la saturation de la demande et de la concurrence des nouveaux pays industrialisés. L'essoufflement de tous ces facteurs de croissance n'est pas suffisant pour faire basculer l'économie dans la crise. Les déséquilibres sont encore latents, le choc pétrolier va les rendre manifestes.

À la fin des années 1960, l'opinion publique connaît un revirement concernant la croissance. Les aspirations sont de plus en plus qualitatives et de moins en moins quantitatives. Les individus semblent chercher avant tout une amélioration de leur qualité de vie. Des économistes font écho à cette opinion publique. Ainsi, Gunnar Myrdal explique, dans *Procès de la croissance* (1973), qu'il faut se méfier des indicateurs économiques comme le PNB et que les politiques économiques ne devraient pas avoir comme seul objectif la recherche de la croissance.

Économiste suédois, Gunnar Myrdal (1898-1987 ; prix Nobel en 1974) est un des fondateurs de la théorie du développement. Il est le premier à avoir milité pour un nouvel ordre économique international.

Le rapport Meadows est un rapport, commandé par le club de Rome et publié en 1971, qui met en évidence le phénomène de la rareté. Il a comme titre éloquent « *Limits of growth* », traduit en français par « Halte à la croissance ». Selon cet ouvrage, la croissance ne peut pas se poursuivre infiniment au même rythme. Le club de Rome préconise donc une croissance zéro.

Le choc pétrolier a joué un rôle de détonateur

Le **choc pétrolier** désigne la forte augmentation des tarifs pétroliers. Le premier choc pétrolier a eu lieu en 1973, le second en 1979. Le choc pétrolier casse la croissance économique mondiale et provoque une forte inflation. Il entraîne, par ailleurs, d'importants déficits commerciaux pour les pays importateurs.

◄ Inflation
Voir p. 105

Le choc pétrolier n'est pas pour autant le responsable de la crise, il n'en est que le révélateur ; trois arguments vont dans ce sens :
– certains facteurs de croissance s'étaient essoufflés dès la fin des années 1960 ;
– le choc pétrolier a permis d'augmenter fortement les exportations des pays développés vers les pays de l'OPEP ;
– la baisse du prix relatif du pétrole entre 1973 et 1979, ainsi que la baisse importante des tarifs pétroliers à partir de 1982 et surtout 1984, n'ont pas permis de sortir le monde de la crise. Le *contre-choc pétrolier* désigne la baisse importante des tarifs pétroliers, à partir de 1984, due à un ralentissement de la demande de pétrole (elle-même due à la crise économique, aux économies d'énergie et au développement des énergies de substitution) alors que la production, notamment réalisée par des pays n'appartenant pas à l'OPEP, augmentait).

Les manifestations de la crise de fin de xxe siècle

Il est possible de distinguer trois phases :
• La crise inflationniste des années 1970 : les trois manifestations principales de la crise durant les années 1970 sont le ralentissement économique, l'inflation galopante et les débuts du chômage de masse. La croissance de la productivité devient supérieure à celle de la production, l'économie devient une économie de sous-emploi. En raison des habitudes keynésiennes et des pressions syndicales, les salaires augmentent, durant les années 1970, à un rythme supérieur à celui de la valeur ajoutée. Ces augmentations de salaires nourrissent l'inflation et provoquent la baisse du taux de marge des entreprises, qui sont ainsi obligées de réduire leur investissement et leur autofinancement par manque de disponibilités financières. Malgré le maintien de la demande intérieure, par manque de disponibilité financière et de confiance en l'avenir, les entreprises investissent peu et produisent peu.

◄ Productivité
Voir p. 25

◄ Valeur
ajoutée
Voir p. 21

◄ Taux de
marge
Voir p. 139

◄ Investissement
Voir p. 139

• Durant les années 1980, les politiques économiques se modifient ; leurs objectifs sont de restaurer la part du profit dans la valeur ajoutée afin de favoriser l'investissement par autofinancement et de lutter contre l'inflation. Ces politiques permettent un certain assainissement monétaire puisque l'inflation diminue et, peu à peu, le

◄ Auto-
financement
Voir p. 95

Marché financier ►
Voir p. 99

crédit est remplacé par le recours au marché financier et par l'auto-financement pour le financement de l'investissement. À partir du milieu des années 1980, une reprise économique est largement perceptible. En 1989, la crise semble terminée. L'inflation est vaincue, la croissance est revenue et tout laisse à penser que le chômage va se résorber.

• Les incertitudes des années 1990-2010 : à partir de 1989-1990, l'économie mondiale semble renouer avec la crise. De nouveau, le chômage augmente et la croissance diminue. Cette nouvelle récession est très différente de celle des années 1970 : l'inflation est faible et les comptes des entreprises sont assainis. À la fin des années 1970, les entreprises ne pouvaient satisfaire la demande, car elles manquaient de disponibilités financières pour investir ; au début des années 1990, les entreprises disposent de capacités de financement, mais elles investissent peu, car elles manquent de débouchés du fait de l'insuffisance de la demande. Les reprises sont incertaines ; il semble que la croissance redevienne cyclique.

8

ÉQUILIBRE ET DÉSÉQUILIBRES MACROÉCONOMIQUES

A **L'équilibre emplois-ressources**

B **Les déséquilibres macroéconomiques**

- ■ L'inflation
- ■ Le chômage
- ■ La prise en compte des échanges internationaux

C **Éléments de comptabilité nationale**

- ■ Les acteurs et leurs relations
- ■ Le tableau entrées-sorties
- ■ Le tableau économique d'ensemble

D **Une des deux principales composantes de la demande : l'investissement**

- ■ Les formes d'investissement
- ■ Les déterminants de l'investissement
- ■ Les effets de l'investissement

A L'équilibre emplois-ressources

L'*équilibre emplois-ressources* désigne l'égalité entre les emplois et les ressources.

Les *ressources (au sens de la comptabilité nationale)* sont l'ensemble des biens et services dont une économie dispose (production et importations).

Les *emplois (au sens de la comptabilité nationale)* désignent les différentes utilisations des biens et services (consommation intermédiaire, consommation finale, FBCF, exportations et variation de stocks).

Toutes les ressources sont utilisées à des emplois et tous les emplois proviennent des ressources ; emplois et ressources sont donc égaux.

La *formation brute de capital fixe (FBCF)* désigne, dans la comptabilité nationale, l'agrégat mesurant l'investissement. Elle correspond à l'acquisition d'actifs fixes (actifs utilisés de façon continue et répétée), corporels et incorporels (logiciels...).

Variation de stocks : différence entre la valeur des entrées de produits en stock (évaluées au prix du jour d'entrée) et la valeur des sorties (évaluées au prix du jour de sortie).

L'équilibre emplois-ressources correspond donc à l'égalité :

$$P + M = CI + CF + FBCF + V \text{ de stocks} + X$$

Avec P pour la production, M pour les importations, CI pour les consommations intermédiaires, CF pour la consommation finale, FBCF pour la formation de capital fixe, V de stocks pour la variation des stocks et X pour les exportations.

Les exportations et les importations peuvent être comptabilisées FAB ou CAF.

Franco à bord (FAB) : comptabilisation de la valeur des importations ou des exportations à leur prix à la frontière du pays exportateur. Seule la valeur des produits est comptabilisée.

Coût, assurance, frêt (CAF) : comptabilisation de la valeur des importations à leur prix à la frontière du pays importateur. On ajoute à la valeur du produit le coût de l'assurance et du transport pour l'acheminer vers le pays importateur.

Si seuls les emplois finals sont pris en considération, il convient d'ôter les consommations intermédiaires des emplois comme des ressources, ce qui donne l'équation :

VA + M = CF + FBCF + V de stocks + X

Le PIB étant égal à la somme des valeurs ajoutées, on peut aussi écrire cette équation :

PIB + M = CF + FBCF + V de stocks + X
Ou :
PIB = CF + FBCF + V de stocks + (X − M)
PIB = CF + FBCF + V de stocks + (solde extérieur)

L'équilibre emplois-ressources permet aussi de mettre en évidence le lien entre le niveau d'épargne d'une économie et le solde extérieur.
En effet, puisque (en faisant abstraction de la variation des stocks) :

Production = Consommation + Investissement + Solde extérieur

et que la production donne lieu à la distribution de revenus d'un même montant ;
et puisque que :

Revenu = Consommation + épargne

on peut noter :

Consommation + Epargne = Consommation + Investissement
+ Solde extérieur
Solde extérieur = Epargne − Investissement

Si le solde extérieur est négatif, le déficit signifie que le pays consomme et investit plus qu'il ne produit. Cela révèle une insuffisance d'épargne dans l'économie nationale (un besoin de financement), ce qui nécessite une entrée de capitaux étrangers pour couvrir le besoin de financement.
Si le solde extérieur est positif, l'excédent signifie que le pays produit plus qu'il ne consomme et investit. Cela révèle un surplus d'épargne dans l'économie nationale (une capacité de financement) qui induit une sortie de capitaux destinés à financer des économies étrangères en besoin de financement.

◄ **Épargne**
Voir p. 51

◄ **Besoin de financement**
Voir p. 98

◄ **Capacité de financement**
Voir p. 98

B Les déséquilibres macroéconomiques

Si l'égalité entre les emplois et les ressources est naturellement assurée, des déséquilibres macroéconomiques peuvent toutefois exister. Les principaux déséquilibres macroéconomiques sont l'inflation, le chômage et les déséquilibres extérieurs ; ils sont généralement liés aux fluctuations de la demande.

■ L'inflation

L'inflation désigne la hausse généralisée des prix. Le *taux d'inflation* désigne le taux de variation du niveau général des prix.

La déflation désigne au sens strict la baisse généralisée des prix (taux d'inflation négatif). Ce terme est parfois utilisé pour caractériser une période de baisse des prix et de la production (crise des années 1930 par exemple).

Les principales causes de l'inflation sont l'inflation par la demande (qui désigne la hausse des prix induite par un excès de la demande sur l'offre), l'inflation par les coûts (qui désigne la hausse des prix induite par une hausse des coûts de production) et l'*inflation par la monnaie*, qui désigne la hausse des prix induite par une augmentation de la quantité de monnaie supérieure à celle de la production.

Croissance ►
Voir p. 154
Demande ►
Voir p. 57
Crédit ►
Voir p. 96

L'inflation accompagne souvent les périodes de croissance, car la hausse des prix et la hausse conjoncturelle de la production ont le même principal déterminant : l'augmentation de la demande. Par ailleurs, en période de croissance, le crédit est stimulé, ce qui induit une augmentation de la création monétaire, donc un surcroît d'inflation.

■ Le chômage

Le *chômage* désigne l'état d'un individu ou d'une population privés involontairement d'emploi.

Un chômeur (au sens du Bureau international du travail – BIT) est une personne qui cumule les caractéristiques suivantes : être sans travail, c'est-à-dire sans emploi salarié ou non salarié ; être disponible pour travailler ; être à la recherche d'un emploi.

Inflation ►
Voir p. 105
Expansion ►
Voir p. 154
Récession ►
Voir p. 118

Si l'inflation accompagne les périodes d'expansion, le chômage accompagne les périodes de récession. Le niveau de l'emploi est en effet lié au niveau de la production ; les périodes de croissance sont donc des périodes de création d'emploi, alors que la crise, le ralentissement de la croissance et encore plus la baisse de la production sont des facteurs de chômage. Les variations conjoncturelles de la production étant généralement dues à celles de la demande, le chômage a tendance à augmenter en période d'atonie de la demande et à diminuer lorsque la demande est dynamique.

■ La prise en compte des échanges internationaux

Les déséquilibres macroéconomiques ont pour origine une situation dans laquelle la demande intérieure globale (consommation, investissement et dépenses publiques) évolue différemment que la production. Une demande intérieure supérieure à la production nationale se traduit par des importations supérieures aux exportations (ou par une augmentation des prix si les échanges extérieurs ne permettent pas l'ajustement entre l'offre et la demande). Ce déséquilibre entre l'offre et la demande peut aussi inciter les producteurs nationaux à investir davantage et à augmenter leur activité. À l'inverse, une demande globale inférieure à l'offre globale provoquera sur la période suivante un ralentissement de l'activité et une augmentation du chômage.

◄ **Importation**
Voir p. 268

◄ **Exportation**
Voir p. 268

Avec la mondialisation, les économies nationales sont de plus en plus interdépendantes ; par exemple, la grande majorité des échanges de la France se réalisant au sein de l'Europe, l'économie française est fortement dépendante de celles de ses partenaires européens. Autre exemple, l'inflation est un phénomène relativement indolore en économie fermée ; la hausse des prix, si elle est compensée par une hausse des salaires, n'a que peu de répercussions sur l'économie ; par contre, dès que l'on se situe en économie ouverte, l'inflation, ou plus exactement le différentiel d'inflation, a des impacts considérables. Un différentiel d'inflation positif nuit à la compétitivité extérieure.

◄ **Mondialisation**
Voir p. 266

◄ **Différentiel d'inflation**
Voir p. 108

◄ **Compétitivité**
Voir p. 270

La contrainte extérieure joue surtout dans le cadre de la volonté de relancer la demande intérieure pour favoriser la croissance et la baisse du chômage. L'augmentation de la demande intérieure globale provoque en effet naturellement une augmentation des importations, car tous les produits consommés ne sont pas des produits nationaux. De plus, si la politique de relance permet effectivement d'augmenter

◄ **Contrainte extérieure**
Voir p. 269

◄ **Politique de relance**
Voir p. 232

la production, elle va, là aussi, accroître les importations car, pour produire, il faut plus de matières premières (dont une partie est importée), plus de biens intermédiaires (dont une partie est importée) et plus de biens d'équipement (dont une partie est importée).

Bien intermédiaire ►
Voir p. 21

Bien d'équipement ►
Voir p. 21

Politique économique ►
Voir p. 231

Le choix d'une politique économique doit donc tenir compte de la situation économique des pays partenaires et être, si possible, coordonné.

◼C Éléments de comptabilité nationale

La *comptabilité nationale* est une représentation globale, détaillée et quantifiée de l'économie d'un pays.

Très tôt, l'État cherche à recenser les hommes et les richesses pour deux raisons principales : lever les armées et les impôts. Avec l'engagement croissant de l'État dans l'économie, la nécessité d'une comptabilisation plus complète et plus précise devient de plus en plus présente :

Impôt ►
Voir p. 235

– en 1946, un système de comptes nationaux est élaboré en France ;

– en 1976, la France se rapproche des autres pays industrialisés en adoptant le SECN (système élargi de comptabilité nationale) ;

Union européenne ►
Voir p. 297

– en 1993, l'ONU crée un nouveau système de comptabilité nationale ; ce système est adopté par l'Union européenne sous le nom de SEC 95 (système européen des comptes 95). Tous les pays de l'Union l'utilisent depuis 1999.

◼ Les acteurs et leurs relations

L'*économie nationale* est l'ensemble des unités résidentes, c'est-à-dire des unités qui effectuent des opérations sur le territoire pendant un an ou plus.

Les différents acteurs

Un *secteur institutionnel*, au sens de la comptabilité nationale, est l'ensemble des unités institutionnelles ayant des fonctions et des ressources analogues.

Agent économique ►
Voir p. 30

Une *unité institutionnelle*, au sens de la comptabilité nationale est un centre élémentaire de décision économique, c'est-à-dire un agent économique qui jouit d'une autonomie de décision.

Le système de comptabilité nationale distingue cinq secteurs institutionnels :

– les **sociétés non financières** sont le secteur institutionnel qui regroupe toutes les unités institutionnelles dont la fonction principale est de produire des biens et services non financiers marchands. Les ressources des sociétés financières proviennent de la vente de leurs produits. Ce secteur institutionnel regroupe aussi bien les sociétés privées (sociétés anonymes, sociétés coopérative...) que les entreprises publiques ;

– les **sociétés financières** sont le secteur institutionnel qui regroupe toutes les unités institutionnelles dont la fonction est de financer (c'est-à-dire collecter, transformer et distribuer des disponibilités financières), de gérer les moyens de financement ou d'assurer. Ce secteur institutionnel comprend les banques, différents intermédiaires et auxiliaires financiers (Sicav, carte bleue...) et les sociétés d'assurance (y compris les mutuelles) ;

◄ Banque
Voir p. 94
◄ Sicav
Voir p. 110
◄ Mutuelle
Voir p. 36

– les administrations publiques sont le secteur institutionnel qui regroupe toutes les unités institutionnelles publiques dont la fonction est de produire des services non marchands et d'effectuer des opérations de redistribution. Le secteur des administrations publiques comprend les administrations publiques centrales (Éducation nationale par exemple), les administrations publiques locales et les administrations de sécurité sociale ;

◄ Sécurité
sociale
Voir p. 248

– les **institutions sans but lucratif au service des ménages** sont le secteur institutionnel qui regroupe toutes les unités institutionnelles privées dont la fonction est de produire des services non marchands pour les ménages. Elles étaient autrefois appelées « administrations privées ». Il s'agit des partis politiques, églises, associations diverses... ;

– les **ménages (au sens de la comptabilité nationale)** sont le secteur institutionnel qui regroupe toutes les unités institutionnelles dont la fonction principale est la consommation (et la production pour les entreprises individuelles). Les ressources des ménages proviennent de la rémunération des facteurs de production qu'ils fournissent (travail, capital), des revenus de transferts et, dans le cas des entreprises individuelles, de la vente de produits. On distingue trois sortes de ménages : les ménages ordinaires, les ménages collectifs (foyers de travailleurs par exemple) et les entreprises individuelles.

Le **reste du monde** est un secteur institutionnel fictif qui regroupe les opérations économiques entre l'ensemble des unités non résidentes et l'ensemble des unités résidentes.

La comptabilité nationale distingue les branches des secteurs. Une **branche** est l'ensemble des unités de production fournissant un seul type de biens ou de services. Un **secteur** est l'ensemble des entreprises ayant la même activité principale.

Le circuit économique

Des flux réels ou monétaires relient les agents économiques entre eux.

Un **flux** est une grandeur qui fait l'objet d'un mouvement ; elle est mesurée au cours d'une période donnée. On l'oppose à la notion de **stock**, qui est une grandeur économique mesurée à un moment donné.

Entreprise ►
Voir p. 30
Ménage ►
Voir p. 135

Ainsi, en simplifiant, les ménages fournissent aux entreprises du travail (flux réel) et reçoivent en contrepartie des salaires (flux monétaire) ; les entreprises fournissent aux ménages des biens et services (flux réel) et reçoivent en contrepartie le paiement des achats (flux monétaire).

Le **circuit économique** est une représentation simplifiée de l'économie nationale, sous forme de flux reliant les différents agents de l'économie.

Suivant son niveau de complexité, le circuit peut être représenté avec ou sans État, avec ou sans intermédiaires financiers, en **économie ouverte** (représentation de l'économie tenant compte de ses relations avec l'extérieur) ou en **économie fermée** (représentation de l'économie faisant abstraction de ses relations avec l'extérieur).

■ Le tableau entrées-sorties

Le **tableau entrées-sorties (TES)** est une représentation de l'économie nationale qui met en valeur les différents emplois des produits, leurs différentes ressources et la façon dont l'équilibre emplois-ressources est assuré.

Branche ►
Voir p. 136
Consommation
intermédiaire ►
Voir p. 21
Valeur
ajoutée ►
Voir p. 21

Le TES récapitule toutes les opérations sur les biens et services des différentes branches de l'économie. Il est composé : 1°) du tableau des échanges interindustriels, appelé aussi tableau *input-output*, qui représente les consommations intermédiaires des différentes branches, 2°) du tableau des emplois finals, 3°) du tableau des comptes de production et d'exploitation des branches qui présente le partage de la valeur ajoutée, et 4°) du tableau des ressources en produits.

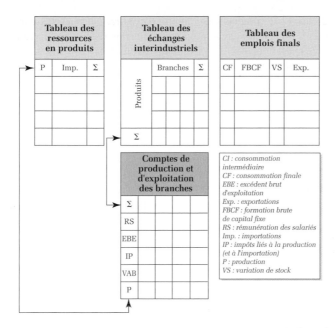

L'**excédent brut d'exploitation (EBE)** est la partie de la valeur ajoutée qui revient aux entreprises après versement des salaires, cotisations et impôts liés à la production. L'EBE sert à payer les intérêts des emprunts, à verser des dividendes aux actionnaires, à payer les impôts sur le bénéfice et à épargner. Il se distingue du bénéfice se calculant avant l'amortissement du capital.

◄ **Bénéfice**
Voir p. 31

Les premiers tableaux entrées-sorties ont été réalisés par Wassily Leontief, qui les utilisa pour étudier l'évolution de l'économie américaine.

◄ **Amortissement**
Voir p. 141

Le TES permet de mettre en évidence l'interdépendance des branches. Il est ainsi possible de simuler les effets de la variation de l'activité d'une branche sur les autres branches. Pour cela, on utilise les coefficients techniques.

◄ **Léontief**
Voir p. 277

Le *coefficient technique* est un concept créé par Leontief mesurant la consommation intermédiaire d'un produit nécessaire à une branche pour la production d'une unité monétaire.

$$c_{ij} = \frac{\text{Consommation intermédiaire de produit i par la branche j}}{\text{Production de la branche j}}$$

Certaines branches, comme le bâtiment, sont des branches motrices, car leurs consommations intermédiaires dans d'autres branches sont élevées. En cas de récession, l'État peut relancer ces branches en priorité.

Consommation intermédiaire ▶
Voir p. 21

■ Le tableau économique d'ensemble

Le *tableau économique d'ensemble (TEE)* est une représentation complète de l'économie récapitulant les différents comptes de tous les secteurs institutionnels.

Les comptes des secteurs institutionnels

Valeur ajoutée ▶
Voir p. 21
Revenus primaires ▶
Voir p. 43
Prélèvement obligatoire ▶
Voir p. 236
Épargne ▶
Voir p. 51
Investissement ▶
Voir p. 139

Les comptes des secteurs institutionnels sont : le compte de production, qui décrit la création de la valeur ajoutée ; le compte d'exploitation, qui décrit la répartition de la valeur ajoutée ; le compte d'affectation des revenus primaires, qui décrit comment se constitue le revenu primaire ; le compte de distribution secondaire du revenu, qui mesure l'effet des prélèvements obligatoires d'une part et des revenus de transfert d'autre part ; le compte d'utilisation du revenu, qui montre comment le revenu disponible brut est utilisé pour la consommation et pour l'épargne ; le compte de capital, qui montre comment l'épargne est utilisée pour financer l'investissement et le compte financier, qui retrace toutes les opérations financières.

Les principaux agrégats

Le TEE permet de définir les principaux agrégats.

Un *agrégat* est une grandeur économique caractérisant le résultat de l'activité économique.

PIB ▶
Voir p. 22
PNB ▶
Voir p. 22

Le PIB est l'agrégat le plus utilisé par la comptabilité nationale ; il est bâti sur un critère de territorialité. Le PNB, agrégat bâti sur un critère de nationalité, n'est plus utilisé par la comptabilité nationale.

Le *revenu national brut (RNB)*, appelé aussi revenu national des facteurs, est un agrégat de niveau de vie ; il correspond à la somme des revenus primaires.

Le *revenu national disponible brut* est un agrégat de revenu disponible. Son montant est égal à la somme des dépenses de consommation et de l'épargne nationale ; il permet de connaître les sommes qui peuvent être utilisées par les unités résidentes.

Les principaux ratios

À partir du TEE, il est possible de calculer certains ratios. Un **ratio** est un rapport entre deux grandeurs constituant un indicateur de la situation économique et financière d'une catégorie d'agents ou de la nation toute entière.

Les principaux ratios des ménages sont :

– le **taux d'épargne des ménages** : rapport (exprimé en pourcentage) de l'épargne brute au revenu disponible brut des ménages ;

– le **taux d'épargne financière des ménages** : rapport (exprimé en pourcentage) de la capacité de financement au revenu disponible brut des ménages.

◀ Épargne financière
Voir p. 52

Les principaux ratios des sociétés non financières sont :

– le taux d'investissement : rapport (exprimé en pourcentage) de la FBCF à la valeur ajoutée ;

– le taux d'autofinancement : rapport (exprimé en pourcentage) de l'épargne brute à la FBCF ;

◀ Taux d'auto-financement
Voir p. 142

– le **taux de marge** : rapport (exprimé en pourcentage) de l'EBE à la valeur ajoutée.

◀ Auto-financement
Voir p. 95

Les principaux ratios des administrations publiques sont :

– le **taux de prélèvements obligatoires** : rapport (exprimé en pourcentage) des prélèvements obligatoires au PIB ;

◀ Prélèvements obligatoires
Voir p. 236

– le **taux de pression fiscale** : rapport (exprimé en pourcentage) des impôts au PIB.

◀ Pression fiscale
Voir p. 261

D Une des deux principales composantes de la demande : l'investissement

Les deux principales composantes de la demande sont la consommation (cf. pages 42 à 52) et l'investissement.

L'*investissement* est, au sens large, l'acquisition, au cours d'une période déterminée, de biens ou de services destinés à accroître l'efficience de l'appareil productif d'un agent économique ou d'un pays.

■ Les formes d'investissement

Investissement immatériel et investissement matériel

Deux catégories d'investissement doivent être distinguées :

• L'*investissement immatériel* désigne les dépenses correspondant à l'usage de services productifs qui permettent d'accroître la capacité de production ou la productivité. Il s'agit de l'achat de logiciels ou de brevets, de dépenses de publicité, de formation du personnel, de recherche-développement...

La **recherche-développement** est l'ensemble des activités liées, d'une part, à la recherche (fondamentale et appliquée) et, d'autre part, à l'expérimentation de nouveaux produits ou de nouveaux procédés de production.

• L'**investissement matériel** (ou **investissement physique**) est, d'une part, l'acquisition de biens de production durables utilisés au cours de plusieurs cycles de production, et, d'autre part, la création d'infrastructures matérielles (routes, ports...) et l'acquisition de logements par les ménages.

Un investissement en infrastructures et en logements (ou bâtiments) constitue un **investissement non productif** (ou **investissement improductif**), soit un investissement qui ne participe pas directement à la production de biens ou de services ; un **investissement productif** est un investissement qui agit sur le volume de capital fixe intervenant directement dans la production de biens ou de services. Toutefois, cette distinction est contestable : le rôle des infrastructures sur l'efficience des appareils productifs des firmes est démontré depuis Adam Smith.

Smith ▶
Voir p. 515

Dans le langage courant, investissement et placement sont souvent assimilés. Or, un investissement n'est pas un **placement**, qui désigne un usage de fonds destinés à rapporter un revenu financier. De même, il ne faut pas confondre investissement et investissement de portefeuille, qui se rapporte à des placements internationaux.

Investissement brut et investissement net

La mesure de l'investissement relève du système de comptabilité nationale. Dans ce cadre, l'**investissement brut**, c'est-à-dire l'investissement total effectué par un agent économique au cours d'une période donnée, est évalué par la formation brute de capital fixe. La FBCF inclut les biens de production durables fabriqués par les producteurs résidents pour leur propre compte. Depuis 1995, la FBCF comprend également une partie des investissements immatériels. La FBCF est réalisée par plusieurs secteurs institutionnels : les sociétés financières ou non financières, les administrations publiques et les ménages (la FBCF des ménages correspond à l'acquisition de logements et aux investissements effectués par les entrepreneurs individuels).

FBCF ▶
Voir p. 130

Secteur
institutionnel ▶
Voir p. 134

L'investissement brut correspond à deux types d'investissement :
• Une partie de l'investissement brut est un *investissement de remplacement*, c'est-à-dire un investissement qui compense la dépréciation du capital fixe du fait de son usure physique et de son obsolescence. L'*obsolescence* est la dévalorisation que subit un bien en raison de la moindre satisfaction de son propriétaire ou des consommateurs, provoquée par la présence sur le marché de biens plus performants ou plus adaptés à la demande. Ainsi, le progrès technique se traduit par la production de nouvelles machines-outils dont l'efficience est plus grande que celle des machines plus anciennes.

◄ **Progrès technique** Voir p. 159

Lorsqu'au cours d'une période, l'investissement brut des agents économiques est inférieur à ce qu'exigerait l'investissement de remplacement, le stock de capital fixe disponible diminue : il y a dans ce cas un *désinvestissement*, qui correspond à la diminution du stock de capital fixe résultant du non-remplacement d'une partie du capital.

L'*amortissement* est la traduction comptable de l'investissement de remplacement. Il désigne l'opération par laquelle un agent économique consacre des ressources à compenser la dépréciation du capital fixe résultant de son usure physique ou de son obsolescence, au cours d'une période déterminée. L'amortissement correspond à la *consommation de capital fixe (CCF)*, c'est-à-dire, dans le cadre du système de comptabilité nationale, la partie de la FBCF destinée à compenser la dépréciation annuelle du capital fixe consécutive à son usure physique et à son obsolescence.

• Une autre partie de l'investissement brut correspond à un *investissement net*, soit un investissement nouveau, qui s'ajoute à l'investissement de remplacement pour accroître le stock de capital fixe disponible. La formation nette de capital fixe (FNCF) est l'évaluation de l'investissement net dans le cadre du système de comptabilité nationale.

Les ratios concernant l'investissement

Le système de comptabilité nationale permet d'établir plusieurs ratios :
– le *taux d'investissement* est le rapport, exprimé en pourcentage, entre la FBCF d'un secteur institutionnel et la valeur ajoutée qu'il réalise au cours d'une période donnée. Au niveau macroécono-

◄ **FBCF** Voir p. 130

mique, le taux d'investissement est le rapport, exprimé en pourcentage, entre la FBCF de l'ensemble des secteurs institutionnels et le produit intérieur brut ;

– le **taux d'autofinancement** est le rapport, exprimé en pourcentage, de l'épargne brute d'un secteur institutionnel et sa FBCF, au cours d'une période donnée. Au niveau macroéconomique, le taux d'autofinancement est le rapport, exprimé en pourcentage, entre l'épargne brute de l'ensemble des secteurs institutionnels et leur FBCF, au cours d'une période donnée.

Un taux d'autofinancement inférieur à 100 % révèle une situation de besoin de financement ; un taux d'autofinancement supérieur à 100 % révèle une situation de capacité de financement. Il est habituel que le taux d'autofinancement des ménages soit supérieur à 100 % et que celui des entreprises soit inférieur à 100 % ; les administrations publiques sont fréquemment dans la même situation que les entreprises.

Besoin de financement ▶ Voir p. 98

Capacité de financement ▶ Voir p. 98

La capacité des entreprises à s'autofinancer, mesurée par leur marge brute d'autofinancement, est en fait supérieure à ce que révèle leur taux d'autofinancement : en effet, la **marge brute d'autofinancement (MBA)** est égale au bénéfice (après impôts sur les bénéfices) auquel s'ajoutent les dotations aux amortissements et certaines provisions. Toutefois, une partie du bénéfice peut être distribuée aux propriétaires des entreprises (dividendes) ; par conséquent, la MBA est la capacité maximale d'autofinancement des entreprises ;

Amortissement ▶ Voir p. 141

– le **taux d'accumulation** est le rapport, exprimé en pourcentage, entre la FBCF réalisée au cours d'une période et le stock de capital disponible. Les difficultés attachées à la mesure du capital rendent délicat le calcul de ce ratio. La hausse du taux d'accumulation traduit une reprise de l'investissement, généralement corrélée à une croissance économique plus soutenue.

■ **Les déterminants de l'investissement**

L'investissement des entreprises

Facteur de production ▶ Voir p. 23

L'investissement des entreprises dépend de plusieurs facteurs : l'évolution de la demande, le coût relatif des facteurs de production, les contraintes financières.

L'évolution de la demande

La croissance de la demande ouvre des perspectives de profits qui incitent les entrepreneurs à investir. Cette relation est formalisée par le **principe d'accélération** (ou **accélérateur**), qui désigne le mécanisme selon lequel la variation de la demande induit une variation plus que proportionnelle de l'investissement des entreprises : une accélération de la croissance de la demande induit une hausse plus importante de celle de l'investissement ; *a contrario*, un freinage de la demande (voire une baisse) provoque une décélération plus forte (voire une diminution) de l'investissement. Cet investissement est un **investissement induit** (investissement qui découle de la variation de la demande). Par opposition, un **investissement autonome** est un investissement dont les déterminants sont exogènes.

◄ Demande effective
Voir p. 532

Pour John Maynard Keynes (1883-1946), les entrepreneurs fondent en partie leurs décisions d'investissement sur la **demande anticipée**, c'est-à-dire sur leurs prévisions de l'évolution de la demande future (composée de la consommation et de l'investissement).

Le coût relatif des facteurs de production et les contraintes financières

Lorsque le coût du travail augmente davantage que celui du capital (le prix relatif du travail augmente), les combinaisons productives les plus capitalistiques sont privilégiées, ce qui dope l'investissement.

Les contraintes financières interviennent aussi dans la décision d'investir. Lorsque les entrepreneurs ne peuvent totalement autofinancer leurs investissements, il leur faut recourir à l'emprunt. Dès lors, ils doivent prendre en compte le taux d'intérêt réel attaché à leur emprunt. L'incitation à investir repose alors sur le niveau de la rentabilité de l'investissement. La **rentabilité** désigne le fait qu'un investissement génère un profit satisfaisant. Elle est évaluée par la **rentabilité économique**, c'est-à-dire le rapport entre le profit et la valeur du capital physique mis en œuvre pour l'obtenir. Ces capitaux proviennent des emprunts et des **capitaux propres** (ou **fonds propres**), à savoir le capital social, et les bénéfices non distribués et mis en réserve. Le **capital social (au sens économique)** est constitué par l'ensemble des apports du ou des propriétaires de l'entreprise.

La rentabilité peut aussi être appréciée par un indicateur de **rentabilité financière** (rapport entre le profit et les capitaux propres) ;

celle-ci est mesurée par le taux de rentabilité financière. L'incitation à investir dépend alors de la profitabilité de l'investissement. La profitabilité est parfois assimilée à la rentabilité économique ou à la rentabilité financière. Dans un sens plus spécifique, la **profitabilité** est égale à la différence entre la rentabilité économique (ou la rentabilité financière) et le taux d'intérêt réel. Une profitabilité négative n'incite pas à investir, mais plutôt au désendettement ou au placement de l'épargne sur les marchés financiers. En revanche une profitabilité positive incite à investir, d'autant plus que l'effet de levier de l'endettement joue favorablement.

Keynes ►
Voir p. 532

Un raisonnement analogue, fondé sur les anticipations, conduit à des conclusions similaires. Par exemple, selon l'analyse keynésienne, l'incitation à investir repose sur l'*efficacité marginale du capital* qui est, pour Keynes, le taux de rentabilité économique qui résulterait d'une situation telle que la somme des profits anticipés générés par l'investissement, soit juste égale au montant de l'investissement. Il s'agit donc du taux de rentabilité économique minimum qui permettrait de couvrir la dépense que représente l'investissement. Pour que ce calcul ait un sens, il est nécessaire que la somme des profits anticipés soit actualisée. L'*actualisation* est une méthode permettant de calculer la valeur actuelle d'une somme future (exprimée en unités monétaires). Ce calcul repose sur un *taux d'actualisation*, soit le taux d'intérêt annuel moyen qu'il faut appliquer pendant n années à une somme actuelle pour que la somme obtenue la nième année soit, pour les agents économiques, équivalente à la somme initiale. Un taux d'actualisation élevé signifie que les agents économiques se défient du futur et privilégient le présent ; dans ce cas, une somme actuelle de 100 euros équivaudra, par exemple, à 200 euros dans dix ans. En revanche, la confiance en l'avenir se traduit par un faible taux d'actualisation : une somme actuelle de 100 euros équivaudra, par exemple, à 120 euros dans dix ans.

Action ►
Voir p. 99

Capital social ►
Voir p. 374

Déréglementation ►
Voir p. 243

Par ailleurs, les entrepreneurs comparent l'efficacité marginale du capital au taux d'intérêt. Dès lors que l'efficacité marginale du capital, qui équivaut de fait à un taux de rentabilité économique anticipé, est supérieure au taux d'intérêt, il y a incitation à investir.

Il faut noter que des sources de financement alternatives à l'emprunt existent : une *augmentation de capital* (émission d'actions nouvelles pour accroître le capital social) ou l'émission de titres assimilables aux actions permettent de disposer de fonds sans endettement. La déréglementation financière au cours des vingt dernières années a conduit les investisseurs à recourir davantage à ce type de formule.

L'investissement des ménages et des collectivités publiques

Dans le système de comptabilité nationale, l'investissement des ménages correspond, d'une part, à leurs investissements immobiliers et, d'autre part, aux investissements des entrepreneurs individuels qui relèvent en grande partie des mêmes catégories d'explication que l'investissement des entreprises.

L'investissement immobilier des ménages dépend de plusieurs facteurs. Le taux d'intérêt est un élément important, dans la mesure où le prix des logements dépasse fréquemment les possibilités d'autofinancement des ménages ; en outre, ceux qui destinent à la location le logement acquis fondent leur investissement sur un calcul de profitabilité similaire à celui des entrepreneurs. Il peut en être de même des acquéreurs-occupants, dont le revenu de l'investissement équivaut au loyer qu'ils se versent à eux-mêmes. Dans les deux cas, la question de l'acquisition d'un logement relève d'un arbitrage entre différentes opportunités d'usage de l'épargne.

L'âge des accédants à la propriété est également à prendre en compte, notamment parce qu'il influe sur les comportements d'épargne des ménages (niveau de l'épargne et son usage).

Enfin, des facteurs sociologiques ou psychologiques influent également sur l'investissement immobilier : désir de transmettre un patrimoine symbole de solidarité familiale, désir de marquer un statut social...

L'essor des investissements en infrastructures effectués par les collectivités publiques repose sur les contraintes de financement auxquelles sont confrontées ces collectivités. Des taux d'intérêt élevés grèvent les remboursements et pèsent sur les comptes publics. En cas d'endettement élevé, les décideurs politiques hésiteront à emprunter davantage. Le niveau des prélèvements obligatoires intervient également : s'ils sont élevés, il peut être difficile de les accroître davantage. Le contexte est également à prendre en compte : la nécessité de soutenir l'activité économique, les rapports de force politiques, les choix doctrinaux des gouvernants, influent sur la décision d'investir dans les infrastructures.

◄ Prélèvements obligatoires
Voir p. 236

■ Les effets économiques de l'investissement

L'investissement influe sur l'offre et la demande ; il exerce en outre des effets sur le nombre d'emplois.

L'investissement, facteur de croissance de l'offre

L'investissement agit sur les capacités d'offre des producteurs. L'offre est accrue du fait des investissements de capacité. Un *investissement de capacité* est un investissement destiné à accroître les capacités productives des agents économiques. Par exemple, la construction d'une nouvelle usine destinée à accroître la production d'automobiles de l'entreprise Renault est un investissement de capacité.

Par ailleurs, l'investissement est destiné à accroître l'efficience de l'appareil productif en générant des gains de productivité, facteurs de réduction de coûts unitaires : un appareil productif plus efficient permet de produire davantage.

Progrès technique ▶ Voir p. 159

L'influence de l'investissement sur la productivité des facteurs de production résulte du fait que l'investissement est un vecteur du progrès technique. Le progrès technique se traduit par des inventions (par exemple, de nouveaux procédés de production, de nouveaux produits) qui sont ensuite appliquées par les agents économiques et deviennent des innovations (une invention est une découverte ; une *innovation* est l'application d'une ou plusieurs inventions). L'innovation peut être une innovation de procédés (ou innovations de processus), c'est-à-dire une innovation consistant à mettre en œuvre de nouvelles techniques de production ou de commercialisation, une innovation de produits (innovation consistant à créer de nouveaux produits) ; il peut s'agir aussi d'une innovation organisationnelle qui correspond à de nouvelles formes d'organisation des entreprises ou des marchés (par exemple, constitution d'un monopole). Dans cette perspective, l'investissement concourt à la diffusion du progrès technique lorsqu'il contribue à la transformation des conditions de production (par exemple, construction d'usines dotées d'ateliers flexibles) ; il peut en outre se matérialiser par des produits nouveaux (par exemple, de nouvelles machines).

L'investissement, facteur de croissance de la demande

Le rôle de l'investissement sur la demande est au cœur de l'analyse keynésienne.

Keynes intègre à son analyse le concept de multiplicateur d'investissement à la suite des travaux de Richard Kahn. Celui-ci publie en 1931 un article dans lequel il étudie l'incidence de l'*investissement public* (investissement effectué par les administrations publiques) sur le volume d'emplois : à la création d'emplois attachée directement à l'investissement public s'ajoutent les emplois créés grâce à la croissance économique impulsée par l'investissement. Ainsi, le nombre total d'emplois créés N est supérieur au nombre d'emplois générés par l'investissement public N'. Le multiplicateur d'emploi k est tel que N = k × N'.

◄ **Keynes**
Voir p. 532

◄ **Administration publique**
Voir p. 36

Richard Kahn (1905-1989) est un économiste disciple de Keynes. Cet auteur est le premier à introduire le concept de multiplicateur dans la théorie économique. Après la mort de Keynes en 1946, Kahn s'oppose au courant de la synthèse néoclassique qu'il considère comme un courant non keynésien. Il a publié *The Relation of Home Investment to Unemployment* (1931) et *The Making of Keynes's Theory* (1984).

Un *effet multiplicateur* est un mécanisme par lequel l'accroissement d'une grandeur au cours d'une période entraîne un accroissement plus que proportionnel d'une autre grandeur. Le *multiplicateur* est le coefficient par lequel est multiplié l'accroissement d'une grandeur X pour obtenir l'accroissement d'une grandeur Y qui découle de celui de X : si l'augmentation de X (ΔX) provoque l'accroissement de Y (ΔY), le multiplicateur k = ΔY / ΔX.

Keynes s'inspire de la démarche de Kahn pour décrire l'*effet multiplicateur d'investissement*, mécanisme traduisant le fait que l'augmentation d'un investissement initial entraîne un accroissement plus que proportionnel du revenu national. Le *multiplicateur d'investissement* est le coefficient égal au rapport entre l'accroissement du revenu national et celui de l'investissement initial ; il traduit l'ampleur de la variation du revenu national qu'implique celle de l'investissement initial. Par exemple, un multiplicateur d'investissement égal à 3 signifie qu'un investissement supplémentaire de 1 milliard d'euros provoque un accroissement du revenu national de 3 milliards d'euros.

◄ **Revenu national brut**
Voir p. 138

Un supplément d'investissement au cours d'une période accroît

Propension
marginale à
consommer ▶
Voir p. 562

Propension
marginale à
épargner ▶
Voir p. 563

Expansion ▶
Voir p. 154

Économie
fermée ▶
Voir p. 136

la demande en direction des entreprises produisant des biens d'équipement. La production de ces firmes s'accroît ; leur masse salariale augmente du fait des embauches nouvelles ou du paiement d'heures supplémentaires liées à la hausse de la production ; leur profit s'accentue. Une partie de ces revenus est dépensée dans l'achat de biens de consommation en fonction de la propension marginale à consommer. Ces dépenses dopent l'activité des entreprises fabriquant des biens de consommation, d'où un accroissement de leur masse salariale et de leur profit, qui alimente un nouveau flux de dépenses de consommation et de production.

Ainsi, pour un accroissement de l'investissement donné, la croissance du revenu national est plus importante ; elle le sera d'autant plus que la propension marginale à consommer est forte (ou que la propension marginale à épargner est faible).

L'effet multiplicateur relève de la courte période : il influe donc sur le rythme d'expansion plutôt que sur la croissance. Celle-ci relevant de la longue période, il faut envisager la répétition des flux d'investissements autonomes pour expliquer la croissance.

La valeur du multiplicateur d'investissement peut être calculé de la façon suivante :

• Dans une économie fermée.

Au produit national Y, constituant l'offre globale, correspond une demande de consommation C, une demande d'investissement I et la demande de l'État (dépenses publiques G).

Ainsi, $Y = C + I + G$ ou $\Delta Y = \Delta C + \Delta I + \Delta G$ (le symbole Δ signifiant variation).

La variation de la consommation est fonction de celle du revenu : $\Delta C = c \times \Delta Y$ (c étant la propension marginale à consommer).

Par conséquent, $\Delta Y = c \times \Delta Y + \Delta I + \Delta G$, d'où $(1 - c) \times \Delta Y = \Delta I + \Delta G$

Ainsi, $\Delta Y = [1/(1 - c)] \times (\Delta I + \Delta G)$

$1 - c = s$ (propension marginale à épargner), donc $\Delta Y = (1/s) \times (\Delta I + \Delta G)$

L'effet de l'accroissement de l'investissement ΔI (avec $\Delta G = 0$) sur la croissance du revenu national est donc le suivant : $\Delta Y = (1/s) \times \Delta I$. Le multiplicateur d'investissement est égal à $1/s$.

Si $\Delta I = + 1$ milliard d'euros et $c = 0,8$ (c'est-à-dire 80 %),

$\Delta Y = 5 \times 1 = + 5$ milliards d'euros. Le multiplicateur d'investissement est égale à 5 (soit $1/(1 - 0,8) = 1/0,2$).

Les formules précédentes permettent de calculer un multiplicateur de dépenses publiques, coefficient mesuré par le rapport entre l'accroissement du produit national (ou du revenu national) et celui des dépenses publiques. Il traduit l'ampleur de la variation du produit national (ou du revenu national) qu'implique celle des dépenses publiques. Sa valeur est calculée à partir de la formule précédente, avec $\Delta I = 0$.

◄ Multiplicateur de dépenses publiques
Voir p. 239

Dans ce cas, $\Delta Y = (1/s) \times \Delta G$: le multiplicateur des dépenses publiques en économie fermée est égal à 1/s.

- Dans une économie ouverte.

Au produit national Y s'ajoutent, d'une part, les importations M, pour répondre à la demande de consommation C et d'investissement I, ainsi que, d'autre part, la demande de l'État G et celle de l'étranger X qui correspond aux exportations ; c est la propension marginale à consommer et m, la propension marginale à importer.

◄ Économie ouverte
Voir p. 136

Ainsi, $C = c \times Y$ et $M = m \times Y$
Par conséquent, $Y + m \times Y = c \times Y + I + G + X$,
d'où $\Delta Y + m \times \Delta Y = c \times \Delta C + \Delta I + \Delta G + \Delta X$
Ainsi, $(1 - c + m) \times \Delta Y = \Delta I + \Delta G + \Delta X$
$\Delta Y = [1 / (s + m)] \times (\Delta I + \Delta G + \Delta X)$

Le *multiplicateur en économie ouverte* est le coefficient mesuré par le rapport entre l'accroissement du produit national (ou du revenu national) d'une économie insérée dans le commerce international et l'accroissement des dépenses engendrées par une augmentation des investissements, ou des dépenses publiques, ou des exportations (une augmentation des dépenses de consommation, par exemple, lorsque les ménages prélèvent sur leur épargne, exercerait également un effet multiplicateur). Le multiplicateur en économie ouverte traduit l'ampleur de la variation du produit national (ou du revenu national) qu'implique celle des dépenses citées. Sa valeur est moins élevée qu'en économie fermée : il est égal à 1 / (s + m).

Le *multiplicateur d'investissement en économie ouverte* est le coefficient mesuré par le rapport entre l'accroissement du produit national (ou du revenu national) d'une économie insérée dans le commerce international et l'accroissement des dépenses engendrées par une augmentation des investissements. Sa valeur découle de formules précédentes avec $\Delta X = \Delta G = 0$. Ce multiplicateur traduit l'ampleur de la variation du produit national (ou du revenu national) qu'implique celle des investissements. Il est égal à 1 / (s + m).

Les formules précédentes permettent de définir et de mesurer deux autres multiplicateurs :

– le **multiplicateur de commerce extérieur** est le coefficient mesuré par le rapport entre l'accroissement du produit national (ou du revenu national) et celui des exportations. Il traduit l'ampleur de la variation du produit national (ou du revenu national) qu'implique celle des exportations. Sa valeur est calculée à partir de la formule précédente, avec $\Delta I = \Delta G = 0$.

Dans ce cas, $\Delta Y = [1/(s + m)] \times \Delta X$ et $1/(s + m)$ est le multiplicateur du commerce extérieur ;

– le **multiplicateur de dépenses publiques en économie ouverte** est le coefficient mesuré par le rapport entre l'accroissement du produit national (ou du revenu national) d'une économie insérée dans le commerce international et l'accroissement des dépenses publiques. Il traduit l'ampleur de la variation du produit national (ou du revenu national) qu'implique celle des dépenses publiques. Sa valeur est calculée à partir de la formule précédente, avec $\Delta I = \Delta X = 0$. En économie ouverte, le multiplicateur de dépenses publiques est égal à $1/(s + m)$.

L'ampleur de l'effet multiplicateur sur la croissance économique d'un pays peut être limitée pour plusieurs raisons :

– au fur et à mesure que le revenu national s'accroît, la propension marginale à consommer décroît, réduisant de ce fait la valeur du multiplicateur ;

– une partie de la croissance de la demande qu'autorise la croissance du revenu national peut se porter sur les importations ;

– les agents économiques peuvent utiliser leur supplément de revenu pour rembourser des dettes contractées à l'égard de prêteurs étrangers ;

– les firmes peuvent mobiliser leurs profits pour investir à l'étranger ; les épargnants peuvent placer leurs fonds à l'étranger ;

– les capacités de production peuvent être pleinement utilisées : la croissance économique va alors devenir inflationniste, l'offre étant momentanément bloquée.

Investissement et emploi

Dès lors que l'investissement favorise la croissance, ses conséquences sur le nombre d'emplois peuvent être positives : la nature de l'investissement doit être cependant considérée.

Un investissement de capacité est destiné à accroître la production et l'emploi ; en revanche, un *investissement de productivité* (ou *investissement de modernisation*, ou encore *investissement de rationalisation*) est un investissement qui, à production égale, diminue les coûts unitaires de production en économisant les facteurs de production, en particulier en réduisant le nombre d'emplois (par exemple, l'acquisition de robots se substituant à une main-d'œuvre faiblement qualifiée). L'investissement de productivité est donc néfaste à l'emploi.

Toutefois, l'investissement de productivité peut indirectement exercer des effets positifs sur l'emploi. Par exemple, les gains de productivité réduisent les coûts unitaires des entreprises ; la compétitivité prix peut alors s'améliorer ; la croissance de la demande qui en résulte conduit à une hausse de la demande de travail, qui contribue à réduire le chômage (à la condition que l'offre de travail n'augmente pas davantage et que la demande de biens se porte sur les produits nationaux) ; de plus, l'investissement de productivité implique une demande de biens d'équipement ; l'emploi dans cette branche en bénéficie...

◄ **Compétitivité prix**
Voir p. 270

◄ **Demande de travail**
Voir p. 203

◄ **Offre de travail**
Voir p. 203

9

LA CROISSANCE ÉCONOMIQUE

A La croissance économique

- Définition et mesure de la croissance économique
- Les facteurs de la croissance économique
- Théories de la croissance

B La croissance n'est pas le développement

- Définition et mesure du développement
- Les causes du sous-développement
- Sortir du sous-développement
- L'institution d'un nouvel ordre économique international
- L'hypothèque de l'endettement extérieur

A La croissance économique

■ Définition et mesure de la croissance économique

Qu'est-ce que la croissance économique ?

La **croissance économique** est un processus quantitatif se traduisant par l'augmentation, au cours d'une longue période, d'un indicateur représentatif de la production de richesses d'un pays. Cet indicateur est le plus souvent le produit intérieur brut (PIB) en volume, voire le produit national brut (PNB) en volume (parfois le PIB ou le PNB par habitant). La croissance économique ne doit pas être confondue avec l'*expansion*, qui désigne l'augmentation du PIB (ou du PNB) en volume, au cours d'une courte période.

La croissance économique ne doit pas être assimilée au progrès économique. En effet, le **progrès économique** est, selon François Perroux, une évolution des sociétés se traduisant par l'augmentation des revenus réels de la population et une amélioration de ses conditions de vie, en particulier en matière de sécurité, de liberté, d'éducation, de santé... Le progrès économique est donc aussi un progrès social (certains auteurs disjoignent ces deux formes de progrès : le progrès économique se traduit par la hausse des revenus réels ; le progrès social, par l'amélioration des conditions de vie). Ainsi, la croissance économique peut ne pas se traduire par le progrès économique. Il en est ainsi, par exemple, lorsque la répartition des revenus défavorise une grande partie de la population.

François Perroux (1903-1987) est un économiste français qui a particulièrement étudié les questions du développement. Par ailleurs, il a remis en cause les fondements de l'analyse néoclassique en dénonçant l'irréalisme du modèle de concurrence pure et parfaite : l'économie réelle, au sein de laquelle l'État est actif, est la résultante de la confrontation entre acteurs économiques inégaux, les uns dominant les autres. Il a notamment publié : *Le Capitalisme* (1948), *L'Économie du xxᵉ siècle* (1961), *Pouvoir et économie* (1973).

Comment mesurer la croissance économique ?

La croissance économique étant un processus quantitatif, il convient de la mesurer. Pour cela, il est nécessaire de retenir un indicateur significatif, en général le PIB. L'évolution de cet agrégat

PIB ▶
Voir p. 22
PNB ▶
Voir p. 22

Développement ▶
Voir p. 164

Agrégat ▶
Voir p. 138

au cours d'une période permet d'établir le taux de croissance de l'économie d'un pays.

La **croissance réelle** (ou **croissance en volume**) est l'évolution, au cours d'une période déterminée, du PIB (parfois du PNB) en volume. Le **taux de croissance** (ou **taux de croissance en volume**) est calculé en comparant l'évolution du PIB (parfois du PNB) en volume entre deux dates au PIB (ou au PNB) en volume correspondant à la date de début de la période ; le résultat est exprimé en pourcentage.

Par exemple, si le PIB en volume d'un pays vaut 1 300 milliards d'euros en 2009 et 1 400 milliards d'euros en 2012, le taux de croissance est calculé de la manière suivante :

Évolution du PIB / niveau initial du PIB, soit + 100 / 1 300 = + 0,077, c'est-à-dire + 7,7 %. Le PIB en volume a augmenté de 7,7 % entre 2009 et 2012 ; le taux de croissance de l'économie au cours de cette période est de 7,7 %.

La **croissance nominale** est l'évolution en valeur du PIB (parfois du PNB) au cours d'une période déterminée. Le **taux de croissance nominale** est calculé en comparant l'évolution du PIB (parfois du PNB) en valeur entre deux dates, au PIB (ou au PNB) en valeur correspondant à la date du début de la période ; le résultat est exprimé en pourcentage.

Le taux de croissance nominal est peu utilisé dans la pratique : en effet, il intègre l'effet de la variation des prix sur le PIB et par conséquent reflète mal l'évolution réelle de la production de richesses.

Le taux de croissance peut être établi sur la totalité d'une période de plusieurs années ou en rythme annuel (il en est de même du taux de croissance nominal).

Le **taux global de croissance** se calcule en comparant l'évolution du PIB en volume au cours d'une période de plusieurs années, au PIB en volume correspondant à la date de début de période. Dans l'exemple précédent, le taux global de croissance du PIB est de 7,7 % entre 2009 et 2012.

Le **taux de croissance annuel moyen** est le taux de croissance annuel qui, appliqué à l'identique, année après année, sur l'ensemble d'une période de plusieurs années, aboutit à un accroissement du PIB (ou du PNB) identique à celui que mesure le taux de croissance global. Le principe du calcul du taux de croissance annuel moyen est le suivant : soit α, le taux de croissance annuel, exprimé en nombre décimal (0,077 est le nombre décimal correspondant à 7,7 %) ; le PIB en volume en 2009 est de 1 300 milliards d'euros. En 2010, il serait de 1 300 + 1 300 $\times$ α, soit 1 300 $\times$ (1 + α) ; en 2011, il serait de 1 300 $\times$ (1 + α) + [1 300 $\times$ (1 + α)] $\times$ α, soit 1 300 $\times$ (1 + α)^2 ; en 2012, il serait de 1 300 $\times$ (1 + α)^3, soit 1 400 milliards d'euros. Par conséquent, (1 + α)^3 = 1 400 / 1 300 = 1,077 (soit 1 + le taux global de croissance exprimé en nombre décimal). Par conséquent, 1 + α = $\sqrt[3]{1,077}$, soit 1,025. Ainsi, α = $\sqrt[3]{1,077}$ – 1 = 0,025, c'est-à-dire 2,5 %.

Le taux de croissance annuel moyen est de 2,5 % par an : le PIB en volume s'est accru de 2,5 % en moyenne par an, soit un taux global de croissance de 7,7 % entre 2009 et 2012.

Pour une période de n années et un taux global de croissance égal à G (exprimé en nombre décimal), le taux de croissance annuel moyen est égal à $\sqrt[n]{1 + G}$ – 1 (le résultat étant un nombre décimal qu'il faut exprimer en pourcentage).

Le taux de croissance annuel moyen calculé sur une longue période permet d'établir un trend de croissance (un *trend* est la tendance générale dans laquelle s'inscrit l'évolution d'un phénomène économique au cours d'une longue période).

Les imperfections de la mesure de la croissance économique

L'indicateur de croissance, le PIB (ou parfois le PNB), souffre de plusieurs imperfections :

• Le PIB (ou le PNB) est un indicateur imparfait de la production de richesses d'un pays. Une partie des biens et des services est produite dans le cadre de l'*économie souterraine* (ou *économie parallèle*), qui désigne l'ensemble des activités de production qui ne sont pas enregistrées par le système de statistiques des États. Ces activités peuvent être légales : il en est ainsi des activités domestiques, des services licites rendus entre voisins. D'autres activités, relevant de l'économie souterraine, sont illégales : il s'agit d'activités de production de biens et de services non autorisées par la loi (trafic de drogue, prostitution…), ou du *travail au noir*, qui désigne le fait de travailler sans être déclaré aux autorités fiscales et aux organismes de protection sociale pour ne pas être soumis aux prélèvements obligatoires.

Prélèvements obligatoires ▶ Voir p. 236

Dans certains pays, en particulier les pays en développement, l'économie souterraine inclut une *économie informelle*, qui désigne l'ensemble des unités de production de petite taille, mobilisant peu de capital et une main-d'œuvre faiblement qualifiée, et dont la comptabilité est soit inexistante soit trop parcellaire pour permettre une évaluation précise de leur production.

La production de biens et de services au sein de l'économie souterraine n'est pas ou est mal prise en compte par les systèmes de comptabilité nationale des États. De ce fait, le PIB sous-estime la production de richesses réellement effectuée.

• La croissance économique peut être source d'externalités positives ou négatives, n'intervenant pas dans le calcul du PIB. Une externalité (ou effet externe) est la conséquence négative ou positive, pour un agent économique, de l'activité d'autres agents économiques, sans que ceux-ci n'en supportent les coûts (dans le cas d'effets externes négatifs) ou n'en retirent un gain (dans le cas d'effets externes positifs).

◄ Externalité / Effet externe
Voir p. 74

Par exemple, l'activité productive des entreprises peut élever le niveau de pollution au détriment de la santé de la population, qui subit dans ce cas une externalité négative. Le PIB s'accroît doublement : d'une part, en raison de la production des entreprises ; d'autre part, du fait de la production de services destinés à répondre à la demande de soins médicaux des ménages. La production de richesses paraît alors surestimée : la croissance du PIB résultant des externalités négatives ne devrait pas être prise en compte.

Les efforts des entreprises pour réduire leurs émissions polluantes se traduisent par des commandes adressées à d'autres entreprises (par exemple, des biens d'équipement consommant moins d'énergie) qui sont enregistrées dans le PIB. La population, qui bénéficie dans ce cas d'un effet externe positif, réduit ses dépenses de santé puisque la pollution diminue : le PIB se contracte puisque cette externalité positive n'est pas considérée comme un accroissement de richesses.

• L'évolution du PIB dépend en partie de celle des prix relatifs des produits. Le *prix relatif* désigne le rapport entre le prix nominal d'un produit, c'est-à-dire son prix monétaire, et le prix d'un autre produit considéré comme base de référence, ou les prix de l'ensemble des produits synthétisés par l'indice des prix.

En général, sur longue période, le prix des services s'accroît davantage que les prix industriels et agricoles ; le prix relatif des services augmentent. Toutes choses égales par ailleurs, l'essor du secteur tertiaire influe positivement sur la croissance du PIB.

■ Les facteurs de la croissance économique

Combinaison
productive ▶
Voir p. 23

Facteur de
production ▶
Voir p. 23

Le rythme de croissance économique dépend de la qualité intrinsèque de la combinaison productive, associant plusieurs facteurs de production (travail, capital). Dans cette perspective, la croissance potentielle désigne, selon les auteurs, la croissance économique qu'autorise la pleine utilisation des facteurs de production ou l'utilisation optimale de ces facteurs.

Efficience ▶
Voir p. 24

La croissance économique peut être une *croissance extensive*, c'est-à-dire une hausse du PIB (ou du PNB) sur longue période, résultant de l'accroissement de la quantité de facteurs de production (capital, travail) ; la croissance économique peut être une *croissance intensive*, c'est-à-dire une hausse du PIB (ou du PNB) sur longue période, résultant de l'accroissement de l'efficience des facteurs de production se traduisant par une productivité plus élevée du capital et/ou du travail. La croissance économique est en réalité à la fois extensive et intensive. Toutefois, selon l'époque et les pays, l'une des deux formes de croissance est prédominante ; par exemple, la croissance économique des ex-pays socialistes d'Europe de l'Est et de l'ex-URSS était davantage extensive qu'intensive ; en revanche, la croissance économique française était pour la plus grande part

Fourastié ▶
Voir p. 37

intensive, au cours des *Trente Glorieuses* (selon Jean Fourastié, période d'une trentaine d'années, de 1945 à 1975, au cours de laquelle l'économie française connaît d'importantes mutations économiques et sociales et une forte croissance économique).

L'efficience de la combinaison productive résulte pour partie de son environnement : par exemple, l'existence d'infrastructures éducatives, sanitaires, ferroviaires, routières... favorise la croissance ; il en est de même d'un contexte culturel propice à l'innovation.

Innovation ▶
Voir p. 146

Le rythme de croissance économique dépend également de l'évolution de la demande. Celle-ci correspond à un ensemble de dépenses effectuées par les agents économiques, privés et publics, nationaux ou étrangers (consommation finale, consommations intermédiaires, investissements, exportations).

Compétitivité ▶
Voir p. 270

La relation qui impute la croissance économique à l'évolution de la demande est d'autant plus intense que la compétitivité de l'appareil productif est telle qu'il puisse répondre à la demande ; dans le cas contraire, une partie de la demande se porte sur les produits étrangers (importations) et dope la croissance des autres pays.

Si la croissance (ou l'expansion) est la conséquence de l'augmentation de la demande, celle-ci dépend en retour de la croissance. Par exemple, la croissance peut générer des économies d'échelle : les coûts unitaires diminuent au fur et à mesure que le PIB augmente. La compétitivité prix des firmes est alors dopée, provoquant un accroissement des exportations...

■ Théories de la croissance

Des théories classiques à la théorie de la croissance endogène

Pour Adam Smith et David Ricardo, la croissance économique dépend de l'*accumulation du capital*, c'est-à-dire le processus d'accroissement du stock de capital résultant de l'investissement net. L'investissement étant financé par l'épargne (celle des capitalistes pour l'essentiel), celle-ci est donc perçue comme un élément favorisant la croissance.

◄ Investissement net
Voir p. 141

Par ailleurs, Smith analyse les effets positifs de la division du travail sur la productivité des travailleurs et la croissance de la production.

Cependant, à long terme, la croissance amène les économies nationales au stade de l'état stationnaire.

Smith et Ricardo perçoivent que le progrès technique est de nature à contrecarrer les forces conduisant à l'*état stationnaire* (situation d'une économie sans croissance), mais ils en sous-estiment largement ses effets. Le *progrès technique* désigne l'ensemble des innovations instaurant de nouvelles manières de produire, de nouvelles combinaisons productives, qui induisent un accroissement de la productivité des facteurs de production. Ainsi, grâce au progrès technique, l'accumulation du capital peut être intensive : l'*accumulation intensive* est un mode d'accumulation tel que l'accroissement du stock de capital génère une augmentation plus que proportionnelle de la production ; en revanche, l'*accumulation extensive* est un mode d'accumulation tel que l'accroissement du stock de capital génère une croissance moins que proportionnelle de la production.

Le progrès technique apparaît comme un élément déterminant de la croissance économique dans des modèles établis par des auteurs contemporains.

Dans son ouvrage *Business Cycle* (1939), Schumpeter explique les phases longues de croissance, repérées par Nicolaï Kondratiev, par la diffusion des innovations majeures parmi lesquelles figurent de

◄ Schumpeter
Voir p. 527

nouvelles méthodes de production. Le processus est enclenché au cours de la phase descendante du cycle par des entrepreneurs qui, pour développer leurs activités, assument les risques inhérents aux innovations. Celles-ci contribuent à relancer la croissance en provoquant une *destruction créatrice* (selon Schumpeter, processus de destruction d'activités anciennes et de création d'activités nouvelles du fait des innovations). Cette perspective endogénéise le progrès technique, ses déterminants étant liés à la croissance, elle-même induite par le progrès technique.

Le progrès technique occupe également une place importante dans le modèle d'inspiration néoclassique de Robert Solow.

Robert Solow (né en 1924) est un économiste américain, prix Nobel d'économie en 1987 pour ses travaux sur la théorie de la croissance économique. Au cours des années 1950 et 1960, il élabore plusieurs modèles de croissance d'inspiration néoclassique au sein desquels le progrès technique joue un grand rôle. Par la suite, il explore largement la théorie macroéconomique et s'est intéressé à l'économie de l'environnement. Il a notamment publié : *A Contribution to the Theory of Economic Growth* (1956), *Growth Theory* (1970), *The Labor Market as a Social Institution* (1990).

Pour Solow, le progrès technique intervient conjointement à l'augmentation de la population (qui accroît la quantité de facteur travail) pour soutenir le rythme de croissance économique, ces deux facteurs étant exogènes.

Depuis les années 1980, d'autres auteurs d'inspiration libérale, contestant la perspective de Solow, contribuent à l'émergence d'une théorie de la croissance endogène. La *croissance endogène* désigne un processus de croissance économique reposant sur des facteurs qui en sont aussi la conséquence. Élaborée par des économistes libéraux, la théorie de la croissance endogène légitime cependant les politiques structurelles de l'État dans plusieurs domaines : financement ou construction d'infrastructures, formation professionnelle, aides à la recherche-développement.

Recherche-développement ▶
Voir p. 140

Par exemple, pour l'économiste américain Robert Lucas (né en 1937, prix Nobel d'économie en 1995), la croissance économique est favorisée par l'élévation du niveau de formation des individus qui est, en partie, une conséquence de la croissance : en effet, la croissance économique permet aux individus de disposer des ressources (revenus) nécessaires au financement de leur formation ; de plus, elle génère une demande de travail qualifié du fait de la mise

Demande de travail ▶
Voir p. 203

en œuvre de technologies nouvelles, nécessitant une formation plus élevée. L'intervention de l'État en matière d'éducation et de formation est donc légitimée.

Lucas s'inscrit dans la lignée des travaux des économistes américains Gary Becker et Theodore Schultz qui, au cours des années 1960, exposent leurs théories du capital humain.

◄ Becker
Voir p. 543

Theodore Schultz (1902-1998) est un économiste américain ayant orienté ses travaux vers les questions du développement. Il a particulièrement étudié le rôle de l'agriculture et les comportements des agriculteurs dans les pays en développement. C'est à ce titre qu'il reçoit le prix Nobel d'économie en 1979. Par ailleurs, Schultz explicite le rôle joué par le capital humain dans la croissance économique. Les dépenses en éducation et en formation contribuent de ce fait un élément essentiel des politiques de développement (*The Economic Value of Education*, 1963 ; *Human Ressources*, 1972).

Croissance équilibrée et croissance déséquilibrée

Les théories de la croissance ont également ouvert des débats sur les caractéristiques de la croissance, singulièrement sur son caractère équilibré ou déséquilibré.

En 1939, l'économiste britannique Roy Harrod (1900-1978) élabore un modèle de croissance qu'il reformule en 1948. Il établit que la **croissance équilibrée**, c'est-à-dire la croissance qui, d'une part, assure l'égalité au plan macroéconomique entre épargne et investissement et, d'autre part, garantit le plein-emploi, a peu de chance d'être réalisée : en effet, le taux de croissance de l'économie est le plus souvent différent du taux de croissance requis pour assurer l'égalité entre épargne et investissement.

La situation la plus probable est donc celle d'une **croissance déséquilibrée**, c'est-à-dire une croissance économique n'assurant pas l'équilibre macroéconomique entre épargne et investissement et/ou ne garantissant pas le plein-emploi. Harrod ajoute qu'aucune force centripète ne ramène l'économie nationale vers un rythme de croissance équilibrée : au contraire, des forces centrifuges accentuent les déséquilibres. Pour toute économie nationale, la croissance équilibrée représente donc une voie étroite (« un équilibre de fil de rasoir ») qu'il est quasiment impossible de maintenir. Il revient alors à l'État d'intervenir dans l'économie pour préserver le plein-emploi ou contrer les dérives inflationnistes excessives.

L'économiste américain Evsey Domar (1914-1991) développe en 1946 un modèle de croissance dont les conclusions sont similaires à celles d'Harrod. Pour Domar, l'investissement exerce un double effet : d'une part, il dope la demande et enclenche le mécanisme du multiplicateur keynésien ; d'autre part, il induit un accroissement de l'offre en augmentant le stock de capital. La croissance équilibrée est celle qui assure la compatibilité entre l'accroissement de la demande, qui dépend de la valeur du multiplicateur, d'autant plus élevée que la propension à épargner est faible, et l'accroissement de l'offre, qui est fonction de la productivité du capital. Il est donc peu probable que ces deux effets soient durablement conciliables.

Multiplicateur ▶
Voir p. 147

Propension
à épargner ▶
Voir p. 533

Productivité
du capital ▶
Voir p. 26

La compatibilité des approches d'Harrod et de Domar conduit à l'élaboration du ***modèle Harrod-Domar*** : modèle, établi à la fin des années 1940, synthétisant les analyses du Britannique Roy Harrod et de l'Américain Evsey Domar pour montrer le caractère aléatoire de la croissance équilibrée.

Au cours des années 1950, plusieurs auteurs proposent leur solution au problème du « fil du rasoir » en énonçant les conditions permettant de perpétuer la croissance équilibrée.

Kaldor ▶
Voir p. 537

Les économistes post-keynésiens Nicholas Kaldor (1905-1986) et Joan Robinson (1903-1983) associent la croissance équilibrée au partage du revenu national entre salaires et profits. Par exemple, si la part des profits dans le revenu national est en dessous du niveau qui assure un investissement de plein-emploi, le chômage pèse sur les salaires réels, provoquant une hausse des profits qui dope l'investissement…

Pour Robert Solow, le problème du « fil du rasoir » trouve sa solution dans le caractère substituable des facteurs de production (capital, travail) et dans la flexibilité de leurs prix. Cette approche, développée à la fin des années 1950, est fortement inspirée des thèses néoclassiques. Par exemple, lorsque le chômage s'accroît, le prix relatif du travail (prix du travail par rapport au prix du capital) diminue, incitant les chefs d'entreprises à mettre en œuvre de nouvelles combinaisons productives utilisant davantage de facteur travail et moins de facteur capital. Ainsi, la croissance assure naturellement le plein-emploi.

Combinaison
productive ▶
Voir p. 23

L'approche de Solow ouvre également un débat sur le poids respectif des facteurs de croissance ainsi que sur le rôle du progrès technique. Le modèle de croissance élaboré par Solow en 1956 et 1957 est fondé sur une fonction de production agrégée de type

Fonction de
production ▶
Voir p. 29

Cobb-Douglas. Sur cette base, il établit que l'augmentation quantitative des facteurs travail et capital (dont la productivité est supposée constante) n'explique qu'une faible part de la croissance (les travaux de Solow portaient sur la croissance économique américaine entre 1909 et 1949). Pour Solow, le *facteur résiduel*, c'est-à-dire la partie de la croissance non expliquée par la variation de la quantité de facteurs de production (le facteur résiduel est alors l'équivalent d'un troisième facteur de production), constitue une mesure de la contribution du progrès technique à la croissance. Le progrès technique est ici considéré comme un facteur exogène de croissance, c'est-à-dire s'expliquant pour des raisons relevant de l'environnement dans lequel se déroule le processus de croissance et non de ce processus lui-même (*a contrario*, un facteur de croissance endogène proviendrait du processus même de croissance ; dans ce cas, le progrès technique serait à la fois cause et conséquence de la croissance).

◄ **Progrès technique**
Voir p. 159

Depuis les années 1960, de nombreux travaux, tels ceux du Britannique Angus Maddison, de l'Américain Edward Denison et des Français Edmond Malinvaud, Jean-Jacques Carré et Paul Dubois, approfondissent l'approche de Solow en mesurant non seulement la contribution quantitative du capital et du travail à la croissance, mais également leur contribution qualitative : une part du progrès technique exogène contribue à relever la productivité du capital et celle du travail.

◄ **Malinvaud**
Voir p. 535

En outre, l'explication de la croissance intègre l'analyse des conséquences de certains éléments, telle l'insertion dans le commerce international. Ces approches réduisent la part du *résidu*, c'est-à-dire la partie restant inexpliquée de la croissance après prise en compte non seulement de la variation de la quantité de facteurs de production, mais aussi de l'amélioration de leur qualité et du rôle de certains éléments spécifiques (le résidu n'est donc pas assimilable au facteur résiduel défini par Solow). Cependant, la part du résidu reste toujours significative. Par exemple, Malinvaud, Carré et Dubois estiment que le résidu explique la moitié de la croissance française entre 1951 et 1969 (l'effet de la variation de la quantité des facteurs de production n'expliquant que 20 % de la croissance).

B La croissance n'est pas le développement

■ Définition et mesure du développement

Qu'est-ce que le développement ?

La croissance économique doit être distinguée du **développement** : celui-ci désigne un processus qualitatif de transformation des structures économiques, sociales et mentales qui accompagne et favorise la croissance économique d'un pays ; le développement s'inscrit dans la longue durée.

Le **sous-développement** est la situation qui caractérise des pays qui ne peuvent faire croître durablement le PIB (ou le PNB) en volume en raison des dysfonctionnements de leurs structures économiques, sociales, mentales.

Perroux ▶
Voir p. 154

Le sous-développement se traduit par l'impossibilité de couvrir les « **coûts de l'homme** », c'est-à-dire, selon François Perroux, les frais que doivent engager les individus et les collectivités publiques pour garantir à la population une vie digne de l'homme. Ces frais correspondent à la satisfaction des besoins physiologiques (se nourrir, se vêtir, se loger…) et à l'accès aux biens collectifs essentiels : distribution d'eau potable, système de soins, éducation… Par exemple, la population des pays en développement souffre de **sous-nutrition** ou de **sous-alimentation** (insuffisance de la ration calorique en regard des besoins alimentaires) et de malnutrition (déséquilibre alimentaire, source de carences).

Par conséquent, un **pays développé** est un pays dont la population est apte à faire croître durablement le PIB (ou le PNB) en volume et peut satisfaire ses besoins physiologiques et essentiels. *A contrario*, un pays sous-développé est un pays dont la situation ne permet pas à sa population ou à une grande partie d'entre elle de vivre humainement et dont les structures socio-économiques sont inadaptées au point de nuire à la croissance économique.

Croissance
économique ▶
Voir p. 154

De la fin des années 1940 à la fin des années 1960, les expressions « pays sous-développés » et « tiers-monde » sont utilisées conjointement, souvent comme des synonymes. Le **tiers-monde**, expression inventée en 1952 par Alfred Sauvy, désigne un groupe de pays pauvres et marginalisés sur la scène mondiale, formant un troisième monde aux côtés des pays capitalistes et socialistes ; le tiers-monde est supposé regrouper des pays dont les dirigeants manifestent une conscience commune de leur situation qui fonde leur solidarité au plan international. L'expression tiers-monde est créée par analogie avec le tiers-état d'avant la Révolution française de 1789 qui était un troisième ordre aux côtés de la noblesse et du clergé.

Alfred Sauvy (1898-1990) est un démographe français, fondateur en 1945 de l'Institut national des études démographiques (INED) ; opposé au malthusianisme, il dénonce cependant les effets négatifs sur le développement de certains pays d'une croissance démographique excessive. Il se préoccupe par ailleurs des effets négatifs du vieillissement sur l'incitation à innover de la population. Il considère que le progrès technique est globalement créateur d'emplois. Dans un article paru en 1952, dans le magazine *L'Observateur*, il crée l'expression tiers-monde. Ses principaux ouvrages sont : *Théorie générale de la population* (1956), *Histoire économique de la France* (1965), *La Machine et le chômage* (1980).

◄ Progrès technique
Voir p. 159

◄ Weber
Voir p. 498

L'expression tiers-monde revêt une dimension politique plus marquée que l'expression pays sous-développés. C'est aussi le cas du concept de périphérie, forgé dès la fin des années 1940 par l'économiste argentin Raul Prebisch (1901-1985). Pour cet auteur, les relations économiques internationales s'articulent autour d'un *centre*, c'est-à-dire l'ensemble des pays développés qui occupent une position dominante au sein de l'économie mondiale, au détriment d'une *périphérie*, c'est-à-dire les pays sous-développés dont les exportations de produits primaires et l'approvisionnement en biens d'équipement dépendent du centre. Les relations économiques internationales sont alors organisées par le centre, qui ponctionne les richesses de la périphérie, perpétuant son sous-développement.

◄ Prebisch
Voir p. 176

Au cours des années 1970, les organismes internationaux substituent l'expression pays en voie de développement (PVD) à pays sous-développés ; puis, depuis les années 1980, l'expression pays en développement ou PED est préférée à PVD. Un *pays en voie de développement (PVD)* ou un *pays en développement (PED)* est un pays qui a entamé le processus de développement sans avoir atteint le stade des pays développés ; par extension, les pays n'ayant pas entamé leur développement sont inclus dans les PED.

C'est également au cours des années 1970 que l'opposition pays développés/PVD (ou PED) est centrée sur son aspect géographique : le *Nord*, c'est-à-dire les pays développés, y compris l'Australie et la Nouvelle-Zélande pourtant situées dans l'hémisphère sud, est confronté aux revendications du *Sud*, c'est-à-dire les PVD (ou PED).

La référence géographique à l'origine de l'expression Nord/Sud atténue, sans le faire totalement disparaître, le caractère conflictuel des relations entre pays développés et PVD (ou PED) : le Nord et le Sud constituent les deux éléments d'un même monde. En cela le couple Nord/Sud se différencie du couple centre/périphérie, dont le fondement réside dans l'opposition des intérêts entre pays développés et PVD.

Les indicateurs de développement

Il a été longtemps d'usage d'évaluer le niveau de développement des pays par le PNB (ou le PNB par habitant). Le faible niveau de cet indicateur traduisait alors le sous-développement. Dans cette optique la Banque mondiale distingue plusieurs catégories de pays :
– les pays à faible revenu (PNB/habitant inférieur à 1 006 $ en 2010) ;
– les pays à revenu intermédiaire (PNB/habitant compris entre 1 006 et 12 275 $, en distinguant une tranche inférieure (de 1 006 à 3 975 $) et une tranche supérieure (de 3 976 à 12 275 $) ;
– les pays à revenu élevé (PNB/habitant supérieur à 12 275 $).
Si les pays à faible revenu appartiennent bien à la catégorie des PED, il n'est pas possible d'assimiler les pays à revenu intermédiaire de la tranche supérieure à des PED : par exemple, la Grèce appartient à cette catégorie ; de nombreux pays en transition également.

La **transition** désigne le passage d'une économie socialiste fondée sur la **collectivisation** (appropriation collective des moyens de production) au **capitalisme** (système économique fondé sur la propriété privée des moyens de production et l'accumulation du capital).

Par ailleurs, certains PED appartiennent à la catégorie des pays à revenu élevé (Brunei, Singapour…).

Le PNB/habitant est un indicateur partiel, imparfait. Par exemple, son niveau ne révèle rien du degré d'inégalité des revenus, qui diffère grandement selon les pays. En outre, le PNB/habitant prend mal en compte les revenus en nature, pourtant très présents dans les PED. Par ailleurs, il est établi sur la base des taux de change courants du dollar. Or, 1 dollar en Éthiopie n'a pas le même pouvoir d'achat qu'1 dollar à Singapour. C'est pourquoi les statistiques de la Banque mondiale sont également établies sur la base de taux de change fondés sur le principe de la **parité de pouvoir d'achat**

Banque mondiale ▸
Voir p. 315

Accumulation du capital ▸
Voir p. 159

(PPA), c'est-à-dire l'équivalence entre le pouvoir d'achat d'une unité monétaire d'un pays (la quantité de biens et de services que permet de se procurer cette unité monétaire) et le pouvoir d'achat de *n* unités monétaires d'un autre pays. Les taux de change entre monnaies nationales sont établies sur ce principe : par exemple, si le pouvoir d'achat de 100 euros dans la zone euro équivaut au pouvoir d'achat de 90 dollars aux États-Unis, 1 euro vaut 0,90 cents de dollar sur la base de la parité de pouvoir d'achat.

La comparaison des PNB/habitant, établie en appliquant des taux de change fondés sur le principe de la parité de pouvoir d'achat, modifie les niveaux apparents de développement des pays et réduit leurs écarts.

Le sous-développement doit être apprécié par des indicateurs plus complexes que le PNB/habitant.

La non-couverture des « coûts de l'homme » résulte en partie de revenus trop faibles. Par conséquent, le PNB/habitant (ou le revenu par habitant) n'est pas sans importance. Mais cette perspective est trop restrictive. C'est pourquoi, depuis 1990, le Programme des Nations unies pour le développement (PNUD) élabore de nouveaux indicateurs de développement. Depuis 2010, le PNUD définit de nouveaux indicateurs de développement.

◄ Coûts de l'homme
Voir p. 164

Par exemple, l'*indice de développement humain (IDH)* est un indicateur de développement, établi à la suite des travaux d'Amartya Sen (né en 1933, prix Nobel d'économie en 1998), qui synthétise plusieurs autres indicateurs : revenu national brut par habitant, espérance de vie à la naissance, durée moyenne de scolarisation et durée attendue de scolarisation. En 2011, l'IDH des pays développés est supérieur à 0,85, mais, pour les pays moins avancés, il n'est que de 0,44 tandis qu'il dépasse 0,85 dans plusieurs pays d'Asie de l'Est.

D'autres indicateurs ont été élaborés pour prendre davantage en compte le caractère humain du développement. L'*indice de développement humain ajusté aux inégalités (IDHI)* est un indicateur créé en 2010 qui reflète les inégalités existant dans chacune des composantes de l'IDH. Ainsi, les pays connaissant les inégalités les plus fortes en matière de santé, de revenu ou d'éducation ont un IDHI plus faibles que leur IDH.

L'*indice des inégalités de genre (IIG)* traduit le désavantage des femmes dans trois domaines : la santé reproductive (assistance à l'accouchement, visites médicales pré natales...), l'autonomisation (participation politique, niveau d'enseignement...) et le marché de l'emploi (taux d'activité). L'indice varie entre 0 (les femmes ont un traitement égal aux hommes) et 1.

L'*indice de pauvreté multidimensionnelle (IPM)* est un indicateur reflétant les déprivations multiples dont souffre chaque individu, sur le plan de l'éducation, de la santé et du niveau de vie. L'IPM, qui s'exprime par un pourcentage de la population totale, est établi sur la base d'une batterie d'indicateurs de déprivations au niveau de chacune des trois dimensions du développement humain.

Les PED ne constituent pas un tiers-monde homogène

Dès les années 1950, le tiers-monde est diversifié. En effet, il regroupe des pays dissemblables par leurs cultures, l'étendue de leur territoire, leur démographie, leur système politique, leur niveau de développement appréhendé par le PNB/habitant...

Depuis les années 1970, l'éclatement du tiers-monde est encore plus net, comme en témoignent les indicateurs de développement humain. Par exemple, en Asie de l'Est, l'IDH dépasse 0,85 alors qu'il est inférieur à 0,45 pour les pays les moins avanacés (PMA). Un *pays moins avancé (PMA)* est un pays en développement caractérisé par un faible niveau du PNB/habitant (moins de 1 086 $ en 2011) ; la part de l'industrie manufacturière dans le PNB et dans la population active est modeste ; en revanche, celle de l'agriculture est très forte ; enfin, une économie vulnérable (par exemple, aux chocs externes) et un faible IDH. Selon la CNUCED, 48 pays, dont 33 en Afrique, appartiennent à la catégorie des PMA.

Au cours des années 1980, le terme « nouveaux pays industrialisés » (NPI) – l'OCDE utilise plutôt l'appellation pays nouvellement industrialisés (PNI) – s'impose progressivement. Un *nouveau pays industrialisé (NPI)* ou *pays nouvellement industrialisé (PNI)* est un pays en développement connaissant une industrialisation marquée : les produits manufacturés représentent une part élevée de ses exportations, la production industrielle enregistre une croissance élevée (ce qui n'exclut pas des phases de crises), l'écart avec les pays développés se réduit... La liste des NPI ou PNI varie selon les auteurs ou organisations internationales. Toutefois, une série de pays revient le plus fréquemment : le Brésil, le Mexique, la Thaïlande, Singapour, Hongkong, la Chine, Taïwan, la Corée du Sud, le Chili...

Certains auteurs préfèrent l'appellation **pays émergents**, qui sont des pays en développement ouvrant des perspectives de débouchés aux firmes exportatrices du reste du monde, des opportunités d'investissements aux FMN et de placements en capitaux mondiaux sur de nouveaux marchés financiers en forte expansion. La liste des NPI et celle des pays émergents se recoupent très largement.

◄ FMN
Voir p. 288

Bien que l'industrialisation progresse au sein du tiers-monde, beaucoup de pays restent pour une grande part exportateurs de produits primaires. C'est notamment le cas des PMA ou des pays membres de *l'Organisation des pays exportateurs de pétrole (OPEP)* : organisation, fondée en 1960, réunissant l'Algérie, l'Arabie saoudite, l'Équateur, l'Irak, l'Iran, le Qatar, le Koweït, la Libye, le Nigéria, les Émirats arabes unis, l'Angola et le Venezuela, dans le cadre d'une entente destinée à soutenir et à valoriser le prix du pétrole pour permettre aux membres de l'organisation de financer leur développement. Au début des années 1970, l'OPEP contrôlait 55 % de la production mondiale de pétrole (40 % actuellement). Cette position dominante lui a permis d'augmenter le prix du pétrole dont les pays industrialisés étaient fortement dépendants ; mais depuis les années 1980, sa position hégémonique s'est en partie atténuée.

■ Les causes du sous-développement

Des analyses lient le sous-développement aux rigueurs du climat (trop froid ou trop chaud), au manque de ressources naturelles, etc., mais de nombreux contre-exemples les invalident. Aussi faut-il mobiliser d'autres approches théoriques pour cerner les causes du sous-développement : certaines n'attribuent pas systématiquement le sous-développement au développement des pays avancés ; cet aspect est en revanche privilégié par d'autres analyses.

Les causes du sous-développement qui ne relèvent pas systématiquement du développement des pays avancés.

• Le sous-développement, conséquence de l'inadaptation des institutions et de la culture

Certains auteurs soutiennent l'idée que le sous-développement provient de l'inefficience des institutions des PED ou de l'incompatibilité entre la culture traditionnelle et celle que nécessite et véhicule le développement.

◄ Institutions
Voir p. 323

Par exemple, l'absence d'un droit réel de propriété privée de la terre en Afrique noire n'incite pas aux progrès agricoles ; le fatalisme dissuade d'innover ; les dysfonctionnements de l'État déstabilisent l'économie nationale et ne favorisent pas l'essor des infrastructures. Karl Gunnar Myrdal s'inscrit dans une telle perspective.

Karl Gunnar Myrdal (1898-1987) est un économiste suédois. D'abord spécialisé sur les questions monétaires (années 1920-1930), il oriente ensuite ses recherches sur l'étude des fluctuations puis des déséquilibres cumulatifs (dynamique des inégalités). Devenu haut fonctionnaire aux Nations unies en 1947, il est sensibilisé aux problèmes du développement auxquels il consacre au cours des années 1950 et 1960, plusieurs ouvrages dans lesquels il combine les analyses économique et sociologique (*L'Équilibre monétaire*, 1931 ; *Le Drame de l'Asie*, 1957) ; il reçoit le prix Nobel d'économie en 1974.

Myrdal lie le sous-développement aux caractéristiques propres aux PED, à leurs institutions. Par exemple, il considère que le système fiscal des PED est une institution néfaste au développement, car elle accroît les inégalités entre riches et pauvres en raison de l'évasion fiscale. L'égalisation des revenus doperait la consommation des pauvres.

Évasion fiscale ▸
Voir p. 237

Le développement passe alors par des réformes radicales des institutions des PED, qui doivent en outre bénéficier de l'aide financière des pays développés pour amorcer leur décollage.

Décollage ▸
Voir p. 171

L'intérêt de ce type d'approche est de montrer que le développement n'est pas seulement économique : il nécessite des institutions (dont l'État) et des caractéristiques socioculturelles qui le favorisent.

• Le sous-développement comme retard de développement
Cette analyse est très largement d'inspiration libérale. Elle est notamment développée, au cours des années 1960, par Walt Whitman Rostow.

Walt Whitman Rostow (1916-2003) est un économiste et historien américain ; au cours des années 1960, il a été conseiller des présidents Kennedy et Johnson pour les affaires de sécurité nationale. En 1960, il expose une analyse qu'il oppose explicitement à celle de Marx. Pour Rostow, le développement est un processus linéaire en cinq étapes ou cinq stades de développement. Parmi les ouvrages qu'il a publiés, on peut citer : *Les Étapes de la croissance économique, un manifeste non communiste* (1960) et *Réflexion sur le XXIe siècle* (1998).

Marx ▸
Voir p. 525

Rostow établit un modèle de développement en cinq étapes :
– la première étape est celle de la société traditionnelle : ce stade de développement correspond aujourd'hui à celui des PMA ;
– la deuxième étape est celle où sont réunies les conditions préalables au développement (émergence d'une classe d'entrepreneurs, d'un État dont les interventions favorisent le développement, la modernisation de l'activité agricole). Certains PED intermédiaires y sont parvenus ;
– la troisième étape est celle du *take-off* ou *décollage*, qui désigne une période d'une à trois décennies au cours de laquelle une économie nationale accède à un niveau de développement tel que la croissance est durable et autoentretenue ; au cours de cette étape, le taux d'investissement augmente de manière conséquente, la productivité agricole s'accroît, des industries nouvelles se développent et dynamisent l'ensemble de l'économie, la classe des entrepreneurs s'élargit. Plusieurs NPI ont atteint ce stade de développement ;
– après leur décollage, les pays accèdent à la quatrième étape, le stade de la maturité, celui qu'ont atteint plusieurs NPI d'Asie ;
– la cinquième étape, la société de consommation de masse, est celle à laquelle sont parvenus les actuels pays développés.

Pour Rostow, l'aide au développement fournie par les pays développés, l'insertion dans les échanges mondiaux en fonction des facteurs de production disponibles, et l'imitation de l'expérience des pays industrialisés doivent permettre aux PED d'accéder progressivement au stade de pays développés.

Cette analyse a suscité d'importants débats. Par exemple, au début des années 1960, l'Américain Alexander Gerschenkron soutient que le développement ne suit pas les étapes décrites par Rostow.

Alexander Gerschenkron (1904-1978) est un économiste et historien américain d'origine russe. Au cours des années 1960, il développe une analyse fondée sur l'observation de l'industrialisation du Japon à la fin du XIXe siècle et de l'URSS. Il en conclut que les pays en retard sur le plan industriel peuvent mettre en œuvre des stratégies spécifiques leur permettant de rattraper, voire de dépasser les pays en avance (*Economic Backwardness in Historical Perspective*, 1962).

Cependant, Rostow n'exclut pas non plus la spécificité du développement de chaque pays : au sein de chaque étape, les trajectoires nationales peuvent être très différentes. Par exemple, au cours du *take-off*, dans certains pays, la demande extérieure a joué un rôle

◄ **PMA**
Voir p. 168

◄ **Taux d'investissement**
Voir p. 141

◄ **Consommation de masse**
Voir p. 213

◄ **Aide au développement**
Voir p. 182

important, tandis que, dans d'autres, ce fut plutôt la demande interne, celle-ci pouvant être d'origine privée ou publique.

Perroux ▸
Voir p. 154

• Le sous-développement fondé sur le dualisme

François Perroux relie le sous-développement à la désarticulation résultant du dualisme de l'économie des PED. Le *dualisme* est une configuration d'une économie nationale telle qu'un secteur moderne côtoie un secteur traditionnel. Ainsi, dans les PED, un secteur moderne, regroupant des unités de production à forte intensité capitalistique dont l'activité est liée aux échanges commerciaux et financiers avec l'étranger, côtoie un secteur traditionnel au sein duquel des unités de production à forte intensité de main-d'œuvre centrent leur activité sur la satisfaction des besoins fondamentaux de la population des zones rurales ; à la frontière de ces deux secteurs s'insère souvent une économie informelle. La *désarticulation* désigne une situation telle que l'essor du secteur moderne n'exerce aucun effet d'entraînement (ou très peu) sur le secteur traditionnel. Dès lors, le développement est bloqué.

Intensité
capitalistique ▸
Voir p. 23

Économie
informelle ▸
Voir p. 156

D'autres auteurs ne perçoivent pas le dualisme comme un frein au développement.

Arthur Lewis (1915-1991) est un économiste britannique ; il reçoit le prix Nobel d'économie en 1979 pour ses travaux en économie du développement. Au cours des années 1950, il élabore un modèle d'économie dualiste favorable au développement. Au cours des années 1970, Lewis montre que le développement ne peut être fondé sur les seules exportations vers les pays développés (surtout lorsqu'il s'agit d'exportations de produits primaires). Le développement exige également une réorientation de l'activité économique vers le marché intérieur et la modernisation de l'agriculture (*The Theory of Economic Growth*, 1955 ; *L'Ordre économique international*, 1978).

Pour Lewis, le développement se traduit par l'extension progressive du secteur moderne qui crée des emplois et absorbe le surplus de main-d'œuvre provenant du secteur traditionnel. La croissance des investissements dans le secteur moderne accroît la productivité du travail : les salaires peuvent augmenter sans entamer les profits. Progressivement, le dualisme va disparaître.

Arthur Lewis développe une analyse permettant d'interpréter le dualisme comme une étape du développement. D'autres auteurs soulignent les blocages du développement liés au dualisme. Ainsi, l'Américain Ragnar Nurske (1907-1959) développe, au cours des années 1950, son analyse des cercles vicieux du sous-développement. Un **cercle vicieux** est une relation circulaire entre plusieurs variables, revenant à son point de départ en aggravant ou en perpétuant une situation initiale défavorable ; *a contrario*, un cercle vertueux est une relation circulaire entre plusieurs variables revenant à son point de départ en perpétuant ou en améliorant une situation initiale favorable. Un **cercle vicieux du sous-développement** est un cercle vicieux mettant en relation plusieurs éléments qui entretiennent, voire aggravent, le sous-développement. Par exemple, la faiblesse des revenus au sein des PED génère une épargne modeste, voire nulle, d'autant que la pression démographique est forte du fait d'une fécondité élevée ; les investissements sont alors bridés faute de financement et les gains de productivité sont très faibles ; la hausse des revenus est par conséquent modérée ou nulle (voire négative), etc. Le développement des PED est alors entravé.

Nurske voit une possibilité de briser les cercles vicieux dans l'aide internationale et le choix d'une stratégie de *développement équilibré*, qui désigne un développement fondé sur l'essor harmonieux des investissements : prioritairement, l'État doit contribuer à la croissance des investissements en infrastructures ; puis, l'essor des investissements productifs tous azimuts permettra de consolider le processus de développement.

En revanche, Albert Otto Hirschman préconise une autre stratégie.

Albert Otto Hirschman (né en 1915) est un économiste et sociologue américain d'origine allemande. Ses travaux en économie du développement portent sur les vertus des déséquilibres induits par la croissance et le développement et sur les effets bénéfiques des industries motrices. Ses recherches sociologiques le conduisent à étudier les fondements des comportements individuels ou collectifs et le changement social. Principaux ouvrages : *Stratégie de développement économique* (1958), *Défection et prise de parole* (1972), *La Passion et les intérêts* (1977), *Un certain penchant à l'autosubversion* (1995).

◄ Changement social
Voir p. 414

Hirschman élabore un modèle de *développement déséquilibré*, qui désigne un développement fondé sur les déséquilibres dans les relations entre agents économiques, induits par le lancement de programmes d'investissements directement productifs faisant apparaître des goulets d'étranglement ; ceux-ci nécessitent alors de nouveaux investissements (y compris en infrastructures)... Un goulet ou goulot d'étranglement est un obstacle freinant ou bloquant la circulation d'un flux entre agents économiques. Par exemple, l'augmentation de la demande de machines due à l'essor de l'industrie automobile peut se heurter à l'incapacité des producteurs à accroître leur offre de biens d'équipement nécessitant l'accroissement des investissements dans ce secteur.

Perroux ▶
Voir p. 154

François Perroux défendait dès les années 1950 une thèse analogue à celle d'Hirschman en préconisant la création par l'État de pôles de croissance, générateurs d'effets d'entraînement.

Branche ▶
Voir p. 136

Secteur ▶
Voir p. 136

Un *pôle de croissance* est un foyer pouvant correspondre, au sein d'un pays, à une ou plusieurs entreprises, une ou plusieurs branches ou secteurs, une ou plusieurs entités géographiques (villes, régions), à partir desquelles la croissance se propage à l'ensemble de l'économie en raison de forts effets d'entraînement en amont et en aval.

Un *effet d'entraînement* est le processus par lequel l'essor de l'activité d'une entreprise, d'une branche, d'un secteur ou d'une entité géographique, provoque l'essor de l'activité d'autres entreprises, branches, secteurs ou entités géographiques. Un effet d'entraînement peut s'exercer vers l'aval (fourniture de biens, de services, de capitaux) ou vers l'amont (commandes de biens, de services, demande de capitaux) des entités qui en sont à l'origine. Par exemple, la croissance de l'activité agricole provoque celle de l'activité industrielle du fait des commandes d'engrais, de pesticides, de machines agricoles (effet d'entraînement amont) ou du fait de la fourniture de produits agricoles (dont les prix peuvent baisser en raison de la croissance de la productivité des travailleurs agricoles) aux industries agro-alimentaires (effet d'entraînement aval).

Les causes du sous-développement centrées sur la domination exercée par les pays développés sur les PED

• Domination et dépendance

Ces approches affirment que les blocages du développement proviennent des structures des PED, résultant de la domination des pays développés : les PED sont alors dépendants des pays développés. La *dépendance* est l'état de sujétion, de subordination, d'un pays à l'égard d'un ou de plusieurs pays dominants ; la dépendance peut être financière, commerciale, technologique, politique, culturelle... L'*école de la dépendance* est un courant de l'économie du développement qui attribue le sous-développement à la dépendance dans laquelle sont les PED à l'égard des pays développés dominants. Les thèses des auteurs appartenant à ce courant (Prebisch, Singer, Perroux, Amin...) sont fréquemment qualifiées de dépendantistes.

Par exemple, le dualisme et la désarticulation de l'économie peuvent être les fruits de la colonisation, promue par le *colonialisme*, qui est une doctrine légitimant la conquête puis la domination économique et politique d'un territoire ou d'un pays par un autre pays. Les arguments du colonialisme peuvent être économiques (élargir les débouchés, contrôler de nouvelles sources d'approvisionnement en produits primaires...), politiques (élargir la sphère d'influence du pays colonisateur, réduire celle d'autres puissances colonisatrices...), doctrinaux (civiliser des peuples jugés barbares...). La *décolonisation*, c'est-à-dire l'accès à la souveraineté politique, à l'indépendance, des pays colonisés, n'élimine pas la dépendance : le *néocolonialisme* est le processus, intervenant après la décolonisation, par lequel les pays avancés dominent des PED indépendants qui sont leur ex-colonies. La *domination* est, selon François Perroux, une relation asymétrique qui confère à l'entité dominante A la capacité d'influencer une entité B, sans réciprocité ou sans que la réciprocité atteigne le même degré d'influence. La domination peut être intentionnelle ou non. Dans le cas du néocolonialisme, elle est intentionnelle. Par exemple, les firmes du Nord implantent leurs filiales dans les PED pour bénéficier des faibles coûts de la main-d'œuvre, sans induire d'effets d'entraînement significatifs sur le reste de l'économie. Cette désarticulation de l'économie se perpétue tant que la domination subsiste.

◄ Dualisme
Voir p. 172
◄ Désarticulation
Voir p. 172

• Les théories non marxistes de la domination

Pour l'Argentin Raul Prebisch, les pays développés (le centre), et plus précisément les FMN, cantonnent les PED (la périphérie) à l'exportation de produits primaires. Or, ces produits ne bénéficient pas d'une demande mondiale très dynamique ; leurs cours sont très instables, d'où, le plus souvent, une détérioration des termes de l'échange (c'est-à-dire la baisse du prix relatif des exportations), préjudiciable au développement des PED. Pour Prebisch, la domination exercée par le centre est volontaire. En revanche, François Perroux, relayé par Paul Bairoch, développe l'hypothèse d'une domination involontaire : l'avance technologique et le niveau de développement du Nord sont tels que, *de facto*, sans volonté particulière, il domine le Sud.

◄ Périphérie
Voir p. 165

◄ Perroux
Voir p. 154

Raul Prebisch (1901-1985) est un économiste argentin dont les travaux ont pour l'essentiel porté, à partir des années 1950, sur les questions du sous-développement. L'exemple des pays d'Amérique latine lui permet de concevoir le sous-développement comme la conséquence de la domination des pays développés et des structures spécifiques aux PED (approche structuraliste). Il soutient (avec Hans Singer) que les PED, spécialisés dans la production et l'exportation de produits primaires, souffrent de la détérioration de leurs termes de l'échange. C'est pourquoi il préconise une stratégie de développement par substitution d'importations orientée vers le marché intérieur (*The Economic Development of Latin America*, 1950 ; *Capitalismo periférico*, 1981).

Substitution
d'importations ►
Voir p. 177

• Les théories marxistes et néo-marxistes de la domination

Impérialisme ►
Voir p. 279
Lénine ►
Voir p. 278
Secteur ►
Voir p. 136

Les théories attribuant le sous-développement à l'impérialisme des pays développés proposent une analyse, le plus souvent d'inspiration marxiste. Par exemple, pour Lénine, la baisse tendancielle des taux de profit dans les pays capitalistes incite les firmes à étendre leur domination sur le monde entier. L'impérialisme se traduit notamment par la formation de firmes multinationales et le partage du Globe par les grandes puissances : leur domination bloque le développement des pays dominés.

Pour les auteurs tiers-mondistes, souvent qualifiés de néo-marxistes, le Nord exploite le Sud comme les capitalistes exploitent les travailleurs.

Pour ces auteurs, l'*extraversion*, c'est-à-dire l'orientation vers l'extérieur d'une part importante de l'activité économique nationale, insère les PED dans un échange international inégal qui contribue à transférer des richesses de la périphérie vers le centre. C'est pourquoi les PED doivent se déconnecter de la division internationale du travail imposée par les pays dominants et opter pour des stratégies promouvant un *développement autocentré*, c'est-à-dire un développement fondé sur l'essor de l'appareil productif national, prioritairement orienté vers la demande intérieure, ce qui suppose l'application de mesures protectionnistes. Ainsi, l'*introversion*, à savoir l'orientation vers le marché intérieur d'une part largement prépondérante de l'activité économique nationale, doit permettre aux PED de s'extraire de la domination des pays développés.

Division
internationale
du travail ►
Voir p. 272

Cette thèse est notamment celle de **Samir Amin** ; pour cet économiste égyptien, né en 1931, la périphérie (les PED) joue un double rôle : elle fournit des produits bon marché au centre (les pays développés) et offre des opportunités de taux de profit élevés aux capi taux du Nord, en particulier du fait de l'exploitation d'une main-d'œuvre peu coûteuse. La bourgeoisie nationale des PED ne peut en aucun cas jouer un rôle positif dans le développement, car elle est inféodée aux intérêts étrangers. Les PED doivent donc se soustraire à la domination des pays développés par la mise en œuvre de stratégies promouvant le développement autocentré. Principaux ouvrages publiés : *L'Accumulation à l'échelle mondiale* (1970), *L'Échange inégal et la loi de la valeur* (1973), *L'Empire du chaos* (1991).

■ Sortir du sous-développement

L'industrialisation est au cœur du développement. Les deux révolutions industrielles qu'ont connues les pays aujourd'hui développés, entre la fin du XVIIIe siècle et le début du XXe, ont favorisé leur développement. Une *révolution industrielle* est un ensemble de profondes mutations structurelles accompagnant et favorisant l'essor des activités industrielles.

◄ Industrialisation
Voir p. 38

La mise en œuvre des stratégies d'industrialisation dans les PED est donc un facteur déterminant de leur *stratégie de développement* (ensemble d'objectifs à long terme et les politiques qu'il faut mettre en œuvre pour les atteindre). Les objectifs sont à la fois économiques (croissance et niveau du PIB et du PIB/habitant, part de l'industrie dans le PIB...) et sociaux (espérance de vie, mortalité infantile, taux de scolarisation...) ; les politiques mises en œuvre pour atteindre ces objectifs imposent un certain nombre de choix : faut-il privilégier l'agriculture ou l'industrie ? le marché intérieur ou les exportations ? une forte intervention de l'État ou les mécanismes de marché ?

Parmi les stratégies de développement, les stratégies d'industrialisation et celles favorisant le développement agricole occupent une place essentielle.

Les stratégies d'industrialisation

Certaines stratégies d'industrialisation sont fondées sur l'approvisionnement du marché intérieur.

L'industrialisation peut reposer sur une stratégie de *substitution d'importations*, c'est-à-dire le remplacement des importations de produits industriels par des productions locales à l'abri de barrières protectionnistes. La substitution s'applique, dans un premier temps, aux biens de consommation ; dans un second temps, les biens d'équipement sont à leur tour concernés dans une logique de remontée de filières. La **remontée de filières** est une stratégie consistant, à partir de la production d'un produit donné, à développer progressivement sur le territoire national l'activité d'unités de production intervenant en amont de la production de ce produit, constituant de ce fait une filière de production composée d'activités productives complémentaires.

La stratégie d'industrialisation par substitution d'importations, mise en œuvre dès les années 1930 en Amérique latine, est appliquée après le seconde guerre mondiale dans un grand nombre de PED : Corée du Sud et Taïwan (au cours des années 1950), Égypte, Inde… Dans la plupart de ces pays, l'industrie progresse.

Mais cette stratégie connaît plusieurs défaillances à partir des années 1960 : le protectionnisme réduit la concurrence et favorise l'inflation ; la remontée de filières se heurte au manque de capitaux et/ou à un endettement extérieur croissant qui s'alourdit, à partir de la fin des années 1970, du fait de la hausse du dollar et des taux d'intérêt…

L'industrialisation peut reposer sur l'essor d'*industries industrialisantes*, c'est-à-dire des activités industrielles situées en amont du système productif (l'industrie lourde notamment), qui sont supposées exercer des effets d'entraînement sur l'ensemble de l'économie. Ce type d'industrialisation est fortement inspiré de l'exemple soviétique des années 1930 : *économie centralement planifiée* (pays dont l'activité économique est régie par une planification, le plus souvent impérative, élaborée par l'État), l'URSS a durablement privilégié l'essor de l'industrie lourde depuis la fin des années 1920.

**Effet
d'entraînement ►**
Voir p. 174

Planification ►
Voir p. 246

L'industrialisation par industries industrialisantes est adoptée en Inde et en Chine à la fin des années 1940, en Algérie à partir de 1966… Dans ces pays, dont certains ont opté ouvertement pour un mode de développement socialiste (Chine, Algérie…), le rôle de l'État est très actif (planification, entreprises publiques). Cette stratégie enregistre des résultats satisfaisants dans un premier temps : la part de l'industrie dans le PIB augmente. Cependant, elle connaît plusieurs limites : importations de biens alimentaires et de biens d'équipement induisant une dépendance forte à l'égard de l'extérieur ; appareils productifs surdimensionnés ; sous-équipement du secteur agricole…

Les stratégies d'industrialisation peuvent être fondées sur la *promotion d'exportations*, c'est-à-dire l'essor des exportations et l'insertion dans le commerce international.

De nombreux PED privilégient l'exportation de produits primaires pour financer les investissements dans l'industrie et les importations de biens d'équipement. De plus, l'exportation de produits primaires non agricoles permet de développer une industrie extractive dont les effets d'entraînement pourraient impulser une industrialisation plus diversifiée. Toutefois, la dégradation des termes de l'échange des pays exportateurs de produits primaires non pétroliers depuis les années 1950 a réduit l'impact de cette stratégie. Par ailleurs, les PED exportateurs de pétrole, comme l'Algérie, l'Irak, le Nigeria, etc., ont pâti, au cours des années 1980, de la chute du dollar et du prix du pétrole.

◄ Termes de l'échange

Voir p. 272

La *valorisation des exportations de produits primaires* est une stratégie d'industrialisation qui consiste à transformer les produits primaires dans le pays où ils sont produits pour valoriser les exportations. Plusieurs pays exportateurs de pétrole ont adopté cette stratégie dans les années 1970 ; c'est aussi le cas de nombreux pays latino-américains (Brésil, Argentine...) – sans que cela soit leur stratégie prioritaire – et africains (Côte-d'Ivoire, Sénégal...), depuis les années 1960. Cette spécialisation place les PED sous la dépendance de la demande des pays du Nord et ne résout pas le problème de la dégradation des termes de l'échange.

Il est donc nécessaire que les PED fassent évoluer leur spécialisation et adoptent une stratégie de *substitution d'exportations*, c'est-à-dire la promotion des exportations de produits manufacturés en remplacement des exportations de produits primaires ou la substitution d'exportations de produits manufacturés à fort contenu technique aux exportations de produits à fort contenu de main-d'œuvre. L'efficacité de la stratégie d'industrialisation par substitution d'exportations est conditionnée par la capacité des pays à faire évoluer leur spécialisation, surtout lorsqu'ils recourent à l'endettement extérieur pour financer la croissance : la substitution d'exportations permet de dégager les moyens nécessaires au remboursement de la dette.

Certaines stratégies d'industrialisation combinent plusieurs stratégies. Ainsi, la Corée du Sud développe depuis les années 1970 une stratégie perpétuant la promotion des exportations mise en œuvre depuis les années 1960, favorisant dans le même temps

Bien durable ▶
Voir p. 20

l'essor d'industries lourdes et de biens durables (à l'abri de barrières douanières) pour faire évoluer le contenu des exportations (substitution d'exportations). Cette stratégie a connu un net succès jusqu'à la fin des années 1990 et connaît depuis une phase d'ajustement.

Les stratégies de développement agricole

Efficience ▶
Voir p. 24

La réussite des stratégies de développement repose également sur l'importance accordée aux transformations de l'agriculture afin, d'une part, d'accroître l'efficience de ce secteur pour réduire la dépendance alimentaire et, d'autre part, d'intégrer le monde rural à la dynamique du développement. Le développement du secteur agricole doit bénéficier au secteur industriel et réciproquement.

La modernisation de l'agriculture implique la transformation des structures agricoles. Par exemple, une *réforme agraire* est un ensemble de mesures destinées à transformer les conditions de production dans l'agriculture par la redistribution des terres au bénéfice de ceux qui les cultivent ; les grands propriétaires fonciers perdent alors une partie ou la totalité de leurs domaines.

Dans certains cas, les paysans doivent acheter leurs terres à l'État, qui indemnise les grands propriétaires fonciers expropriés ; dans d'autres cas, la redistribution peut s'opérer sans indemnisation et sans rachat par les paysans. Les réformes agraires socialistes imposent la collectivisation du sol ; en revanche, l'appropriation privée du sol préside à d'autres réformes agraires.

Les résultats des réformes agraires sont souvent décevants. La redistribution gratuite des terres crée des microexploitations peu propices à la mécanisation et ne concerne parfois que les terres les moins fertiles ; l'obligation de racheter les terres crée *de facto* des inégalités dans les campagnes entre paysans riches et paysans pauvres ; enfin, les réformes fondées sur la collectivisation du sol échouent du fait de la démotivation des paysans…

La modernisation de l'agriculture implique également l'évolution des techniques culturales. La révolution verte en est un exemple.

La *révolution verte* est un modèle de développement de l'agriculture élaboré au début des années 1960, promouvant une forte croissance de la production agricole au sein des PED. Fruit des recherches conduites par le professeur Norman Borlaug (prix Nobel de la paix en 1970), des variétés de céréales à hauts rendements (blé, maïs, riz), nécessitant l'usage d'engrais, de pesticides et des terres suffisamment arrosées ou irriguées, laissent espérer une forte hausse des rendements en quelques années.

Adoptée au Mexique, aux Philippines, en Inde…, la révolution verte s'est en effet traduite par un accroissement de la production, même si la croissance ralentit depuis les années 1980. Elle a provoqué dans certains cas un déficit commercial (importations d'intrants comme les engrais, les pesticides…) et le creusement de la dette extérieure (en Inde, notamment). Dans d'autres pays, les importations d'intrants ont été compensées par les exportations de céréales. Enfin, elle a davantage bénéficié aux paysans riches, capables de payer les intrants nécessaires et a provoqué un ***exode rural*** (mouvements de population quittant les zones rurales pour aller vivre dans les villes) alimentant le chômage urbain en aggravant les problèmes liés à une urbanisation excessive (l'***urbanisation*** est l'accroissement de la part de la population d'un pays vivant dans les villes).

La modernisation de l'agriculture offre la possibilité d'exporter. Il en résulte des recettes pouvant être mobilisées pour la croissance. Mais les termes de l'échange des PED exportateurs de produits primaires non pétroliers ont eu tendance à se dégrader depuis les années 1950. Aussi, les recettes d'exportation ne suffisent plus au financement des importations de biens d'équipement destinés à dynamiser la croissance.

Il est par ailleurs fréquent d'opposer cultures d'exportation (arachide, coton…) et cultures vivrières. Selon les auteurs tiersmondistes, la promotion des ***cultures d'exportation*** (productions agricoles destinées à répondre à la demande extérieure) pourrait retirer les meilleures terres aux ***cultures vivrières*** (productions agricoles destinées à répondre à la demande intérieure permettant ainsi d'accroître le niveau de subsistance de la population) et nuire, de ce fait, au bien-être des populations. Cette approche est contestée, notamment par Paul Bairoch.

■ L'institution d'un nouvel ordre économique international

La réussite des stratégies de développement nécessite et provoque la modification de la place qu'occupent les PED dans l'économie mondiale.

Après le second conflit mondial, les pays issus de la décolonisation contestent l'ordre économique et politique mondial et affirment leur volonté de contrer la domination des pays avancés, qu'ils soient capitalistes ou socialistes.

Au début des années 1960, le **Groupe des 77**, qui désigne un groupe réunissant à l'origine 77 PED au sein de l'ONU, œuvre pour la prise en compte des besoins spécifiques des pays sous-développés. Malgré les difficultés liées aux oppositions au sein même des PED, l'action revendicatrice de ces pays aboutit, en 1974, à plusieurs résolutions de l'ONU prônant l'instauration d'un **nouvel ordre économique international (NOEI)**, qui est une conception des relations économiques internationales, remettant en cause la divison internationale du travail traditionnelle et les conditions d'insertion des PED dans l'économie mondiale, pour qu'elles leur soient plus favorables.

Division internationale du travail ▶
Voir p. 272

Cependant, les résultats des politiques destinées à favoriser l'intégration des PED dans l'économie mondiale sont mitigés. Par exemple, l'**aide au développement**, qui est l'ensemble des actions mises en œuvre par les pays développés au bénéfice des PED, devait être l'un des pivots du NOEI. Or, elle est restée limitée.

Ainsi, l'**aide publique au développement (APD)**, c'est-à-dire les dons et prêts à conditions préférentielles accordés aux PED par le secteur public des pays développés, est loin de respecter l'objectif fixé par la CNUCED en 1968 (l'aide devrait représenter au moins 1 % du PNB des pays développés ; ce taux est ramené à 0,7 % par l'OCDE). En outre, l'**aide multilatérale** (aide au développement transitant par les institutions internationales comme le FMI ou la Banque mondiale) est, depuis les années 1980, de plus en plus conditionnelle : son octroi est soumis au respect de certaines dispositions telle la mise en œuvre de politiques de libéralisation de l'économie ; enfin, l'**aide bilatérale** (aide fournie par un pays à un autre pays ou à un groupe de pays) peut être en partie liée. L'**aide liée** est une aide au développement qui est octroyée sous la condition que le pays qui la reçoit l'utilise pour assurer des débouchés au pays qui la fournit.

CNUCED ▶
Voir p. 284
OCDE ▶
Voir p. 274
FMI ▶
Voir p. 315
Banque mondiale ▶
Voir p. 315

■ L'hypothèque de l'endettement extérieur

La mise en œuvre des stratégies de développement implique un accroissement de l'endettement extérieur qui peut être préjudiciable aux PED. C'est pourquoi plusieurs plans de gestion de la dette ont été mis en œuvre ; ils ont contribué à une amélioration relative de la situation des PED, dont certains sont encore confrontés à de grandes difficultés.

L'endettement extérieur et ses effets

L'**endettement extérieur** ou **dette extérieure** est le volume des dettes contractées par les agents économiques d'un pays à l'égard de ceux d'autres pays.

La dette extérieure peut être une **dette extérieure publique** : il s'agit, au sens strict, de la dette contractée par les autorités gouvernementales ou par des organismes publics ; au sens large, elle comprend également la dette contractée par des résidents du pays, avec garantie gouvernementale. La **dette extérieure privée** est une dette contractée auprès d'agents économiques à l'étranger par les résidents, sans garantie gouvernementale.

Les prêteurs peuvent être des États ou des organismes internationaux (Banque mondiale, FMI…) ; ils peuvent aussi relever du secteur privé (surtout des banques). Le **Club de Paris** est un groupe créé au cours des années 1950 réunissant les créanciers publics (États) des PED pour discuter du réaménagement de leur dette extérieure publique. Un **réaménagement de la dette** est l'ensemble des modifications des conditions de remboursement de la dette.

Le **Club de Londres** est un groupe, créé au cours des années 1970, réunissant les créanciers privés (banques) des PED pour discuter du réaménagement de leur dette extérieure publique et privée.

Plusieurs indicateurs permettent de juger du niveau de l'endettement extérieur des pays : le **taux d'endettement** ou **ratio d'endettement** est égal au rapport entre la dette extérieure et le PNB ; il s'exprime en pourcentage.

Le **ratio de la dette** est égal au rapport entre le montant de la dette extérieure (le plus souvent à long terme) et les exportations annuelles de biens et services ; ce ratio s'exprime en pourcentage.

Le **ratio du service de la dette** est égal au rapport entre, d'une part, le **service de la dette** (versement des intérêts annuels et de la part du capital remboursé par an), et, d'autre part, les exportations annuelles de biens et services ; ce ratio s'exprime en pourcentage.

Jusqu'aux années 1960, la dette extérieure des PED reste d'un montant limité. À partir des années 1970, elle s'accroît et la charge que représente son remboursement est de plus en plus lourde. Dans la deuxième partie des années 1980, des programmes de gestion de la dette sont mis en œuvre : le montant de la dette continue de croître, mais le ratio du service de la dette s'est globalement amélioré.

La gestion de la dette extérieure des PED

Avant 1985, les mesures destinées à endiguer la croissance de la dette extérieure des PED s'avèrent insuffisantes : il s'agit pour l'essentiel de mesures de **rééchelonnement de la dette**, c'est-à-dire l'allongement de la période de remboursement des emprunts, assorties de politiques d'ajustement structurel par les PED auxquels les institutions internationales, mais aussi des banques, accordent de nouveaux prêts.

Les **politiques d'ajustement structurel (PAS)** sont des politiques économiques promues par le FMI depuis les années 1970 pour réduire les déséquilibres externes, sources d'endettement extérieur ; elles comportent un volet conjoncturel, correspondant à la mise en œuvre de politiques d'austérité classiques de freinage de la demande intérieure pour réduire les importations et l'inflation ; sur le plan structurel, les PAS visent à instaurer une économie de marché assainie, propre à garantir une croissance durable : il s'agit alors de libéraliser l'économie (liberté des prix, réduction des subventions...), donc de désengager l'État (diminution du nombres de fonctionnaires, privatisations...), de promouvoir l'épargne comme moyen privilégié de financement des investissements, de promouvoir le libre-échange... Ainsi, les PAS s'inscrivent nettement dans une perspective libérale.

En 1985, le **plan Baker**, un programme de gestion de la dette extérieure des PED, impulsé par James Baker, secrétaire au Trésor de Ronald Reagan, offre aux PED les plus endettés la perspective de nouveaux prêts leur permettant de faire face à leurs engagements en consolidant leurs dettes. La **consolidation** est un ensemble de mesures destinées à renforcer la capacité des débiteurs à rembourser leurs dettes. Il est également demandé aux PED trop endettés de mettre en œuvre des PAS pour assainir leur économie et assurer les conditions d'un retour à la croissance. Cependant, la reprise des prêts n'a pas vraiment eu lieu.

En 1989, un nouveau plan est engagé : le **plan Brady** est un programme de gestion de la dette extérieure des PED destiné à réduire l'endettement et le ratio du service de la dette des pays les plus lourdement endettés auprès des banques. Il a été impulsé par Nicholas Brady, secrétaire au Trésor du président George H. Bush. **Ces pays**

Subvention ▶
Voir p. 245
Privatisation ▶
Voir p. 36
Libre-échange ▶
Voir p. 273

Ratio du
service ▶
de la dette
Voir p. 183

peuvent emprunter des fonds au FMI et à la Banque mondiale (sous condition d'appliquer une PAS). Ces fonds permettent à ces pays de racheter les titres représentatifs de leur dette auprès des banques, à un coût moindre que leur valeur nominale (décote) ; les PED peuvent également échanger ces titres contre des obligations (soit avec décote, soit portant un taux d'intérêt inférieur à celui qu'ils devaient jusqu'alors supporter), dont le remboursement est garanti par le Trésor américain. Dans tous les cas, les banques acceptent donc d'annuler partiellement leurs créances (décote et/ou réduction des taux d'intérêt). De nombreux pays en ont bénéficié.

◄ Obligation
Voir p. 99

10

ÉCONOMIE DU DÉVELOPPEMENT DURABLE

A Développement durable et soutenabilité

- Le développement durable
- Deux façons d'appréhender la durabilité ou soutenabilité

B Les difficultés à préserver le capital naturel

- Les instrument de la politique climatique des pouvoirs publics
- La gestion des biens communs

Les débats sur les effets de la croissance et la nature du développement se sont multipliés depuis une cinquantaine d'années. Ils ont notamment porté sur la promotion d'un développement durable.

A Développement durable et soutenabilité

■ Le développement durable

Au début des années 1970, plusieurs auteurs doutent de la pérennité du développement, en raison du caractère destructeur pour l'environnement de la croissance économique. Le *rapport Meadows* est une étude publiée en 1972, conduite par une équipe de chercheurs du *Massachusetts Institute of Technology* qui dressent un tableau alarmant des conséquences sur l'environnement de la poursuite de la croissance économique. Cette équipe était dirigée par Donnella Meadows. Sur la base des conclusions de ce rapport, plusieurs auteurs préconisent la *croissance zéro*, c'est-à-dire la stagnation du PIB ou du PNB (pour certains auteurs, du PIB ou du PNB par habitant) afin de préserver l'environnement et les ressources naturelles. Au cours des années 1980, la prise en compte des préoccupations environnementales de la communauté internationale préside à l'élaboration du concept de développement durable, qui fait l'objet d'un rapport rédigé pour le compte de l'Organisation des Nations unies par la Norvégienne Gro Brundtland. Le *développement durable* (ou *développement soutenable*) est un développement fondé sur une croissance économique permettant de satisfaire les besoins des générations actuelles tout en préservant la possibilité de satisfaire ceux des générations à venir.

Le développement durable traduit le fait que le *bien-être*, c'est-à-dire le sentiment de satisfaction d'une population ou d'un individu ou d'un groupe d'individus en regard de leurs conditions de vie n'est pas correctement traduit par le niveau du PIB ou du PIB par habitant et ne se résume pas aux revenus que génère la croissance économique. Par exemple, une forte croissance peut conduire à l'épuisement des ressources naturelles, au détriment des générations futures. De même, la distribution des revenus issus de la croissance pourrait être très inégalitaire et jugée injuste par la population, démotivant les travailleurs et/ou provoquant des troubles sociaux, au détriment du bien-être du plus grand nombre et des générations à venir. Par conséquent, s'agissant du développement, la *durabilité* (ou *soutenabilité*) est la caractéristique d'un développement conjuguant l'efficience économique, l'équité sociale et la préservation des ressources naturelles et, plus largement, de l'environnement.

◄ Équité
Voir p. 433

Le développement durable repose sur la reproduction et l'élargissement de plusieurs types de capitaux permettant aux générations futures de bénéficier d'un bien-être au moins équivalent à celui des générations présentes : le *capital physique* (l'ensemble des biens d'équipement et des bâtiments produits par l'activité humaine) ; le *capital naturel* (les ressources naturelles) ; le capital humain (capacités physiques et intellectuelles des individus) ; le *capital social (dans une logique de réseaux,* il s'agit de l'ensemble des relations interpersonnelles et sociales des individus facilitant leur coopération en vue d'accroître le bien-être commun) ; enfin, le *capital institutionnel* (ensemble des institutions dont disposent un pays – ou un groupe de pays – qui influent sur l'action des agents économiques et sur les relations entre les individus et entre les groupes sociaux).

◄ Capital humain
Voir p. 543

◄ Institution
Voir p. 323

■ Deux façons d'appréhender la durabilité ou soutenabilité

• La *soutenabilité faible* est une approche de la soutenabilité fondée sur la possibilité d'une substitution entre le capital naturel et les autres formes de capital de manière à préserver le bien-être des générations futures. Par exemple, la réduction du capital naturel consécutive à son exploitation pourrait être compensée par une augmentation du capital physique qui accroîtrait l'efficience du capital humain. Toutefois, cette approche est contestée : d'une part, la substituabilité entre les différentes formes de capitaux n'est pas parfaite, donc la préservation du bien-être des générations futures n'est pas garantie ; d'autre part, il est probablement nécessaire de préserver un stock critique de capital naturel indispensable pour garantir le bien-être des générations futures.

• Une autre conception de la soutenabilité s'oppose à la précédente en tentant de prendre en compte les limites mentionnées. La *soutenabilité forte* repose sur la complémentarité et non la substituabilité entre capital naturel – dont il convient d'encadrer l'usage, en particulier par la mise en œuvre d'institutions adaptées – et les autres types de capitaux. Cette conception de la soutenabilité pose également de nombreux problèmes d'applicabilité, ne serait-ce que pour déterminer le seuil critique de capital naturel et parce qu'il est nécessaire d'obtenir un accord international entre des États dont les intérêts divergent.

⬛ Les difficultés à préserver le capital naturel

■ Les instrument de la politique climatique des pouvoirs publics

La **politique climatique** correspond à l'ensemble des mesures mises en œuvre par les pouvoirs publics pour combattre les modifications du climat qui mettraient à mal le bien-être des générations présentes et futures. Elle repose notamment sur la combinaison de trois types d'instruments pour contrer les défaillances du marché en matière environnementale : la réglementation, la **taxation** (action des pouvoirs publics consistant à imposer une taxe dont le montant sera affecté au financement d'une dépense spécifique), qui découle de l'application du principe du pollueur-payeur, et enfin l'organisation de **marchés de quotas d'émissions** (rencontre d'une offre et d'une demande de droits à polluer alloués aux entreprises par les pouvoirs publics). L'action des pouvoirs publics modifie alors l'allocation de ressources en internalisant les externalités que les marchés laissés à eux-mêmes ne peuvent prendre en compte. *A contrario*, en créant des institutions marchandes adaptées – par exemple, en fixant des règles limitant les émissions de gaz à effets de serre générées par l'activité des agents économiques –, les pouvoirs publics peuvent améliorer le fonctionnement des marchés.

■ La gestion des biens communs

Un bien commun est un bien non excludable et rival. Par exemple, les bancs de poissons circulant hors des eaux territoriales nationales sont disponibles pour tout pêcheur croisant leur route (non-exclusion) et tous les poissons qu'il capturera ne pourront l'être par un autre pêcheur (rivalité). Les bancs de poissons sont donc des biens communs. Dès lors qu'il n'y a pas exclusion et puisque chaque pêcheur a intérêt à maximiser ses prises pour accroître ses gains, tous

Défaillances du marché ►
Voir p. 252

Réglementation ►
Voir p. 243

Taxe ►
Voir p. 236

Principe du pollueur-payeur ►
Voir p. 258

Droit à polluer / Quota d'émission ►
Voir p. 260

Externalité ►
Voir p. 74

Bien commun ►
Voir p. 72

Bien excluable ►
Voir p. 252

Bien rival ►
Voir p. 252

les poissons vont être pêchés, épuisant les ressources halieutiques au détriment des populations qui s'en nourrissent.

Pour pallier ces difficultés, plusieurs solutions peuvent être envisagées : réglementation (ici, internationale) fixant des quotas de pêche, subventions versées aux pêcheurs qui acceptent de réduire leurs prises, taxation en fonction des quantités pêchées... Toutefois, la mise en œuvre de ces mesures se heurte à de nombreuses limites du fait de la difficulté à organiser une coopération internationale efficace.

◀ **Réglementation**
Voir p. 243

Les difficultés sont également présentes lorsque la gestion des biens communs s'exerce au sein d'un territoire national. Trois formes de gestion des biens communs peuvent être distinguées selon les auteurs. Certains privilégient la privatisation des biens communs en instituant des droits de propriété privée sur ces biens, les rendant de ce fait excluables, car leurs propriétaires les géreront efficacement puisque leur intérêt est de préserver la source de leurs revenus. D'autres privilégient plutôt le contrôle public, soit par la nationalisation, soit par la réglementation, la puissance publique étant supposée plus soucieuse de l'intérêt collectif. Enfin, d'autres auteurs mettent en avant les vertus d'une gestion communautaire locale des biens communs par ceux qui les utilisent avec le souci que leur descendance puisse également en bénéficier.

◀ **Droits de propriété**
Voir p. 78

◀ **Nationalisation**
Voir p. 35

11

TRAVAIL, EMPLOI ET CHÔMAGE

A L'emploi et le chômage

- La population active
- L'emploi
- Le chômage

B Le marché du travail

- L'analyse néoclassique du fonctionnement du marché du travail
- Hétérogénéité du travail et salaire d'efficience
- Une relation salariale institutionnalisée

C Les politiques pour l'emploi

- La flexibilité du marché du travail
- La dépense pour l'emploi

D L'organisation du travail

- L'organisation scientifique du travail
- Les nouvelles formes d'organisation du travail

Il ne faut pas confondre les notions de travail et d'emploi. L'*emploi* désigne toute forme d'occupation rémunérée. La définition du travail est plus large. Le travail s'identifie à l'ensemble des activités humaines, intellectuelles ou manuelles, rémunérées ou non, qui sont subordonnées à la production de choses utiles.

▄A▄ L'emploi et le chômage

■ La population active

Qu'est-ce que la population active ?

La *population active* regroupe l'ensemble des personnes (âgées de 15 ans et plus) déclarant exercer ou chercher à exercer une activité professionnelle rémunérée.

Un *actif* est une personne de 15 ans ou plus exerçant ou cherchant à exercer une activité professionnelle.

La population active représente donc la main-d'œuvre disponible pour travailler en contrepartie d'une rémunération. Elle comprend la *population active occupée* (ensemble des personnes âgées de 15 ans et plus exerçant effectivement une activité professionnelle) et les chômeurs.

Il existe trois catégories d'actifs occupés :

– les salariés. Un *salarié* est un actif qui vend son travail contre un salaire ; il est dépendant d'un employeur ;

Salaire ►
Voir p. 198

– les personnes à leur compte. Une *personne à son compte* est un travailleur indépendant qui peut travailler seul ou employer des salariés. C'est le cas des professions libérales, artisans, commerçants et chefs d'entreprise ;

– les personnes qui aident un membre de leur famille dans son travail (les femmes d'agriculteurs par exemple).

La *population inactive* regroupe l'ensemble des personnes qui n'exercent pas et ne cherchent pas à exercer d'activité professionnelle.

Un *inactif* est une personne qui n'exerce pas et ne cherche pas à exercer une activité professionnelle. On distingue généralement les inactifs de moins de 15 ans, qui sont en grande majorité scolarisés, et les inactifs de plus de 15 ans, qui sont des jeunes qui poursuivent leurs études, des personnes dans l'incapacité de travailler, des personnes qui ont fait le choix de ne pas occuper d'activité professionnelle (les femmes au foyer notamment) et les retraités.

Mais la frontière entre l'activité et l'inactivité est relativement floue (cas du travail clandestin, du travail à temps partiel ou de la multiplication des petits boulots).

◄ Travail à
temps partiel
Voir p. 198

La **population totale** englobe la population active et la population inactive.

Les taux d'activité

Le taux d'activité permet de mesurer la part des actifs dans la population totale.

Le **taux d'activité** est le rapport entre le nombre d'actifs et la population âgée de 15 ans et plus (multiplié par 100). Il peut aussi se calculer selon le sexe et/ou selon l'âge :

$$\text{Taux d'activité} = \frac{\text{Population active}}{\text{Pop. totale de plus de 15 ans}} \times 100$$

Quelques exemples :

$$\text{Taux d'activité des femmes} = \frac{\text{Nombre de femmes actives}}{\text{Nombre total de femmes de plus de 15 ans}} \times 100$$

$$\text{Taux d'activité des 20-25 ans} = \frac{\text{Nombre d'actifs de 20 à 25 ans}}{\text{Population totale du même âge}} \times 100$$

$$\text{Taux d'activité des hommes de 35 à 40 ans} = \frac{\text{Nombre d'hommes actifs de 35 à 40 ans}}{\text{Nombre total d'hommes du même âge}} \times 100$$

Les différentes classifications de la population active

Il existe plusieurs classifications possibles de la population active :
– secteurs d'activité : on distingue dans ce cas les actifs du secteur primaire de ceux du secteur secondaire et de ceux du secteur tertiaire ;
– emploi salarié ou non salarié : on distingue dans ce cas les salariés des travailleurs indépendants ;
– travail manuel ou non manuel : on distingue dans ce cas les **cols bleus** (travailleurs manuels) des **cols blancs** (travailleurs non

◄ Secteur
primaire
Voir p. 37
◄ Secteur
secondaire
Voir p. 37
◄ Secteur tertiaire
Voir p. 38
◄ Salarié
Voir p. 194

manuels). Cette distinction est proche de celle qui oppose l'*emploi de type primaire* (emploi manuel proche de la nature – pêcheur, jardinier ou agriculteur, par exemple) de l'*emploi de type secondaire* (emploi manuel contribuant à la production de biens manufacturés), et de l'*emploi de type tertiaire* (emploi non manuel – employé, par exemple). Cette classification ne doit pas être confondue avec celle par secteur d'activité : un salarié ayant un emploi de type primaire peut travailler dans les secteurs secondaire ou tertiaire (jardinier dans une usine ou dans un lycée), ou un salarié ayant un emploi de type tertiaire dans le secteur secondaire (employé de bureau chez Renault par exemple). Ces classifications sont toutefois de moins en moins fréquentes, car l'utilisation des nouvelles technologies rend floue la frontière entre ces catégories ;

Secteur secondaire ►
Voir p. 37

Secteur tertiaire ►
Voir p. 38

PCS ►
Voir p. 377

Catégorie socio-professionnelle ►
Voir p. 378

– professions et catégories socioprofessionnelles (PCS). C'est la classification la plus fine, car elle permet de distinguer les différentes professions, les différentes catégories socioprofessionnelles et les différents groupes socioprofessionnels (agriculteurs exploitants ; artisans commerçants et chefs d'entreprises ; cadres et professions intellectuelles supérieures ; professions intermédiaires ; employés ; ouvriers ; chômeurs n'ayant jamais travaillé).

Les transformations qualitatives de la population active

La structure de la population active s'est fortement modifiée durant ces cinquante dernières années. Les évolutions les plus marquantes sont :

– la *féminisation de la population active*, c'est-à-dire l'augmentation de la part des femmes dans la population active. Un taux d'activité féminin élevé n'est pas un phénomène nouveau : de nombreuses femmes travaillaient au début du siècle. Après avoir diminué à partir de la première guerre mondiale (en raison principalement de l'émergence du modèle de la femme au foyer), le taux d'activité féminin augmente vers la fin des années 1960 ;

– la hausse du niveau des qualifications. La *qualification* désigne l'ensemble des compétences, c'est-à-dire des savoirs et des savoir-faire nécessaires pour exercer un emploi. Le niveau de qualification d'un individu dépend essentiellement de son niveau de formation et de son expérience. La hausse du niveau de qualification de la population active a été rendue nécessaire par la complexification des emplois et a été rendue possible par l'amélioration du niveau de formation de la population. Elle s'est traduite par une modification relative de la structure socioprofessionnelle : augmentation du nombre de cadres et professions intellectuelles supérieures et des professions intermédiaires au détriment des groupes à qualification plus faible (ouvriers et employés) ;

– la **salarisation de la population active**, c'est-à-dire l'augmentation de la part des salariés dans la population active. Ainsi, le **taux de salarisation** (rapport entre le nombre de salariés et la population active, multiplié par 100) augmente régulièrement et s'approche des 90 %. On peut établir un lien entre la baisse du nombre des petites entreprises et l'augmentation du taux de salarisation, car cette baisse provoque celle du nombre des chefs d'entreprise, donc des non-salariés ;

– la tertiairisation (ou tertiarisation), c'est-à-dire l'augmentation de la part des emplois occupés dans le secteur tertiaire au détriment de ceux occupés dans les secteurs primaire et secondaire ;

◄ **Tertiairisation /
Tertiarisation**
Voir p. 38-39

– la concentration de l'activité aux âges intermédiaires, car les jeunes entrent de plus en plus tard sur le marché du travail (en raison essentiellement du prolongement de la durée moyenne des études) et l'âge moyen de sortie du marché du travail diminue (en raison de l'abaissement de l'âge de la retraite et des possibilités accrues de mise en préretraite).

◄ **Marché du
travail**
Voir p. 54

Les transformations quantitatives de la population active

La population active a fortement augmenté depuis 1960, mais cette croissance s'est ralentie depuis la fin des années 1980 ; la population active devrait diminuer à partir des années 2020.

L'évolution quantitative de la population active s'explique essentiellement par deux types de facteurs :

– les facteurs démographiques. Le nombre des actifs résulte de l'importance de la population totale (qui elle-même résulte du nombre de naissances, de décès et du solde migratoire) et de la structure par âge de cette population. Ainsi, le **baby-boom** (augmentation forte du nombre des naissances entre le milieu des années 1940 et le milieu des années 1960) a fortement contribué à l'augmentation de la population active : les personnes nombreuses nées durant le baby-boom se retrouvent environ vingt ans plus tard sur le marché du travail ;

◄ **Population
totale**
Voir p. 195

◄ **Solde migratoire**
Voir p. 218

◄ **Structure
par âge**
Voir p. 219

– les comportements d'activité. Si la concentration de l'activité aux âges intermédiaires tend à faire baisser la population active, l'augmentation du taux d'activité féminin tend à la faire augmenter.

Au total, la forte augmentation de la population active des années 1960-1980 résulte de trois phénomènes principaux : le baby-boom, l'augmentation du taux d'activité féminin et un solde migratoire nettement positif. La population active augmente moins fortement et devrait même diminuer ces prochaines années : l'immigration a été fortement limitée depuis le milieu des années 1970 ; le taux d'activité féminin est maintenant proche du taux d'activité masculin ; les générations nombreuses nées durant le baby-boom commencent à quitter le marché du travail.

■ L'emploi

Le *taux d'emploi* est la proportion de personnes disposant d'un emploi parmi celles en âge de travailler.

Avant 1945, aucune *norme d'emploi* (caractéristiques communes à la plupart des emplois à une période donnée) n'existe. L'emploi est globalement instable, la plupart des entreprises ne cherchent pas à fidéliser la main-d'œuvre, le *salaire à la tâche* (rémunération liée à la quantité produite) est courant et une part non négligeable de la population active est non salariée. L'emploi typique n'existe pas encore.

Salaire ▶
Voir p. 526

Après 1945, une norme d'emploi émerge ; on peut donc parler d'emploi typique. Un *emploi typique* est un emploi salarié stable (donc à durée indéterminée) qui assure un salaire décent et croissant avec l'ancienneté, une protection sociale et, par voie de conséquence, une certaine reconnaissance sociale.

Protection
sociale ▶
Voir p. 404

Le *contrat de travail* est un contrat liant un salarié à son employeur et fixant un niveau de rémunération en échange de la mise à disposition de la capacité de travail du salarié.

Avec la crise, les emplois atypiques se multiplient, ce qui provoque l'éclatement de la norme d'emploi. Un *emploi atypique* est un emploi ne présentant pas les caractéristiques de la norme d'emploi ; il peut s'agir d'un emploi à durée déterminée, de travail intérimaire, d'apprentissage, de stages divers, d'emplois aidés ou d'emploi à temps partiel.

La plupart des emplois atypiques sont des emplois précaires.

Un *emploi précaire* est un emploi caractérisé par son instabilité, car le contrat de travail qui y est associé permet d'embaucher le salarié pour un temps limité (emploi intérimaire ou emploi sous contrat à durée déterminée – CDD, par exemple).

Le *travail à temps partiel* (travail ayant une durée, généralement hebdomadaire, plus courte que la durée légale ou habituelle) se développe. Il est le plus souvent subi.

Ces nouvelles formes particulières d'emploi se diffusent dans toute l'économie ; elles ne sont plus, comme les anciennes formes particulières, limitées à certaines professions ou à certains employeurs. Même les grandes entreprises et l'État font appel à l'emploi atypique, à tel point que la norme d'emploi semble s'effriter et que le concept même d'emploi typique perd de son sens. Si les jeunes sont les premiers touchés, ils ne sont pas les seuls ; les emplois précaires atypiques concernent aussi de nombreuses femmes, de nombreux travailleurs peu qualifiés et de nombreux étrangers, clandestins ou pas (la forme la plus atypique de l'emploi est le travail au noir).

◄ Travail au noir
Voir p. 156

■ Le chômage

Le chômage désigne l'état d'un individu ou d'une population privés involontairement d'emploi.

Un *chômeur (au sens du Bureau international du travail – BIT)* est une personne qui cumule les trois caractéristiques suivantes ;
– être sans travail, c'est-à-dire sans emploi salarié ou non salarié ;
– être disponible pour travailler dans un emploi salarié ;
– être à la recherche d'un emploi, c'est-à-dire avoir pris des dispositions particulières au cours d'une période récente pour chercher un emploi salarié ou non salarié.

En France, l'Insee effectue, tous les ans, une enquête emploi pour mesurer notamment le chômage au sens du BIT. Le ministère de l'Emploi, par l'intermédiaire de Pôle Emploi, établit sa propre statistique du chômage : il s'agit des demandes d'emploi en fin de mois (DEFM). Un demandeur d'emploi est pris en compte dès lors qu'il est inscrit à Pôle Emploi, qu'il est disponible, qu'il recherche un emploi à durée indéterminée et à plein temps (DEFM, catégorie 1).

Le *taux de chômage* désigne la proportion de chômeurs dans la population active. Il se mesure en rapportant le nombre de chômeurs à la population active (multiplié par 100).

Les mesures du chômage n'appréhendent pas la réelle importance du *sous-emploi* (situation dans laquelle toutes les disponibilités en travail dont dispose une économie ne sont pas utilisées en totalité).

**Travail à
temps partiel** ►
Voir p. 198

En effet, le travail à temps partiel, lorsqu'il est subi, permet de diminuer les chiffres du chômage. Il faut aussi ajouter les différents stages de formation qui font partie des dispositifs de lutte contre le chômage, mais qui ont aussi comme intérêt d'en diminuer les chiffres ; il s'agit donc, en partie, de chômage déguisé.

Certains chômeurs renoncent à être inscrits sur les listes de Pôle Emploi ou en sont radiés. Ils peuvent se décourager et ne plus respecter les règles d'inscription, ou ne pas en voir l'utilité s'ils ne peuvent pas prétendre au versement d'allocations.

Allocation ►
Voir p. 248

Le clivage inactif/actif n'est pas toujours sans ambiguïté. Ainsi, le *halo du chômage* correspond, selon l'Insee, à la situation d'une frange de la population inactive gravitant autour du « noyau dur » du chômage au sens du BIT. Il est composé des personnes déclarant chercher un emploi sans être disponibles ou sans effectuer de réelles recherches, de ceux qui n'ont pas encore commencé leur recherche, mais disent souhaiter avoir un emploi, et de ceux qui ont renoncé alors qu'ils souhaitaient avoir un emploi (le renoncement a plusieurs raisons : âge, santé…). En France, le « halo » pourrait concerner plusieurs centaines de milliers de personnes.

Le *taux de flexion* est le rapport entre la réduction du chômage en valeur absolue et les créations nettes d'emplois (créations – suppressions). Un taux de 50 % signifie qu'il faudrait créer 200 emplois nets pour faire baisser le chômage de 100.

Un faible taux de flexion signifie que, parmi les inactifs, des individus souhaitent travailler. Dès que le rythme de créations d'emplois s'élève, ils se portent demandeurs d'emploi et, par conséquent, gonflent la population active.

Les formes de chômage

Le *chômage frictionnel* est le chômage qui résulte du délai qui sépare le moment où un individu quitte son emploi et le moment où il en trouve un autre.

Le *chômage conjoncturel* est un chômage temporaire. Il est la conséquence d'un ralentissement de l'activité économique.

Le *chômage structurel* est un chômage durable. Il résulte des structures socioéconomiques du pays (déséquilibres démographiques, vieillissement de l'appareil productif, réglementation inefficiente, inadaptation des qualifications de la main-d'œuvre…).

Qualification ►
Voir p. 196

Le *chômage volontaire* est le chômage qui provient du refus des chômeurs de travailler pour le salaire qui assurerait l'équilibre entre offre et demande de travail.

Pour les libéraux, le chômage est avant tout volontaire, alors que, pour les keynésiens, il est avant tout involontaire. Le *chômage involontaire* est le chômage qui est subi par les salariés qui souhaiteraient trouver un emploi, mais qui n'en ont pas la possibilité.

Le chômage naturel est le chômage résultant du chômage volontaire, du chômage frictionnel et de l'inadaptation de certains individus.

◄ Chômage
naturel
Voir p. 540

Le *chômage technologique* est le chômage dû à la mise en place de nouveaux procédés de production qui économisent de la main-d'œuvre. Si, à court terme et dans un secteur précis, le progrès technique peut être un facteur de chômage, d'une façon globale il ne peut être accusé de favoriser le sous-emploi, car il est un des principaux facteurs de la croissance.

La sélectivité du chômage

En France, le taux de chômage est plus élevé chez les jeunes actifs (moins de 25 ans) et chez les moins qualifiés.

◄ Taux de
chômage
Voir p. 199

L'*employabilité* désigne la capacité pour un chômeur de trouver un emploi, alors que la *vulnérabilité au chômage* désigne le risque pour un actif occupé de devenir chômeur. En raison de l'inadaptabilité et de la plus faible productivité des actifs âgés, l'employabilité décroît avec l'âge. Au contraire, les jeunes actifs sont plus volontiers embauchés, mêmes s'ils sont généralement les premiers licenciés.

◄ Productivité
Voir p. 25

Le *chômage de longue durée* (chômage d'une durée supérieure à un an) concerne surtout les actifs de plus de quarante ans. Ces derniers sont victimes d'un chômage d'exclusion.

La vulnérabilité décroît avec l'âge. Plus un actif est âgé, mieux il est inséré dans son entreprise et sur le marché du travail. Au contraire, plus un actif est jeune, plus sa vulnérabilité est forte, en raison de son manque d'expérience et de la précarité de l'emploi qu'il occupe généralement. Les jeunes sont donc surtout victimes d'un *chômage de précarité* (chômage de courte durée, mais répétitif). Les actifs concernés alternent des périodes de chômage et les périodes d'emploi précaire.

◄ Marché du
travail
Voir p. 25

Les causes du chômage

Les trois explications avancées le plus souvent sont l'inadéquation qualitative entre l'offre et la demande de travail, des coûts trop

◄ Offre de
travail
Voir p. 203
◄ Demande
de travail
Voir p. 203

Crise
économique ►
Voir p. 118

élevés de la main-d'œuvre qui décourageraient les entreprises d'embaucher (cette explication est celle que les économistes libéraux préfèrent) et la crise économique, le chômage étant alors surtout conjoncturel (cette explication est privilégiée par les économistes keynésiens).

L'explication du chômage par l'inadéquation qualitative entre l'offre et la demande de travail, qu'elle se situe à un niveau géographique, sectoriel ou même au niveau des qualifications, ne peut être que partielle. En effet, si une telle explication était juste, il y aurait une grande quantité d'offres d'emploi non satisfaites en raison de l'inadaptation de la majorité des chômeurs, ce qui n'est pas le cas.

Compétitivité ►
Voir p. 270

Pour la théorie libérale, le coût élevé de la main-d'œuvre est la cause principale du chômage, mais cette conception peut être nuancée, car la compétitivité des entreprises ne dépend pas uniquement du coût du travail (il faut aussi tenir compte de l'efficacité du travail, du coût et efficacité du capital, de la qualité et renommée des produits…) et parce que le coût de la main-d'œuvre n'est pas le déterminant principal de l'embauche des entreprises ; elles embauchent si elles peuvent vendre.

Demande ►
Voir p. 57

Mais le niveau de la demande et celui de la production ne sont pas suffisants pour expliquer le niveau de l'emploi, et encore moins le chômage ; il est nécessaire de faire appel à d'autres paramètres.

Productivité
du travail ►
Voir p. 25

L'emploi dépend du rapport entre le niveau de production et celui de la productivité du travail. À temps de travail égal, l'emploi augmente lorsque la croissance de la production est supérieure à celle de la productivité, et il diminue lorsque la croissance de la production est inférieure à la croissance de la productivité.

Il ne faut pas confondre perte d'emplois avec augmentation du chômage. Le chômage représente l'excédent de l'offre de travail sur la demande de travail. Il est donc possible d'affirmer que le chômage correspond à la différence entre la population active et l'emploi. Ainsi, le chômage augmente lorsque la hausse de la population active est supérieure à la création d'emplois et il diminue lorsque la croissance des emplois est supérieure à celle de la population active.

Récession ►
Voir p. 118

Croissance
économique ►
Voir p. 154

À partir de 1973, le chômage augmente fortement, car, en raison de la récession, la croissance économique est loin d'atteindre le seuil qui lui permettrait de dépasser suffisamment les gains de productivité et de créer ainsi assez d'emplois pour compenser la hausse toujours importante de la population active.

B Le marché du travail

L'analyse néoclassique du fonctionnement du marché du travail

L'école néoclassique se situe dans un univers de concurrence pure et parfaite. Dans cet univers, le bon déroulement des opérations économiques repose sur trois hypothèses :

– la première a trait à l'homogénéité du facteur travail : les compétences, les aptitudes ou les savoir-faire ne constituent pas des signes distinctifs entre les salariés ;

– la seconde est relative à la libre circulation de l'information : tout changement intervenu dans les conditions de production est porté immédiatement à la connaissance des agents concernés ;

– la troisième porte sur l'exigence de mobilité de la main-d'œuvre (changement de lieu, de profession, de secteur d'activité ou de catégorie sociale).

Sous ces conditions, et si, en outre, offreurs et demandeurs sont considérés comme des preneurs de prix, le *salaire d'équilibre* est le salaire déterminé par la rencontre de l'offre et de la demande de travail qui égalise les quantités offertes et demandées.

L'*offre de travail* correspond à la demande d'emploi qui émane des salariés. C'est une fonction croissante du salaire réel.

La *demande de travail* correspond à l'offre d'emploi qui émane des entreprises. C'est une fonction décroissante du salaire réel (*salaire réel* : pouvoir d'achat du salaire, que l'on obtient en divisant l'indice du *salaire nominal*, qui est le salaire à prix courant, par l'indice des prix).

◁ Indice
Voir p. 557

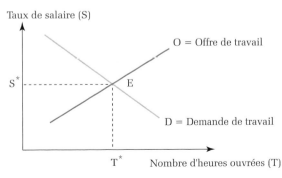

203

segment du marché du travail sur lequel les emplois sont stables, bien rémunérés, avec des possibilités de promotion et une syndicalisation relativement forte. Le *segment secondaire* est le segment du marché du travail sur lequel les emplois sont instables, mal payés, sans promotion, avec un taux de syndicalisation très faible. Cette théorie permet de comprendre pourquoi des travailleurs dont la productivité est identique reçoivent des rémunérations différentes selon qu'ils exercent leur activité dans un segment ou dans l'autre.

Le salaire d'efficience

Dans l'analyse néoclassique, la productivité est une donnée dépendant de la combinaison productive et de la quantité relative du facteur travail et le salaire résulte de l'offre et de la demande de travail.

En revanche, la théorie du *salaire d'efficience* considère que la productivité et le salaire sont interdépendants. Le salaire d'efficience est le salaire optimal qui offre la meilleure combinaison entre le coût du travail et sa productivité. Il est fixé par l'entreprise selon des critères hors-marché ; l'entreprise peut en effet avoir intérêt à opter pour un salaire plus élevé que le salaire d'équilibre.

La fixation d'un salaire supérieur à celui du marché peut être motivée par différentes raisons :

Turn-over ►
Voir p. 213

– fidéliser la main-d'œuvre afin de réduire le *turn-over*, qui a un coût non négligeable pour l'entreprise : coût de licenciement, coût d'embauche, coût de formation et coût d'adaptation ;

– motiver les salariés qui, reconnaissants envers l'entreprise, améliorent leur productivité ;

– attirer les salariés les plus productifs qui ont le *salaire de réservation* (salaire en dessous duquel les salariés refusent de travailler, compte tenu de la valeur – dépendant notamment de leur qualification et de leur productivité – à laquelle ils estiment leur travail) le plus élevé ;

– dissuader les individus de « tirer au flanc » car, s'ils sont démasqués et licenciés, la perte est plus importante.

L'entreprise a donc souvent intérêt à rémunérer ses salariés au-dessus du salaire d'équilibre. Ce phénomène risque de produire un excès d'offre de travail par rapport à la demande et de créer du chômage involontaire.

■ Une relation salariale institutionnalisée

Le salaire n'est pas réellement fixé sur un marché respectant les règles de la concurrence pure et parfaite. Le salaire n'est pas parfaitement flexible, car la relation salariale est en grande partie institutionnalisée. Les contrats de travail sont régis par la réglementation du travail et par les conventions collectives. Il n'est ainsi pas possible de baisser le salaire nominal de tous les salariés en cas d'un excédent de l'offre de travail sur la demande de travail. L'institutionnalisation de la relation de travail est d'ailleurs un enjeu majeur des relations professionnelles, résultant à la fois du conflit et de la coopération.

◄ Conflit
Voir p. 414
◄ Coopération
Voir p. 33

La théorie des contrats implicites explique comment ces contrats de travail peuvent être une source de rigidité des salaires.

Dans un système concurrentiel, l'équilibre se réalise par la variation des prix, qui fluctuent en fonction de la conjoncture. Pour la théorie des contrats implicites, la rigidité des salaires ne provient pas des syndicats ni du refus des salariés de travailler en dessous d'un certain niveau de salaire ; elle provient du *contrat implicite*, qui est un accord tacite entre les employés et les employeurs dans le but de limiter l'incertitude : craignant que leur salaire ne subisse les aléas de la conjoncture, les salariés attendent de l'entreprise qu'elle garantisse des salaires stables. Les employés acceptent un salaire réel en moyenne inférieur à celui, fortement variable, qui résulterait des seules forces du marché. Le salaire est alors rigide et différent du salaire d'équilibre.

◼C Les politiques pour l'emploi

■ La flexibilité du marché du travail

Le concept de flexibilité des prix désigne la libre variation des prix en fonction de l'offre et de la demande. La *flexibilité de l'emploi* et du travail est une forme de gestion de la main-d'œuvre permettant de faire en sorte que celle-ci s'ajuste rapidement aux modifications de la production.

La *flexibilité externe* est une situation où l'ajustement se fait par le recours au marché du travail externe à l'entreprise. Licenciements et appels à une main-d'œuvre temporaire sont alors à l'honneur. Lorsque la demande est instable, certaines modulations s'imposent, comme le recours à un contingent annuel d'heures supplémentaires, l'établissement de protocoles de compensation ou la constitution d'équipes de suppléance. L'utilisation d'un *contrat à durée déterminée* (contrat de travail comportant une limite temporelle par opposition au *contrat à durée indéterminée*, contrat qui ne prend fin qu'à la suite d'une volonté de rupture du travailleur ou en cas de faute grave remettant en cause les termes mêmes du contrat) joue le rôle d'amortisseur conjoncturel et permet de prévenir les situations de sureffectif. En tout cas, cette recherche de flexibilité externe débouche sur la *précarité du travail*, qui est le fait que l'emploi que possède un individu ne soit plus considéré comme un élément permanent, introduisant ainsi une incertitude face à l'avenir.

La *flexibilité interne* est une situation où l'ajustement se fait grâce à la formation et à l'organisation du travail. C'est l'éclatement des métiers et la parcellisation des tâches qui se trouvent remis en cause pour valoriser l'intégration des activités. Ainsi, le conducteur de la chaîne de montage devra-t-il veiller aussi à ce que les outillages soient en bon état, remplacer les conduites défectueuses et, éventuellement, maîtriser certains logiciels.

Parcellisation des tâches ▶ Voir p. 213

La flexibilité interne s'accompagne bien souvent d'une *individualisation des rémunérations*, politique salariale visant à remettre en cause les mesures d'indexation et de promotion à l'ancienneté pour responsabiliser le personnel, récompenser les plus méritants et lutter contre l'absentéisme. Cette politique passe par le versement de primes d'objectifs liées à la qualité des produits ou au volume des ventes.

La flexibilité interne se double également d'une flexibilité quantitative ou qualitative. La *flexibilité quantitative* consiste en la variation de l'effectif des salariés et/ou du nombre d'heures de travail en fonction des besoins de l'entreprise. La *flexibilité qualitative* consiste en l'adaptation des qualifications et l'organisation de la production aux évolutions de la demande.

D'autres changements organisationnels appartiennent au registre de la flexibilité :

– la *lean production*, ou production au plus juste : élimination des stocks, technique du « juste-à-temps » ;

Juste-à-temps ▶ Voir p. 215

– le *re-engineering*, ou reconfiguration : recherche de la réduction des coûts par l'émergence de nouveaux services internes s'appuyant sur les technologies de l'information et de la communication et permettant d'éviter l'emploi de cadres intermédiaires ;

– la **qualité totale**, opération ayant pour objectif la satisfaction complète du client et la chasse au gaspillage. Les cercles de qualité s'inscrivent dans cette perspective ;

◄ Cercle de qualité
Voir p. 215

– l'usine automatisée regroupe des machines-outils à commandes numériques, un système de manutention programmable (convoyeurs) et un ordinateur pour piloter l'ensemble. La construction automobile en est une parfaite illustration. Réglage, fixation ou soudure sont confiés à des « systèmes experts » capables de contrôler simultanément plusieurs processus.

Tous ces changements s'inscrivent dans des modèles nationaux bien typés que les chercheurs nomment « faits stylisés ».

Le **modèle scandinave** est un modèle de gestion des relations professionnelles qui accorde une place importante à l'apprentissage et à la polyvalence ; des organismes paritaires sont chargés de veiller au respect des réglementations et au maintien des acquis de la période précédente.

Le **modèle allemand** est un modèle de gestion des relations professionnelles proche du modèle scandinave ; il repose sur la cogestion, à savoir la gestion exercée par le chef d'entreprise avec la participation des travailleurs salariés.

Le **modèle américain** est un modèle de gestion des relations professionnelles qui pratique une flexibilité négociée ; les accords Saturn en sont l'exemple type. Au début des années 1980, pour rivaliser avec la concurrence japonaise, General Motors fait état d'une « totale coopération » entre direction et représentants du personnel. L'amélioration des rendements implique une redéfinition des tâches et une refonte du système de rémunération. En contrepartie, les travailleurs mis à pied sont rappelés en priorité et bénéficient d'une meilleure protection.

Le **modèle japonais** (ou **modèle J**) est un modèle de gestion des relations professionnelles qui privilégie les transferts de poste ou d'établissement, le recours à une main-d'œuvre saisonnière, des promotions attribuées sur des compétences et des qualifications dûment reconnues et non plus seulement selon des critères d'ancienneté ; les compromis s'établissent de manière décentralisée et la formation, ainsi que la qualification, sont internalisées à l'entreprise (alors que les compromis s'élaborent de manière centralisée dans le modèle scandinave et que la formation et la qualification sont externalisées dans le modèle américain).

◄ Qualification
Voir p. 196

■ Les dépenses pour l'emploi

La *dépense pour l'emploi* est la mesure de l'effort que fait la nation pour lutter contre le chômage. Cette dépense se compose de dépenses dites passives et de dépenses dites actives.

• Les *dépenses actives* sont des dépenses pour l'emploi qui ont pour but d'obtenir une croissance plus riche en emplois en créant des conditions favorables à l'utilisation du facteur travail. Elles peuvent prendre l'aspect de la création d'emplois publics. D'une manière plus générale et moins directe, elles englobent toutes les actions qui donnent lieu à des aides (subventions, exonérations fiscales…) pour maintenir ou créer des emplois ; ces actions peuvent viser les catégories les plus touchées par le chômage, comme les jeunes ou les chômeurs de longue durée. Un *chômeur de longue durée* est une personne privée d'emploi depuis plus d'un an. Les dépenses actives recouvrent aussi les mesures qui visent à rendre le marché du travail plus flexible, soit en améliorant la *flexibilité réglementaire* (actions qui consistent à rendre le cadre législatif plus souple, par exemple en supprimant l'autorisation administrative de licenciement), soit par des dispositions plus radicales de suppression du salaire minimum ou de remise en cause du pouvoir syndical (par exemple, la Grande-Bretagne).

Enfin, les politiques de formation sont également un volet important de ces dépenses. Elles ont pour finalité d'adapter la main-d'œuvre aux besoins de l'appareil productif en luttant contre le *chômage de reconversion* (chômage lié aux restructurations des entreprises) et le *chômage d'insertion* (chômage propre aux moins de 25 ans, auxquels il s'agit d'assurer un minimum de qualification qui n'a pu être obtenu dans le cadre du système éducatif). La dernière catégorie est le *chômage d'exclusion* (chômage qui s'accompagne d'une exclusion durable, voire définitive, du marché de l'emploi). Il concerne les travailleurs les plus âgés et se traite plutôt par des mesures de garantie de ressources qui relèvent de l'autre grande catégorie de dépenses pour l'emploi que sont les dépenses passives.

• Les *dépenses passives* sont des dépenses pour l'emploi qui ont pour but de réduire l'offre de travail, soit en diminuant le nombre d'actifs, soit en partageant l'emploi. Pour réduire le nombre d'actifs, on pourra abaisser l'âge de la retraite, inciter les femmes à rester au foyer ou les jeunes à prolonger leurs études, distribuer des aides

Chômage ►
Voir p. 132

Offre de travail ►
Voir p. 203

pour le retour des immigrés dans leur pays d'origine. Le partage du travail prend la forme de la *réduction du temps de travail (RTT)*, ensemble de mesures qui consistent à employer plus de personnes avec le même nombre d'heures ouvrées.

Les modalités sont très différentes. Aux deux extrêmes, on opposera la modalité libérale, qui vise à promouvoir le temps partiel librement choisi, et la modalité organisée collectivement dans le cadre de la loi, comme celle sur les 35 heures en France. En ce qui concerne cette dernière, il est difficile de mesurer l'impact d'une telle disposition juridique sur l'économie. En effet, la création d'emplois n'est jamais la résultante mécanique de l'apparition d'heures disponibles. D'une part, la baisse du temps de travail peut s'accompagner de gains de productivité qui compensent la réduction effectuée ; d'autre part, tout dépend de la manière dont on traite la question de la compensation salariale (maintien de la rémunération à un niveau identique avec moins d'heures de travail, ou diminution de cette rémunération dans une proportion moindre de la RTT envisagée). La compensation salariale intégrale pèse lourdement sur les entreprises, qui voient leurs coûts de production augmenter. Une compensation partielle réduit le pouvoir d'achat et présente donc l'inconvénient d'être assez impopulaire.

◄ Productivité
Voir p. 25

◄ Pouvoir d'achat
Voir p. 42

Depuis le début des années 1970, les politiques d'emploi ont fortement évolué. Alors qu'au départ les mesures étaient essentiellement passives et s'intégraient dans une vision conjoncturelle de la crise, on s'est orienté progressivement vers un recentrage sur des « publics ciblés », à savoir les jeunes et les chômeurs de longue durée.

D L'organisation du travail

L'organisation du travail fait référence aux différentes méthodes mises en place dans les organisations pour accroître l'efficacité des travailleurs.

■ L'organisation scientifique du travail

Depuis ses débuts, le capitalisme expérimente le travail en groupe autour de l'idée de division du travail que l'on attribue à A. Smith (1723-1790) dans son ouvrage fondateur de l'économie politique, *La Richesse des nations* (1776). Dans un exemple célèbre,

◄ Smith
Voir p. 515

A. Smith montre que l'on peut accroître massivement la production d'épingles d'une manufacture en spécialisant les travailleurs dans les différentes étapes de la fabrication et en les faisant travailler séparément.

La **division du travail** est ainsi une décomposition du processus de production en un certain nombre de tâches partielles, qui s'accompagne de spécialisation si ces tâches partielles sont confiées à des personnes différentes.

La **division technique du travail** fait référence à la décomposition de l'opération de production en tâches limitées et complémentaires. La **division professionnelle du travail** évoque la spécialisation par grands corps de métiers. La division sociale du travail met l'accent sur la différenciation des activités au sein de la société, sur la séparation ville/campagne ou encore sur une partition reposant sur des critères biologiques (l'âge, le sexe).

Division sociale du travail ▶ Voir p. 90

Deux auteurs importants se sont intéressés au travail vers 1900 : l'Américain F. Taylor et le Français H. Fayol.

Frederick Winslow Taylor (1856-1925), ingénieur et économiste américain, est le père du **taylorisme**, méthode de production qui a pour but d'augmenter le rendement des ouvriers en appliquant l'organisation scientifique du travail.

Il a énoncé les principes de l'*organisation scientifique du travail*, soit l'étude méthodique des gestes des travailleurs dans la perspective de leur rationalisation. Leurs gestes ne reposent plus sur la tradition, ni sur la transmission d'un savoir-faire et d'une expérience accumulés (*La Direction scientifique des entreprises*, 1910).

Cette rationalisation repose sur un approfondissement des divisions horizontale et verticale du travail :

– la **division horizontale du travail** consiste en l'attribution à chaque travailleur de quelques opérations bien délimitées après une analyse scientifique des gestes, des temps et des pauses par le **bureau des méthodes**, bureau qui rassemble des experts en organisation, chargés d'analyser et de préparer le travail. Ils déterminent « **the one best way** », une norme de gestes productifs qui seront ensuite enseignés aux travailleurs et dont ils ne devront pas s'écarter ;

– la **division verticale du travail** consiste en la séparation du travail de conception (effectué par le bureau des méthodes) du travail d'exécution. Cela permet une plus grande efficacité des ouvriers, qui ont pour seule mission de se concentrer sur l'exécution de quelques gestes simples. On aboutit ainsi à une division du travail selon les aptitudes de chacun (*the right man in the right place*).

La **parcellisation des tâches** (ou encore le **travail en miettes**, selon l'expression chère à Friedmann) exprime ce mouvement où chaque ouvrier se voit confier une ou quelques tâches simples et au terme duquel il perd la vision d'ensemble de l'acte productif.

L'application stricte des principes de Taylor conduit à instaurer un **salaire aux pièces**, salaire directement lié au rendement de chacun.

Le fordisme, approfondissement du taylorisme, doit son nom à **Henry Ford** (1863-1947), industriel américain pionnier de l'automobile.

Le **fordisme** désigne une méthode d'organisation du travail qui prolonge le taylorisme par l'introduction du convoyeur (tapis roulant) et de la standardisation des produits. Le convoyeur est une innovation capitale parce qu'il renforce le contrôle sur l'ouvrier (le chronométrage n'est plus nécessaire). Le fordisme a aussi pour corollaire la **standardisation**, c'est-à-dire la fixation de normes rigoureuses pour la fabrication de produits ou de leurs composants, qui deviennent ainsi tous identiques.

Le terme **fordisme** désigne aussi un système économique et social qui associe une production de masse à une politique de salaires élevés. Ainsi, le **Five Dollars Day**, journée de travail rémunérée à 5 dollars, que Ford accorde à ses ouvriers, représente une progression considérable des rémunérations pour l'époque et a pour effet immédiat de baisser le taux de **turn-over**, c'est-à-dire le rapport entre le nombre de salariés quittant l'entreprise au cours d'une période et l'effectif total.

◄ Production de masse
Voir p. 213

Mais cette augmentation des salaires permet surtout de relier le phénomène naissant de la **production de masse** (production en grande série d'objets standardisés, ce qui diminue leur coût de production) avec celui de la **consommation de masse** (consommation destinée au plus grand nombre qui a accès à un volume de biens et de services dépassant largement le niveau de subsistance). Elle est rendue possible par l'augmentation du pouvoir d'achat, symbolisée par la progression du taux d'équipement des ménages en bien durables au cours des Trente Glorieuses.

Henri Fayol (1841-1925) est un ingénieur français, dont l'originalité de la doctrine est de mettre l'accent sur l'organisation administrative générale ainsi que sur le rôle des bureaux.

On le considère aujourd'hui comme le principal fondateur de l'école française d'organisation des entreprises. Il constate que, dans toute entreprise importante, les diverses fonctions se cantonnent à six rubriques essentielles : la fonction technique, la fonction commerciale, la fonction financière, la fonction de sécurité, la fonction de comptabilité et la fonction d'administration. À ces grandes fonctions doivent correspondre les capacités des employés. Par exemple, la capacité technique du directeur n'occupe que 10 % de son registre d'activités alors qu'elle est de 85 % chez l'ouvrier. Par ailleurs, Fayol insiste beaucoup sur le principe d'*unicité du commandement* : principe introduisant un pôle d'autorité, une structure de commandement clairement identifiée, malgré la spécialisation des tâches, quitte à déléguer les fonctions considérées comme subalternes.

Si Taylor insiste bien sur l'intérêt commun des deux parties, l'apparition du taylorisme dans les entreprises a engendré des conséquences bien différentes : émergence de travailleurs non qualifiés, faiblesse des rémunérations, remise en cause des syndicats. Peu à peu, c'est l'*ouvrier de métier* (ouvrier compétent dont les qualifications sont reconnues, souvent syndiqué et organisé) qui est évincé au profit d'une recrue moins qualifiée, plus malléable, donc aussi moins chère.

■ Les nouvelles formes d'organisation du travail

L'*école des relations humaines* (conduite par E. Mayo) est une école qui met à jour l'importance des relations sociales au sein des organisations et ses effets sur la production. Elle invite à considérer l'être humain non seulement comme une « main », mais aussi comme un « cœur ». Cette réflexion fut élaborée à l'usine Hawthorne dans les années 1920, usine qui produisait du matériel téléphonique.

Productivité ►
Voir p. 25

Les chercheurs avaient fait l'hypothèse qu'une amélioration des conditions d'éclairage des ateliers devait se traduire par une amélioration de la productivité. Or, à leur grande surprise, ils constatèrent que la productivité augmentait tout le temps, même lorsque les conditions de travail restaient inchangées. On mit ainsi en évidence, pour la première fois, l'*effet Hawthorne*, qui établit le lien entre l'intérêt de la direction pour les salariés et l'amélioration de la productivité. Chaque entreprise est un système social et le climat, la culture qui règnent au sein des ateliers jouent un rôle important dans la détermination de la contribution productive de chacun.

L'école des relations humaines a connu des prolongements chez de nombreux psychosociologues américains. S'il ne faut en citer qu'un, on retiendra le nom de Maslow (1908-1970) et de la pyramide qui porte son nom. La *pyramide de Maslow* est représentée sous la forme d'un cône dans lequel les besoins de l'être humain se hiérarchisent de l'inférieur au supérieur : l'individu n'a de préoccupations supérieures que lorsque les étages inférieurs sont satisfaits. On va ainsi progressivement des besoins purement physiologiques aux besoins de réalisation de soi, en passant par les besoins de sécurité, puis les besoins proprement sociaux de reconnaissance des autres.

Parmi les *nouvelles formes d'organisation du travail*, qui sont des méthodes de production qui enrichissent le travail humain pour remédier aux inconvénients liés à la parcellisation des tâches, on retiendra :

– la *rotation des postes* : technique qui consiste à rendre les opérateurs interchangeables pour rompre la monotonie ;

– l'*élargissement des tâches* : regroupement d'opérations élémentaires jusque-là ventilées sur plusieurs personnes ;

– l'*enrichissement des tâches* : adjonction de tâches plus intéressantes par rapport à la mission traditionnellement dévolue à l'opérateur (par exemple, tâches d'entretien de machines qui viennent s'ajouter à des tâches de fabrication) ;

– les *équipes semi-autonomes* : groupe de travailleurs dépourvu de responsabilité hiérarchique immédiate qui organise le travail en le répartissant entre ses membres ;

– les *cercles de qualité* : quelques salariés analysent un problème rencontré en situation professionnelle et déterminent une solution, encadrés par un membre de la hiérarchie et aidés dans leur mission par un « facilitateur ».

Le *toyotisme* est une nouvelle forme d'organisation du travail, inventée par T. Ohno (ingénieur puis vice-président de la société Toyota dans les années 1950) qui met en œuvre le *kan-ban*. Le *kan-ban* est une méthode de production dans laquelle l'aval, la demande du client, pilote la production, strictement limitée aux quantités requises. Cette méthode de production inverse la régulation habituelle de l'entreprise. Dans ces conditions, chaque poste reçoit des consignes très précises pour produire exactement de qu'il faut ; c'est la *méthode du « juste-à-temps »*, méthode de fabrication des produits uniquement lorsque le client a besoin d'être livré. Cette voie japonaise, qui s'oppose à la recherche de débouchés pour la production de masse dans le cadre du fordisme, énonce cinq principes : zéro défaut, zéro délai, zéro panne, zéro papier, zéro stock. Ce système s'accompagne aussi d'une plus grande polyvalence des opérateurs.

Le *post-taylorisme* est l'organisation du travail dans laquelle le salarié est plus autonome et plus qualifié que dans le cadre du taylorisme. On distinguera cette expression de celle de néo-taylorisme, qui affirme que les nouvelles organisations ne font que reproduire l'asservissement des travailleurs sous d'autres formes.

12

ÉCONOMIE ET DÉMOGRAPHIE

A Éléments de démographie

■ Les indicateurs démographiques

La mesure de l'évolution de la population nécessite l'élaboration d'outils et d'indicateurs pertinents.

Le *solde naturel* (ou *excédent naturel*) est la différence entre le nombre de naissances et le nombre de décès enregistrés au cours d'une période.

Le *taux d'accroissement naturel* pendant une période est le rapport de l'excédent naturel à la population de cette période (il est généralement exprimé en pour mille). Il est aussi égal à la différence entre le taux de natalité et le taux de mortalité.

Le *solde migratoire* est la différence entre le nombre d'immigrants et le nombre d'émigrants enregistrés au cours d'une période.

Le *solde démographique* mesure la variation d'une population durant une période donnée. Il est égal à la somme des soldes naturel et migratoire. La *croissance démographique* correspond à l'augmentation du solde démographique.

Les indicateurs relatifs aux décès

Population totale ►
Voir p. 195

Structure par âge ►
Voir p. 219

Le *taux de mortalité* est le nombre de décès pendant une année rapporté à la population totale (il est exprimé généralement en pour mille). Il ne tient pas compte de la structure par âge de la population. On élimine le biais dû au vieillissement en construisant le *quotient de mortalité par âge* : c'est le nombre de décès à l'âge i rapporté à la population de cet âge au début de l'année. Le quotient de mortalité par âge suit une courbe en U : la mortalité par âge diminue de la naissance jusque vers l'âge de 10-12 ans, puis augmente de nouveau. Il existe un grand nombre (une centaine) de quotients. L'*espérance de vie* (sous-entendue à la naissance ou à l'âge x) est la durée de vie moyenne probable d'une génération fictive de nouveau-nés ou de personnes ayant l'âge x. On la calcule en appliquant à une génération les quotients de mortalité par âge actuels.

Génération fictive ►
Voir p. 14

La *mortalité infantile* est la mortalité des enfants de moins d'un an.

Les indicateurs relatifs aux naissances

Le **taux de natalité** correspond au nombre de naissances pendant une année rapporté à la population totale (il est exprimé généralement en pour mille). Cet indicateur ne tient pas compte des caractéristiques par âge et par sexe de la population dont sont issues les naissances. Pour corriger le taux de natalité, on calcule le **taux de fécondité général**, qui est le rapport du nombre de naissances vivantes au cours d'une période (en général l'année) à la population de femmes en âge d'être fécondes (de 15 à 49 ans). Ce taux laisse subsister le biais induit par la structure par âge au sein de la population. Il faut donc à son tour le corriger en calculant le **taux de fécondité par âge**, qui correspond au nombre de naissances engendrées par les femmes d'un même âge, rapporté à l'effectif des femmes de cet âge. Mais le grand nombre de taux de fécondité selon l'âge (49 − 15 = 34) ne permet pas une vision synthétique du comportement de toutes les femmes en âge de procréer. C'est pourquoi on utilise l'indicateur synthétique de fécondité (**indicateur conjoncturel de fécondité** ou **somme des naissances réduites**), qui est la somme des taux de fécondité par âge. Il indique le nombre moyen d'enfants que mettrait au monde chaque femme d'une génération fictive dont le comportement procréateur serait, à chaque âge, égal à celui observé durant l'année considérée.

La **descendance finale** mesure le nombre d'enfants effectivement mis au monde par une génération de femmes. Elle se calcule comme la somme des taux de fécondité par âge de la génération. Cet indicateur (contrairement à l'indicateur conjoncturel de fécondité) ne peut se calculer qu'une fois que la vie féconde de la génération étudiée est achevée.

La structure de la population par âge et par sexe :
la pyramide des âges

La **structure par âge** (composition d'une population selon un critère d'âge) affecte la natalité et la mortalité dans un pays donné, donc le taux d'accroissement de la population. Une population dans laquelle les jeunes représentent une tranche d'âge importante par rapport à l'effectif total a un taux de natalité supérieur à celui d'une population vieillissante, même si chaque femme en âge de procréer n'a pas plus d'enfants. Le taux de mortalité a tendance à être plus élevé si les personnes âgées représentent une proportion importante de la population totale.

◁ Taux de mortalité
Voir p. 218

■ Structures démographiques et relation épargne-investissement

Croissance
économique ►
Voir p. 154
Investissement ►
Voir p. 139

La croissance économique d'une nation est notamment liée à son effort d'investissement, donc au niveau d'épargne réalisée. Les transformations démographiques peuvent alors avoir des conséquences en termes de croissance économique : une forte croissance démographique favorise l'épargne, qui favorise l'investissement, qui favorise la croissance.

La dynamique démographique est aussi un des éléments d'explication des flux de capitaux dans le monde, en raison des déséquilibres entre épargne et investissement qu'elle peut provoquer.

Équilibre emplois-
ressources ►
Voir p. 130

L'équilibre emplois-ressources permet de mettre en évidence le lien entre le niveau d'épargne d'une économie et le solde extérieur. En effet, puisque (en faisant abstraction de la variation des stocks) :

Production = Consommation + Investissement + Solde extérieur

et que, la production donnant lieu à la distribution de revenus d'un même montant : Production = Revenu ;

et que :
Revenu = Consommation + Épargne

on peut noter :
Consommation + Épargne = Consommation + Investissement + Solde extérieur

Solde extérieur = Épargne – Investissement

Si le solde extérieur est négatif, le déficit signifie que le pays consomme et investit plus qu'il ne produit. Cela révèle une insuffisance d'épargne dans l'économie nationale, ce qui nécessite une entrée de capitaux étrangers. Au contraire, si le solde extérieur est positif, l'excédent signifie que le pays produit plus qu'il ne consomme et investit. Cela révèle un surplus d'épargne dans l'économie nationale, qui induit une sortie de capitaux destinés à financer des économies étrangères en besoin de financement.

Transactions
courantes ►
Voir p. 310

Les déséquilibres internationaux des transactions courantes peuvent donc s'analyser comme le résultat de déséquilibres entre épargne et investissement dus en partie à la dynamique démographique.

C Dynamique démographique et financement de la protection sociale

■ Le financement des retraites

Le problème du vieillissement

Le **vieillissement démographique** désigne l'augmentation de la part des personnes âgées dans l'ensemble d'une population. Une population vieillit de deux façons : soit par la baisse de la natalité, soit par l'augmentation de l'espérance de vie. On peut calculer le *rapport actifs/inactifs* (rapport entre le nombre d'individus actifs et le nombre d'individus inactifs), mais l'indicateur le plus approprié pour mesurer les enjeux du vieillissement démographique est le *ratio de dépendance*, qui est le rapport entre les inactifs âgés (plus de 65 ans) et les classes d'âge d'actifs potentiels (15-64 ans).

◄ **Actifs**
Voir p. 194

◄ **Inactifs**
Voir p. 194

Le vieillissement de la population présente des risques :
– un manque de dynamisme de l'économie : une population qui vieillit risque d'être moins favorable au changement et à l'innovation ;
– un risque financier pour la protection sociale : le vieillissement affecte le financement des régimes de retraites (la *retraite* est la situation d'une personne qui, en raison de son âge, n'est plus active et reçoit une pension).

Le risque du vieillissement de la population ne doit toutefois pas être surévalué. Il faut distinguer l'effet d'âge (le comportement des individus est fonction de leur âge) et l'effet de génération (le comportement des individus est fonction de l'époque à laquelle vit leur génération). En effet, rien ne permet de penser que les comportements des personnes âgées futures seront identiques à ceux des personnes âgées passées ou présentes. On peut imaginer, au contraire, que les générations nées dans une société de consommation et ayant adopté ses valeurs conserveront leur dynamisme, notamment celui de leur consommation.

◄ **Effet d'âge**
Voir p. 382

◄ **Effet de génération**
Voir p. 382

◄ **Société de consommation**
Voir p. 49

Les régimes de retraite

Le régime principal des retraites en France est le régime par répartition, appelé aussi régime par redistribution. Le principe de ce système est basé sur la solidarité : les actifs cotisent pour les retraités.

◄ **Retraite par répartition**
Voir p. 253

Ratio de
dépendance ▶
Voir p. 223

Le système par répartition a bien fonctionné pendant les Trente Glorieuses ; d'une part, le ratio de dépendance était favorable et, d'autre part, l'activité croissante des femmes et l'immigration ont permis d'augmenter le nombre de cotisants. Mais la dégradation du ratio de dépendance semble mettre en cause ce système : le nombre de prestataires devient trop important par rapport au nombre de cotisants.

Pour faire face à cette situation, différents plans gouvernementaux vont dans le sens d'une augmentation des cotisations afin de maintenir le pouvoir d'achat des retraites, d'une augmentation du nombre d'années de cotisation, donc d'un recul de l'âge moyen de la retraite et/ou d'une diminution du *taux de remplacement* (c'est-à-dire le pourcentage du revenu d'activité qui est perçu une fois arrivé à la retraite).

Régime de
retraite par
capitalisation ▶
Voir p. 253

Une autre solution serait la substitution partielle ou totale d'un nouveau régime de retraite par capitalisation au régime par répartition. Le système par capitalisation est un système dans lequel chaque actif cotise pour sa propre retraite ; les cotisations représentent une forme d'épargne que des fonds de pension placent et font fructifier. Chaque actif cotisant pour sa propre retraite, ce système n'est pas dépendant des variations démographiques, mais l'épargne placée n'est pas à l'abri des crises financières.

■ La gestion des systèmes de santé

Le système de protection sociale est victime de son succès. Les dépenses de santé ont tendance à augmenter en raison de plusieurs facteurs :

– la généralisation et l'amélioration de la couverture des soins ;

Collectivité
locale ▶
Voir p. 463

– le coût croissant des soins médicaux (notamment de l'imagerie médicale) ;

Asymétrie
d'information ▶
Voir p. 71

– la logique des acteurs : les médecins, dont les revenus dépendent du nombre de consultations, les malades, qui exigent les soins les meilleurs, et les collectivités locales, qui espèrent des infrastructures hospitalières modernes et efficientes ;

Sélection
adverse ▶
Voir p. 71

– le vieillissement de la population.

Aléa moral ▶
Voir p. 71

Les asymétries d'information expliquent aussi certaines difficultés auxquelles se heurtent les systèmes de santé ; ainsi, des problèmes de sélection adverse et d'aléa moral peuvent nuire à leur efficacité :

• La sélection adverse joue dans le cas des systèmes privés d'assurance maladie (assurances privées et mutuelles). Certains assurés ont un risque maladie élevé alors que d'autres ont une probabilité plus faible de tomber malade. Lorsque les assurés connaissent leur potentiel de risque, mais pas les assureurs, on est dans une situation d'information asymétrique qui peut provoquer des effets négatifs importants. Ne pouvant discriminer les assurés à faible risque des assurés à haut risque, l'entreprise d'assurance fixe une prime moyenne qui est supérieure à celle que devraient payer les agents à faible risque ; ces derniers peuvent alors préférer ne plus s'assurer ou changer de compagnie d'assurance. Progressivement, l'entreprise d'assurance sélectionne involontairement les assurés à moyen et haut risque, ce qui la conduit à augmenter encore davantage ses primes et fait fuir, à leur tour, les assurés à moyen risque. L'entreprise ou la mutuelle ne sélectionne alors que des agents à risque élevé et peut même être amenée à devoir cesser son activité.

◄ Assurance
Voir p. 438
◄ Mutuelle
Voir p. 36

• Les systèmes de santé sont parfois fragilisés par un autre volet de l'information asymétrique : l'aléa moral. D'une part, le contrat d'assurance maladie peut avoir un effet négatif sur les incitations individuelles si, se sachant protégés, les individus adoptent des comportements risqués. D'autre part, les acteurs de la santé peuvent être tentés de prescrire davantage de soins dans le but d'augmenter leur revenu ou leur chiffre d'affaires.

◄ Incitation
Voir p. 126
◄ Chiffre
d'affaires
Voir p. 31

Dans un tel contexte, la maîtrise des dépenses de soins devient particulièrement difficile et il importe de faire en sorte que les asymétries d'information ne perturbent pas le fonctionnement du système. Il peut s'agir de laisser une partie des frais de santé à la charge des assurés (ticket modérateur ou forfait hospitalier, par exemple) ; par ailleurs, les systèmes d'assurance privés vont chercher à obtenir le maximum d'information sur chaque assuré afin de connaître leur niveau de risque et d'adapter les primes qu'ils leur demandent. Cela pose toutefois de véritables problèmes de solidarité et peut rendre nécessaire, dans un souci d'équité, une régulation publique. Il s'agit, pour les pouvoirs publics, de concilier les impératifs de solidarité, de justice sociale et de maîtrise des coûts de la santé.

◄ Équité
Voir p. 433
◄ Justice sociale
Voir p. 436

13

L'ACTION ÉCONOMIQUE ET SOCIALE DES POUVOIRS PUBLICS

A **La croissance des dépenses publiques**

- Les facteurs d'accroissement des dépenses publiques
- Les politiques économiques et sociales des pouvoirs publics

B **Les politiques économiques conjoncturelles**

- Politiques de relance et politiques d'austérité
- Les politiques monétaires
- Les politiques budgétaires
- Le *policy mix*

C **Les politiques structurelles**

- Les politiques économiques structurelles
- Les politiques sociales

D **Des débats théoriques suscités par l'intervention de l'État dans l'économie**

- Les trois fonctions de l'État dans une économie de marché
- La modélisation de la fonction de régulation de l'État depuis Keynes
- L'intervention de l'État dans l'économie est critiquée

Pouvoir
politique ▶
Voir p. 442

Union
européenne ▶
Voir p. 197

Collectivité
locale ▶
Voir p. 463

Les **pouvoirs publics** sont les autorités publiques détenant, à différents niveaux, le pouvoir politique :

– au niveau supranational, il s'agit des institutions, auxquelles les États ont délégué leur souveraineté dans certains domaines (par exemple, les institutions de l'Union européenne) ;

– au niveau national, il s'agit de l'État ;

– au niveau local, il s'agit des collectivités locales.

Par conséquent, les pouvoirs publics correspondent aux autorités publiques supranationales, à l'État et aux collectivités locales.

A La croissance des dépenses publiques

Depuis deux siècles, dans les pays développés, l'action économique et sociale des pouvoirs publics a induit la croissance quasi continue des **dépenses publiques** (dépenses engagées par les administrations publiques) et de leur part dans le PIB de ces pays.

Les administrations publiques constituent un secteur institutionnel de la comptabilité nationale qui regroupe les administrations centrales, les administrations locales (collectivités locales) et les administrations chargées de la protection sociale, c'est-à-dire la prise en charge par les pouvoirs publics des conséquences pour les individus de certaines situations pénalisantes (maladie, vieillesse, maternité, accidents du travail, perte d'emploi…).

Pour la comptabilité nationale, ce secteur institutionnel représente l'État. Une conception plus restrictive assimile l'État aux administrations centrales.

■ Les facteurs d'accroissement des dépenses publiques

L'accroissement des dépenses publiques depuis deux siècles relève de plusieurs facteurs :

• Pour l'économiste allemand Adolf Wagner (1835-1917), l'accroissement des dépenses publiques proviennent de la complexité croissante de la société. La **loi de Wagner** (ou **loi d'extension croissante de l'activité publique**) est un principe énoncé à la fin du XIXᵉ siècle par Adolf Wagner, qui stipule que la part de l'État dans l'économie (part des dépenses publiques dans le produit national) augmente avec le niveau de développement industriel des pays. La croissance des dépenses publiques est notamment due à l'urbanisation, à l'augmentation de la population, à l'élévation du niveau de vie, à la nécessité de financer des investissements en infrastructures…

• D'autres auteurs soutiennent que la croissance des dépenses publiques intervient au cours de périodes de crises graves, de guerres… Un *effet de cliquet* (phénomène de rigidité à la baisse) empêche tout retour en arrière au cours des périodes plus calmes. En effet, les citoyens s'accoutument au niveau plus élevé des prélèvements obligatoires, notamment parce que les dépenses publiques leur profitent.

◄ Prélèvements obligatoires
Voir p. 236

• Pour les auteurs marxistes, l'intervention des pouvoirs publics est commandée par les intérêts de la classe capitaliste : sans l'État qui socialise les coûts (financement, au profit des entreprises, des équipements collectifs nécessaires à l'activité économique, distribution de subventions, aides à la recherche-développement…), le capitalisme s'effondrerait du fait de la baisse tendancielle des taux de profit.

◄ Recherche-développement
Voir p. 140

• Pour les économistes libéraux du *public choice*, la croissance des dépenses publiques tient au fait que les hommes politiques ont tout intérêt à répondre favorablement aux demandes d'interventions publiques des groupes de pression qui défendent leurs propres intérêts. Le coût de l'intervention est réparti sur l'ensemble des contribuables : il est donc minime en regard des gains dont bénéficient les membres des groupes de pression. Ainsi, ceux-ci vont agir pour faire croître les dépenses publiques, la population ne s'y opposant que faiblement.

Par ailleurs, la croissance des dépenses publiques traduit les transformations de la conception des missions de l'État (entendu au sens large de la comptabilité nationale) :

L'*État-gendarme* (ou *État minimal*) est un État dont le champ d'action est limité aux fonctions régaliennes : assurer la sécurité intérieure et extérieure du pays, l'économie étant régulée par les mécanismes de marché ; cette conception de l'État est développée par le courant libéral depuis Adam Smith.

◄ Smith
Voir p. 515

Cependant, de nombreux auteurs libéraux admettent que l'État (ou les collectivités locales) puisse dépasser le champ limité de ses fonctions régaliennes. Ainsi, pour Adam Smith, il doit également prendre en charge certaines activités (infrastructures, éducation de base…) délaissées par le secteur privé faute d'une rentabilité suffisante et pourtant nécessaire au bon fonctionnement de l'économie.

L'*État-providence* est, au sens large, un État dont le champ d'action, dans une économie de marché, dépasse celui de l'État-gendarme, car il intervient largement dans les domaines économique et social. Cette conception de l'État est développée par le courant keynésien. L'État-providence est, au sens strict, la traduction de l'expression **Welfare State** qui désigne l'ensemble des interventions de l'État dans le domaine social. Cette conception est notamment exposée par William Henry Beveridge.

William Henry Beveridge (1879-1963) est un homme politique anglais considéré comme le fondateur du Welfare State. Au cours de la Deuxième Guerre mondiale, il est chargé par le gouvernement britannique de diriger le comité interministériel qui élabore le célèbre rapport Beveridge, créant le premier système moderne d'assurances sociales. Son œuvre, d'inspiration keynésienne, a pour objectif de concilier l'économique et le social. Il a notamment publié *Social Insurance and Allied Services* (1942) et *Du travail pour tous dans une société libre* (1944).

L'État-providence (au sens large) est l'une des modalités du **dirigisme** (ou **interventionnisme**), doctrine conférant à l'État une fonction de contrôle de l'activité économique sans pour autant faire disparaître la régulation par le marché. Cette doctrine promeut l'*économie mixte*, qui est une organisation économique caractérisée par la coexistence d'une régulation par le marché et des interventions, parfois très larges, de l'État. La *régulation* est un ensemble de mécanismes qui permettent d'ajuster l'offre et la demande sur les différents marchés. La régulation peut être fondée sur les mécanismes de marché (flexibilité des prix) ou être étatique : dans ce cas, l'État intervient dans l'économie pour rétablir les déséquilibres.

À partir des années 1970, l'État-providence connaît une crise. La **crise de l'État-providence** désigne, selon Pierre Rosanvallon, la conjonction de trois types de difficultés auxquelles sont confrontés les pouvoirs publics : une moindre efficacité de leurs interventions, un financement plus problématique des dépenses publiques et une perte de légitimité de l'interventionnisme.

■ Les politiques économiques et sociales des pouvoirs publics

Les pouvoirs publics élaborent des *politiques publiques* c'est-à-dire un ensemble de mesures destinées à atteindre des objectifs d'intérêt public dans un domaine particulier de la société (par exemple, la santé, l'éducation, l'aménagement du territoire…).

Les politiques publiques résultent de l'interaction de divers acteurs qui se mobilisent pour faire émerger certains problèmes et des solutions susceptibles de les résoudre. Mais pour qu'un problème fasse l'objet d'une politique publique il doit être inscrit à l'*agenda politique* (mise à l'ordre du jour d'un problème et des solutions envisagées pour le résoudre). Dans une société démocratique, le contrôle de l'agenda politique est un enjeu essentiel pour les acteurs sociaux (gouvernement, partis politiques, associations, intellectuels…) qui rivalisent pour faire valoir leurs points de vue et proposer des réformes.

Au sein des politiques publiques, qui couvrent un large domaine d'interventions publiques, il est courant de singulariser les politiques économiques et sociales des pouvoirs publics. Une *politique économique* est l'ensemble des mesures décidées par les pouvoirs publics destinées à atteindre des objectifs se rapportant à la situation économique d'un pays. Une *politique sociale* est l'ensemble des mesures prises par les pouvoirs publics pour cantonner ou réduire les inégalités dans des limites socialement acceptables, et pour garantir à la population l'accès aux biens et aux services jugés indispensables.

Les politiques économiques peuvent être conjoncturelles ou structurelles :

• Une *politique économique conjoncturelle* (ou *politique de régulation*) est une politique économique mise en œuvre par les pouvoirs publics pour agir à court terme sur l'activité économique d'un pays et atteindre des objectifs jugés souhaitables (plein-emploi, stabilité des prix, équilibre de la balance commerciale ou de celle des biens et des services…). Une politique économique conjoncturelle est destinée à influer sur la conjoncture : la *conjoncture* est la situation économique d'un pays qui résulte, au cours d'une brève période, des relations entre agents économiques résidents et de celles nouées avec d'autres pays. ◄ Balance commerciale Voir p. 269

La conjoncture peut être partiellement représentée par le carré magique. Le *carré magique* est une représentation graphique, établie au début des années 1960 par l'économiste britannique Nicholas Kaldor, permettant de visualiser la situation économique à court terme d'un pays en regard de quatre objectifs souhaitables : le plein-emploi, la stabilité des prix, une croissance économique soutenue et l'équilibre de la balance courante (ou un excédent jugé souhaitable,

au cours d'une période). Les autres modalités d'une politique monétaire de relance peuvent être les suivantes :
- le desserrement de l'encadrement du crédit ; mais cette pratique est abandonnée depuis les années 1980 ;
- la baisse des taux directeurs : un *taux directeur* est un taux d'intérêt fixé par la Banque centrale et appliqué à certaines opérations de *refinancement* des banques auprès de la Banque centrale ; le refinancement est une opération permettant aux banques d'emprunter des liquidités auprès d'autres banques ou de la Banque centrale. La baisse des taux directeurs stimule la création monétaire par les banques qui, pouvant se refinancer à moindre coût, sont incitées à accorder davantage de crédits ;

Open market ▶
Voir p. 102

- les interventions de la Banque centrale sur le marché monétaire interbancaire : la Banque centrale peut, sur le marché monétaire interbancaire, emprunter ou prêter des liquidités aux banques (opérations d'*open market*). La confrontation de l'offre et de la demande de liquidités établit un taux d'intérêt (par exemple, le *taux d'intérêt au jour le jour*, qui est un taux d'intérêt qui mesure le coût d'un emprunt de liquidités sur le marché monétaire interbancaire à échéance d'une journée). Une politique de relance monétaire suppose une offre de liquidités accrue de la Banque centrale pour faire baisser le taux d'intérêt sur le marché monétaire interbancaire afin de diminuer le coût de refinancement des banques ;
- la diminution du *taux de réserves obligatoires* (fraction appliquée aux dépôts reçus par les banques pour déterminer le montant de leurs réserves obligatoires ; des réserves obligatoires sont parfois établies sur la base des crédits octroyés). La baisse du taux de réserves obligatoires réduit le besoin de refinancement des banques sur le marché monétaire interbancaire et les incite de ce fait à accorder davantage de crédits ;
- l'accroissement de la base monétaire : la *base monétaire* est la quantité de monnaie centrale dans l'économie nationale. L'accroissement de la base monétaire du fait de l'émission de monnaie par la Banque centrale accroît, pour un multiplicateur de crédit donné, la quantité de monnaie scripturale créée par les banques. L'activité économique en bénéficie.

La crise économique et financière entamée en 2007 a conduit les banques centrales à soutenir l'activité économique en mettant en œuvre des *politiques monétaires conventionnelles*, c'est-à-dire des politiques monétaires fondées sur la variation des taux directeurs.

Taux directeur ▶
Voir p. 234

Ces taux directeurs ont atteint un très bas niveau, ce qui ne permettait plus de mener à bien ce type de politique monétaire alors que l'activité économique avait encore besoin d'être soutenue. C'est pourquoi les banques centrales ont élaboré des *politiques monétaires non conventionnelles* (politiques monétaires fondées sur d'autres instruments que la variation des taux directeurs). Par exemple, elles ont pratiqué un *assouplissement quantitatif*, ou *quantitative easing* (achat des titres privés ou publics aux institutions financières), et/ou ont accru le montant des liquidités prêtées aux institutions de crédit pour leurs opérations de refinancement. Les banques centrales ont permis ainsi aux institutions financières de se procurer des liquidités à moindre coûts et de poursuivre leurs activités de financement de l'économie.

■ Les politiques budgétaires

Une *politique budgétaire* est une politique économique conjoncturelle mise en œuvre par les pouvoirs publics pour influer sur l'activité économique par la variation des dépenses et des recettes budgétaires. Il s'agit d'utiliser le *budget de l'État* (document récapitulant l'ensemble des recettes et des dépenses de l'État, au cours d'une année) pour agir sur l'activité économique d'un pays. Dans une société démocratique, le budget de l'État est soumis au vote du Parlement : la *loi de finances* est la loi votée par le Parlement validant le budget de l'État pour une période donnée (une année). Au cours de l'année d'exécution du budget, une *loi de finances rectificative* ou *collectif budgétaire* (loi autorisant l'engagement de nouvelles dépenses ou la perception de nouvelles recettes, modifiant de ce fait le budget initial) peut intervenir.

Le budget de l'État ne doit pas être confondu avec le *budget social* (ou, selon une ancienne terminologie, l'*effort social de la nation*) qui est un document annexé à la loi de finances, récapitulant le montant et l'évolution des dépenses et des recettes des organismes de protection sociale.

Recettes et dépenses budgétaires

Les recettes de l'État sont essentiellement composées d'impôts.

Un *impôt* est un versement obligatoire à l'État ou à une collectivité publique, effectué par les agents économiques, sans contrepartie immédiate et sans que ce versement soit affecté *a priori* au financement d'une dépense particulière. Il est fréquent d'assimiler l'impôt à une taxe ; d'ailleurs, l'intitulé de certains impôts inclut à tort le mot taxe (par exemple, taxe d'habitation). Une *taxe* est, au sens strict, un versement obligatoire des agents économiques à l'État ou à une collectivité publique, préalablement affecté au financement d'une dépense spécifique (par exemple, la taxe de ramassage des ordures ménagères). Les taxes relèvent de la *parafiscalité* (ensemble des prélèvements obligatoires affectés au financement de dépenses spécifiques engagées par les pouvoirs publics) ; les cotisations sociales sont incluses dans la parafiscalité. Une *cotisation sociale* est un versement obligatoire parafiscal des agents économiques aux administrations de sécurité sociale, affecté au financement de la protection sociale.

L'ensemble des versements obligatoires constitue des *prélèvements obligatoires* (ensemble des impôts, taxes et cotisations sociales versés par les agents économiques aux administrations publiques).

Le versement et la perception des impôts sont soumis à la réglementation fiscale ou *fiscalité* (règles définissant les modalités des prélèvements fiscaux).

Un impôt est caractérisé par son assiette, un mode de recouvrement et un barème d'imposition.

L'*assiette fiscale* est la valeur des éléments constituant la base sur laquelle est appliqué le barème d'imposition. Le barème d'imposition permet de calculer le montant de l'impôt. Ce calcul est fondé sur un *taux d'imposition*, c'est-à-dire la part (exprimée en pourcentage) de l'assiette qui doit être prélevée ; un même barème peut comporter plusieurs taux d'imposition selon certaines spécificités de l'assiette : son montant, sa composition… Ainsi, le *taux marginal d'imposition* est le taux d'imposition appliqué à la fraction (ou tranche d'imposition) la plus élevée de l'assiette fiscale lorsque le montant de celle-ci est subdivisé en plusieurs fractions (ou tranches d'imposition) hiérarchisées, auxquelles sont appliqués différents taux d'imposition ; le *taux moyen d'imposition* est égal au montant total de l'impôt dû par le contribuable, exprimé en pourcentage du montant de l'assiette. Par exemple, le barème de l'impôt sur le revenu payé par les ménages prévoit plusieurs tranches de revenu auxquelles s'appliquent des taux d'imposition d'autant plus élevés que la tranche est elle-même élevée. Comme le taux marginal d'imposition est le taux d'imposition appliqué à la tranche la plus haute du revenu du contribuable, un gain d'un euro supplémentaire dans cette tranche de revenu est imposé au taux d'imposition correspondant à cette tranche. Le montant total de l'impôt sur le revenu est donc égal à la somme des impôts prélevés sur chaque tranche du revenu : ainsi, le taux moyen d'imposition est égal à la part du total de l'impôt sur le revenu rapporté au revenu imposable du contribuable.

La nature du barème d'imposition permet de définir plusieurs types d'impôts : l'*impôt proportionnel* est un impôt dont le montant est fixé en appliquant à la valeur imposée, c'est-à-dire l'assiette fiscale, le même taux d'imposition pour tous les contribuables ; l'*impôt progressif* est un impôt dont le montant est fixé par l'application d'un taux d'imposition de plus en plus élevé quand la valeur imposée, c'est-à-dire l'assiette fiscale, augmente ; l'*impôt dégressif* est un impôt dont le montant est fixé par l'application d'un taux d'imposition de plus en plus faible quand la valeur imposée, c'est-à-dire l'assiette fiscale, augmente. Enfin, l'*impôt forfaitaire* est un impôt dont le montant est le même pour tous les contribuables.

Par ailleurs, le barème d'imposition, s'appuyant sur la législation fiscale, peut prévoir des mesures permettant aux contribuables de payer moins d'impôts : l'*évasion fiscale* est le comportement des contribuables qui utilisent les possibilités offertes par la législation fiscale pour diminuer le montant de leurs impôts ; en revanche, la *fraude fiscale* est le comportement des contribuables qui réduisent le montant de leurs impôts par des procédés illégaux (par exemple, en ne déclarant pas la totalité des revenus reçus).

La troisième caractéristique de l'impôt est son mode de recouvrement, c'est-à-dire les modalités du paiement de l'impôt par le contribuable. Les impôts peuvent être directs ou indirects :

• Un *impôt direct* est un impôt appliqué à un contribuable qui le paie directement à l'administration publique chargée du recouvrement de cet impôt. Il en est ainsi de l'*impôt sur le revenu des personnes physiques (IRPP)*, impôt direct payé par les personnes physiques en fonction du montant de leur revenu ; c'est aussi le cas de l'*impôt sur les sociétés* ou *impôt sur les bénéfices* (impôt direct payé par les entreprises sociétaires en fonction de leurs bénéfices), et de l'*impôt de solidarité sur la fortune (ISF)*, impôt direct payé par les propriétaires d'un patrimoine dont la valeur dépasse un certain montant (l'ISF est égal à une fraction de la valeur du patrimoine). Les droits de succession sont également des impôts directs : ils frappent les patrimoines lorsqu'ils font l'objet d'un héritage.

Collectivité locale ▸
Voir p. 463

Certains impôts directs sont versés à des collectivités locales : il en est ainsi de la *taxe d'habitation*, qui est un impôt direct payé aux collectivités locales par les ménages en fonction de certaines caractéristiques du logement qu'ils occupent, qu'ils en soient locataires ou propriétaires ; la *taxe foncière* est un impôt direct payé aux collectivités locales par les propriétaires de propriétés bâties ou non bâties en fonction des caractéristiques de ces propriétés. La taxe d'habitation, la taxe foncière et la contribution économique territoriale sont des *impôts locaux*, c'est-à-dire des impôts payés aux collectivités locales.

• Un *impôt indirect* est un impôt payé par des agents économiques à d'autres agents économiques qui le reversent ensuite au *trésor public* (administration publique chargée du recouvrement des recettes fiscales et de la gestion des finances de l'État). La *taxe sur la valeur ajoutée (TVA)* est un impôt indirect portant sur la valeur des biens et des services de consommation. Elle est collectée par les entreprises qui l'imputent sur leur prix de vente, puis la reversent au trésor public. La TVA est donc payée par le consommateur. La taxe intérieure sur les produits pétroliers, les droits de douane... sont d'autres exemples d'impôts indirects.

Quelles qu'en soient les modalités, l'impôt est censé être payé par le contribuable à qui il est destiné. Cependant, il convient de se demander qui supporte réellement la charge de tel ou tel impôt : l'*incidence fiscale*, c'est-à-dire la répercussion d'une mesure fiscale sur le montant de l'impôt que vont effectivement payer les contribuables à qui cette mesure est destinée, est un processus complexe. Par exemple, une hausse de la TVA élève les prix toutes taxes comprises, donc est supportée par les consommateurs.

Toutefois, dans une économie concurrentielle, les entreprises peuvent vouloir réduire plus ou moins fortement leurs prix hors taxes pour accroître ou maintenir leur clientèle. Dès lors, le prix TTC payé par les consommateurs augmentera moins que prévu. Les entreprises supportent de fait une partie de la hausse de la TVA en réduisant leur marge bénéficiaire, ce qu'elles ne feraient pas si la concurrence était limitée.

Les recettes budgétaires permettent à l'État de financer ses dépenses. Les dépenses de l'État font partie des dépenses publiques qui constituent une partie des *finances publiques*, c'est-à-dire l'ensemble des recettes et des dépenses des administrations publiques.

Les dépenses budgétaires de l'État sont affectées à certains postes : justice, éducation nationale, défense… Une partie des dépenses est consacrée au remboursement de la dette de l'État. Celle-ci est une composante de la **dette publique**, qui est la somme des dettes contractées par les administrations publiques.

Les effets de la politique budgétaire sur l'activité économique

La comparaison des dépenses et des recettes de l'État permet d'établir le **solde budgétaire** : différence entre les recettes et les dépenses de l'État). L'**équilibre budgétaire** signifie que le solde budgétaire est nul : les dépenses de l'État sont égales à ses recettes ; un **excédent budgétaire** signifie que les recettes de l'État sont supérieures à ses dépenses : le solde budgétaire est donc positif ; un **déficit budgétaire** signifie que les dépenses de l'État dépassent ses recettes : le solde budgétaire est alors négatif.

Le budget de l'État est mobilisé dans la mise en œuvre de politiques budgétaires. Par exemple, un accroissement des dépenses de l'État (et/ou une réduction de ses prélèvements fiscaux) stimule la demande. Ainsi, des mesures budgétaires qui accroissent le déficit stimulent l'activité. En revanche, un excédent budgétaire exerce un effet de freinage sur l'activité.

◄ Politique budgétaire Voir p. 235

◄ Multiplicateur de dépenses publiques en économie ouverte Voir p. 150

Les effets des politiques budgétaires sur l'activité économique reposent sur l'effet multiplicateur.

• Le **multiplicateur de dépenses publiques** est le coefficient k, tel que la variation du produit national ou du revenu national ΔY, provoquée par la variation des dépenses publiques ΔG, soit égale à $k \times \Delta G$. Il traduit l'ampleur de la variation du produit national ou du revenu national qu'implique celle des dépenses publiques. Le multiplicateur de dépenses publiques en économie ouverte est égal à $[1/(s + m)]$; s est la propension marginale à épargner et m est la propension marginale à importer. Il est d'autant plus élevé que la propension marginale à consommer des ménages est forte et que la propension à importer est faible.

Le multiplicateur des dépenses publiques rencontre les mêmes limites que le multiplicateur d'investissement keynésien.

◄ Multiplicateur d'investissement Voir p. 147

• Le **multiplicateur fiscal** est le coefficient k' tel que la variation du produit national ou revenu national ΔY, provoquée par la variation des impôts (ou de n'importe quel prélèvement) ΔT, soit égale à $k' \times \Delta T$. Il traduit l'ampleur de la variation du produit national ou du revenu national qu'implique celle des impôts. Un accroissement des impôts réduit la demande des agents économiques, donc le revenu national ; une baisse des impôts stimule la demande des agents économiques, donc le revenu national.

La valeur du multiplicateur fiscal est donnée par le modèle simplifié ci-dessous :

Y est le revenu national ; M, les importations ; X, les exportations ; C, la consommation ; I, l'investissement ; G, les dépenses publiques ; T, les impôts ; c, la propension marginale à consommer ; s, la propension marginale à épargner ; m, la propension marginale à importer.

Lorsque l'offre globale égale la demande globale,

$$Y + M = C + I + G + X \text{ avec } C = c \times (Y - T) \text{ et } M = m \times Y$$

Par conséquent, $\Delta Y + dM = \Delta C + \Delta I + \Delta G + \Delta X$ (Δ signifie variation).

Ainsi, $\Delta Y + m \times \Delta Y = c \times d\,(Y - T) + \Delta I + \Delta G + \Delta X$

$\Delta Y + m \times \Delta Y - c \times \Delta Y = - c \times \Delta T + \Delta I + \Delta G + \Delta X$

$(1 + m - c) \times \Delta Y = - c \times \Delta T + \Delta I + \Delta G + \Delta X$

$\Delta Y = [- c \times \Delta T / (s + m)] + [1 / (s + m)] \times (\Delta I + \Delta G + \Delta X)$

Pour $\Delta I = \Delta G = \Delta X = 0$, $\Delta Y = [- c / (s + m)] \times \Delta T$

$[- c / (s + m)]$ est le multiplicateur fiscal. Quand la propension à consommer est forte et la propension à importer faible, l'effet du multiplicateur fiscal sur le produit national ou le revenu national est important.

Le freinage de la croissance provoqué par l'augmentation des prélèvements fiscaux est moindre que l'effet de relance qu'implique l'accroissement des dépenses publiques d'un même montant : si, par exemple, les prélèvements fiscaux s'accroissent d'un milliard d'euros ($\Delta T = + 1$ milliard), que la propension marginale à épargner est de 20 % (soit 0,2) et la propension marginale à importer de 20 % (soit 0,2), le multiplicateur fiscal est de $- 0,8 / (0,2 + 0,2) = - 2$. Le produit national ou le revenu national diminue de 2 milliards d'euros. Pour $\Delta G = +1$ milliard, le multiplicateur de dépenses publiques est de $1 / (0,2 + 0,2) = 2,5$. Le produit national ou le revenu national s'accroît de 2,5 milliards d'euros.

Une réduction (respectivement une hausse) des prélèvements provoque un effet de relance (respectivement un effet de freinage) sur la croissance moindre que la hausse (respectivement la baisse) des dépenses publiques d'un même montant.

En 1945, l'économiste norvégien Trygve Haavelmo s'appuie sur les deux multiplicateurs précédents pour établir un théorème qui porte son nom : le *théorème de Haavelmo* stipule que, partant d'un budget équilibré, l'accroissement concomitant des dépenses et des recettes budgétaires, tout en maintenant l'équilibre budgétaire, exerce un effet multiplicateur sur le produit national ou le revenu national : celui-ci augmente comme les dépenses ou les recettes budgétaires. En effet, la conjonction des deux effets multiplicateurs conduit à une hausse du produit national ou du revenu national dY telle que :

$$\Delta Y = [1 / (s + m)] \times \Delta G + [- c / (s + m)] \times \Delta T$$

Comme $\Delta G = \Delta T$, $\Delta Y = [(1 / (s + m)] + [- c / (s + m)] \times \Delta G$ (ou dT) $= 1 \times \Delta Y$.

Le multiplicateur résultant des deux effets multiplicateurs précédents est égal à 1.

Les différents soldes budgétaires

La mise en œuvre de la politique budgétaire commande de prendre en compte différents soldes budgétaires :

• Le **solde structurel** est la partie du solde budgétaire effectif qui résulte des choix explicites de l'État.

• Le **solde conjoncturel** est la partie du solde budgétaire effectif résultant de la conjoncture économique : par exemple, l'accélération de la croissance induit celle du revenu national, donc des recettes fiscales (à barème d'imposition donné, la hausse du revenu national stimule la consommation, donc les recettes de TVA). Dans ce cas, le déficit budgétaire se réduit et/ou l'excédent s'accroît, freinant la croissance ; en revanche, quand la croissance décélère, le déficit se creuse ou l'excédent diminue. La croissance est alors stimulée. Cette autorégulation partielle de la conjoncture est la conséquence de stabilisateurs automatiques.

Les **stabilisateurs automatiques** sont les effets contracycliques de la variation du solde budgétaire induite par l'évolution de la conjoncture ; ces effets contracycliques contrecarrent automatiquement les fluctuations de la conjoncture. Par exemple, en cas de

◄ Conjoncture
Voir p. 231

◄ Déficit budgétaire
Voir p. 239

◄ Surchauffe
Voir p. 233

surchauffe, le gouvernement peut décider de laisser jouer les stabilisateurs automatiques : la croissance est automatiquement freinée par la diminution du déficit conjoncturel (ou par l'accroissement de l'excédent conjoncturel) et réduit de ce fait les pressions inflationnistes.

• Le **solde primaire** est le solde du budget de l'État calculé sans prendre en compte les dépenses afférentes au paiement des intérêts de la dette de l'État. La détermination de ce solde est un instrument de la gestion de la dette de l'État. Depuis les années 1980, dans la plupart des pays développés, les taux d'intérêt réels dépassent le taux de croissance du PIB. Il en résulte un effet boule de neige de la dette de l'État. L'*effet boule de neige* est le processus cumulatif d'accroissement de la dette d'un agent économique en raison de la charge trop lourde que représente le paiement des intérêts, accentuant le besoin de financement de l'agent économique qui est alors contraint de s'endetter davantage…

Taux d'intérêt ▶
Voir p. 96

Dans ce contexte, au-delà d'un seuil, le poids de la dette devient insupportable. Le solde primaire doit alors être excédentaire : s'il ne l'était pas, la dette s'alourdirait, d'une part, du montant des charges d'intérêts qui augmentent plus que le PIB en raison du niveau des taux intérêt réels, et, d'autre part, du montant du déficit primaire. Dès lors, il est nécessaire de réduire les dépenses publiques et/ou d'augmenter les impôts pour éviter l'effet boule de neige. Cette contrainte n'existe pas si les taux d'intérêt réels diminuent et deviennent inférieurs au taux de croissance du PIB : pour les économistes keynésiens, une politique monétaire de baisse des taux d'intérêt nominaux irait dans ce sens.

■ Le *policy mix*

La combinaison des politiques monétaire et budgétaire

Policy mix
européen ▶
Voir p. 242

Un ***policy mix*** (ou ***politique mixte***) est une politique économique conjoncturelle combinant les instruments de la politique monétaire et ceux de la politique budgétaire.

Changes fixes ▶
Voir p. 315

Au début des années 1960, l'économiste canadien Robert Mundell (prix Nobel d'économie en 1999) suggère, en régime de change fixe, que la politique budgétaire soit affectée au rétablissement des déséquilibres internes (chômage et inflation), et la politique monétaire, au rétablissement des déséquilibres externes. Au cours des années 1970, dans un contexte de change flexible, il préconise d'affecter la politique budgétaire à la lutte contre le chômage et la politique monétaire à la lutte contre l'inflation (la variation des taux de change permet de résorber les déséquilibres externes).

C Les politiques structurelles

Les politiques économiques et sociales des États peuvent être structurelles.

■ Les politiques économiques structurelles

Les politiques économiques structurelles interviennent dans plusieurs domaines.

L'activité réglementaire des pouvoirs publics

La *réglementation* est un ensemble de mesures (lois, décrets, règlements…) qui imposent des obligations aux agents économiques. Par exemple, l'État peut mettre en œuvre une politique de *prix administrés*, c'est-à-dire des prix fixés autoritairement par l'État ou par un accord entre les pouvoirs publics et les organisations professionnelles. Cette politique est une des modalités des politiques de *contrôle des prix* (réglementation publique portant sur l'évolution ou la fixation des prix). Elle intervient dans le cadre d'une *économie administrée*, c'est-à-dire une économie dans laquelle les mécanismes de marché sont fortement encadrés par un ensemble de réglementations.

À l'opposé, la mise en œuvre d'une *politique de concurrence* (politique structurelle destinée à éliminer les entraves à la concurrence) comportera des mesures visant à libérer les prix de tout contrôle. Cette pratique est une forme de *déréglementation* (suppression partielle ou totale des mesures imposant des obligations aux agents économiques).

Les politiques de concurrence prévoient également de lutter contre les abus de position dominante et de démanteler les cartels de producteurs qui confèrent aux entreprises un pouvoir de marché (capacité pour une entreprise à imposer son prix de vente) au détriment des consommateurs.

◁ **Concurrence pure et parfaite**
Voir p. 56

◁ **Concurrence imparfaite**
Voir p. 69

◁ **Abus de position dominante**
Voir p. 32

◁ **Cartel de producteurs**
Voir p. 69

◁ **Pouvoir de marché**
Voir p. 70

Concurrence pure
et parfaite ►
Voir p. 69

Marché
pertinent ►
Voir p. 70

Ainsi, les politiques de concurrence ambitionnent de transformer les **marchés imparfaitement concurrentiels** (marchés sur lesquels la concurrence est imparfaite) en **marchés concurrentiels** (marchés sur lesquels prévalent au plus près les conditions de la concurrence pure et parfaite, ou à tout le moins sur lesquels se rencontrent un grand nombre d'offreurs et de demandeurs sans qu'aucun ne puisse influer sur les prix des produits échangés).

Pour étalonner les sanctions lors de manquements aux règles définies par la politique de concurrence du moment, les autorités en charge de sa mise en œuvre doivent établir le degré de concurrence des marchés qu'elles supervisent. Elles définissent alors des marchés pertinents qui correspondent, pour une catégorie de produit et une zone géographique, aux marchés sur lesquels se rencontrent l'offre et la demande de produits que les acheteurs jugent substituables. Par exemple, pour les voitures de luxe, le marché pertinent n'est pas celui de l'ensemble des véhicules, mais uniquement celui des automobiles de haut de gamme et, du fait de l'ouverture des frontières, à l'échelle de continents, voire du monde entier.

Les politiques sectorielles

Une **politique sectorielle** est une politique économique structurelle, conduite essentiellement par l'État, regroupant des mesures destinées à intervenir sur le développement des entreprises de certains secteurs économiques. Les politiques sectorielles participent au redéploiement de l'appareil productif.

Le **redéploiement** désigne :

– soit l'évolution de l'appareil productif national résultant de l'abandon progressif des branches mises en difficulté par la concurrence internationale et prévoyant la mobilisation des ressources disponibles en faveur du développement des branches d'avenir ;

– soit la politique économique structurelle destinée à favoriser l'essor des branches d'avenir et à accompagner le déclin de certaines branches.

En France, cette politique structurelle est adoptée par l'État à partir du premier choc pétrolier. À travers elle, l'État promeut une **politique de créneaux** (politique économique structurelle dont l'objet est de renforcer les branches les plus compétitives du pays). Les résultats mitigés de cette politique ont conduit l'État à privilégier une politique de filière à partir du début des années 1980.

Une **politique de filière** est une politique économique structurelle dont l'objet est de renforcer certaines filières de production jugées prioritaires. Les résultats décevants de cette politique ont contribué à la réorientation de la politique sectorielle de l'État à partir du milieu des années 1980 ; cette politique devient de moins en moins interventionniste, d'autant plus que la réglementation européenne évolue dans un sens plus libéral.

Les politiques sectorielles interviennent dans différents secteurs de l'économie :

• L'agriculture : l'État peut intervenir pour contribuer à la modernisation des exploitations agricoles en accordant des subventions. Une **subvention** est une aide financière non remboursable que les pouvoirs publics accordent aux agents économiques pour alléger une partie de leurs charges ou accroître leurs ressources afin de réaliser certains objectifs économiques ou sociaux jugés prioritaires. L'État peut également soutenir les prix agricoles, en mettant en œuvre une politique de formation destinée aux agriculteurs...

• L'industrie : l'État peut concevoir une **politique industrielle**, c'est-à-dire une politique économique structurelle qui regroupe des mesures spécifiques orientées vers l'industrie et dont la finalité est de susciter ou d'accompagner la restructuration des entreprises industrielles. La restructuration consiste en la réorganisation de l'appareil productif.

• Les services : l'État peut intervenir pour contribuer au développement de certains services (transports, finances, télécommunications...).

L'intervention de l'État et, plus généralement, des pouvoirs publics en direction des entreprises peut être directe ou indirecte.

• L'action des pouvoirs publics est indirecte lorsqu'ils interviennent sur l'environnement des entreprises. C'est le cas, lorsque l'État prend en charge le financement et la construction d'**infrastructures**, c'est-à-dire des équipements durables à usage collectif (routes, autoroutes, port, aéroports...) contribuant à l'efficience de l'appareil productif et à l'aménagement du territoire. L'**aménagement du territoire** est une politique économique et sociale des pouvoirs publics destinée à organiser l'espace géographique.

◄ Efficience
Voir p. 24

• L'intervention des pouvoirs publics est directe lorsqu'ils prennent directement en charge l'activité productive. C'est notamment le cas lorsque l'État nationalise des entreprises.

Nationalisation ▶
Voir p. 35

Les nationalisations renforcent le poids du secteur public en raison du développement du *secteur public d'entreprises* (ensemble des entreprises publiques et des entreprises partiellement publiques dont la gestion est sous contrôle public). Dans certains cas, l'État (ou une collectivité locale) peut juger préférable de constituer une *société d'économie mixte*, c'est-à-dire une entreprise appartenant conjointement à l'État (ou à une collectivité locale) et à des apporteurs de capitaux privés.

La planification

La politique sectorielle de l'État peut s'inscrire dans un cadre plus large, celui de la planification. La *planification* est un mode de régulation de l'économie, établi sous la conduite des pouvoirs publics, qui définit des objectifs à moyen terme et organise l'allocation de ressources permettant de les atteindre. Le *plan* est le document regroupant l'ensemble des objectifs et des moyens de les atteindre sur une période de plusieurs années (par exemple, un *plan quinquennal* est un plan établi pour une durée de cinq ans ; il peut prévoir des plans annuels intermédiaires). L'application du plan peut être obligatoire : la *planification impérative* est un système de planification de l'économie qui impose aux agents économiques la réalisation d'objectifs à moyen terme. La planification impérative a été pratiquée dans la plupart des pays socialistes.

La *planification indicative* est un système de planification de l'économie dont les objectifs ne s'imposent pas aux agents économiques privés et qui doivent être plus ou moins respectés par les agents publics. La planification indicative établit les évolutions souhaitables de l'économie et permet aux agents économiques de disposer de repères. Elle s'inscrit dans un processus de concertation entre les pouvoirs publics et les partenaires sociaux.

Trente
Glorieuses ▶
Voir p. 158

La planification indicative intervient dans les pays capitalistes depuis la fin des années 1940, en particulier en France, où elle a contribué à la croissance économique au cours des Trente Glorieuses ; depuis les années 1970, elle connaît plusieurs réformes qui traduisent une réorientations libérale des politiques économiques de l'État. La planification indicative est alors réduite à quelques grandes orientations; en outre, elle intègre un processus de contractualisation entre État et Régions qui donne lieu à l'élaboration de contrats de plan. Un **contrat de plan** est un document établissant les engagements réciproques de l'État et d'une Région en vue de l'exécution du plan.

La politique de change

L'État et la Banque centrale mettent en œuvre une politique de change. Dans certains cas, l'État adopte des mesures intervenant à court terme pour influer sur le taux de change de la monnaie nationale ; mais, le plus souvent, les politiques de change regroupent des mesures destinées à influer sur le niveau du taux de change de la monnaie nationale afin d'améliorer durablement les performances économiques des firmes du pays. Ainsi, après 1983, la priorité des gouvernements français est la lutte contre l'inflation et la réduction des déficits extérieurs. Ils mettent en œuvre une **politique de monnaie forte**, c'est-à-dire une politique de change destinée à faire croître durablement la demande de la monnaie nationale sur les marchés des changes pour que son taux de change s'apprécie à l'égard de celui de la monnaie des autres pays. Cette politique, dont les modalités sont celles des politiques de rigueur, doit réduire le prix des importations de produits primaires ou de machines exprimé en monnaie nationale : les coûts de production diminuent et la compétitivité des firmes s'améliore. La politique de monnaie forte est l'un des facteurs de la désinflation entamée en France depuis le milieu des années 1980. Il s'agit d'une **politique de désinflation compétitive**, c'est-à-dire une politique économique structurelle destinée à freiner durablement la hausse des prix pour réduire le différentiel d'inflation à l'égard des partenaires commerciaux et restaurer la compétitivité des firmes du pays. Cette politique de lutte contre l'inflation n'a pas conduit à la déflation, mais elle a contribué à la croissance du chômage.

◄ Politique de rigueur
Voir p. 233

◄ Désinflation
Voir p. 105

◄ Inflation
Voir p. 105

◄ Déflation
Voir p. 106

■ Les politiques sociales

Les politiques structurelles des pouvoirs publics, en particulier celles de l'État, peuvent être des politiques sociales. La distinction entre politiques économiques et politiques sociales n'est pas toujours aisée, ni pertinente. Par exemple, l'indemnisation du chômage est destinée à préserver un niveau de vie jugé socialement nécessaire aux chômeurs ayant déjà travaillé. Les politiques sociales contri-

◄ Politique sociale
Voir p. 231

buent à limiter le degré d'inégalité de la répartition des revenus et, à ce titre, tentent de réduire un déséquilibre social. De plus, elles exercent des effets sur la conjoncture : le versement des indemnités de chômage compense une partie de la perte du revenu d'activité et évite ainsi un effondrement de la consommation préjudiciable à l'emploi. Par conséquent, les politiques sociales interviennent pour faire face à des déséquilibres sociaux mais aussi économiques.

La protection sociale

Parmi les politiques sociales, la protection sociale occupe une place centrale.

La protection sociale est basée sur la solidarité. Concrètement, la solidarité se manifeste par des prélèvements effectués par des instances spécifiques chargées de distribuer des allocations à la population, sans contrepartie productive. Une *allocation* ou *prestation sociale* est un versement, en espèces, au profit des ménages, provenant de l'État, d'une collectivité locale ou d'un organisme de protection sociale.

La protection sociale relève, pour la plus grande part, des organismes de sécurité sociale. La sécurité sociale désigne, au sens le plus restreint, les administrations publiques créées en France après la deuxième guerre mondiale et chargées de verser les prestations familiales, de prendre en charge une grande partie des frais de maladie et de maternité, de verser les pensions de retraite et d'invalidité… En fait, la sécurité sociale couvre un domaine plus vaste : en effet, la *Sécurité sociale* est un ensemble d'organismes publics sans but lucratif chargés de gérer la protection sociale. Il s'agit des *administrations de sécurité sociale*, c'est-à-dire les instances chargées de la gestion des différents régimes d'assurance sociale (régime général de la Sécurité sociale, régime des fonctionnaires, régime d'indemnisation du chômage…).

Assurance ▶
Voir p. 438
Assistance ▶
Voir p. 438

La distribution des allocations par les administrations de sécurité sociale correspond à une logique d'assurance et non pas une logique d'assistance. La logique d'assurance tient cependant compte du principe de solidarité qui fonde la protection sociale : le montant des cotisations est très inférieur aux effets financiers des risques encourus.

Les cotisations sociales finançant les régimes d'assurance sociale proviennent pour l'essentiel de prélèvements sur les revenus d'activité des agents économiques. Une partie de ces cotisations sociales est imputée aux salariés et apparaît sur leur fiche de paie en déduction de leur salaire brut. Une autre partie correspond aux *charges sociales* (ou *cotisations patronales*), c'est-à-dire les cotisations imputées aux employeurs pour chacun de leurs salariés et destinées à alimenter les régimes d'assurances sociales.

Une partie des prestations sociales est distribuée par les collectivités locales ou par l'État. Elles sont financées par l'impôt. La distribution de ces prestations n'est pas fondée sur une logique d'assurance, comme le système d'assurance sociale, mais sur une logique d'assistance. Par exemple, le principe d'assistance préside au versement de minima sociaux. La même logique fonde l'*aide sociale*, qui désigne un système de distribution d'allocations, en espèces ou en nature, destinées à aider les personnes disposant de faibles ressources, à satisfaire leurs besoins essentiels. En France, la gestion de l'aide sociale est confiée pour la plus grande part aux collectivités locales.

◄ Minimum social
Voir p. 438

En fait, la couverture de nombreux risques sociaux relève à la fois d'une logique d'assurance et d'une logique d'assistance : par exemple, l'*indemnisation du chômage*, c'est-à-dire le versement d'indemnités compensant la perte de revenus consécutive au chômage, est assurée par Pôle Emploi conformément à la logique d'assurance, et par l'État selon une logique d'assistance (versement d'allocations aux chômeurs qui n'ont pas cotisé ou cotisé insuffisamment, et à ceux qui ont épuisé leur droit à l'allocation chômage de base).

La politique des revenus

Une *politique des revenus* est une politique économique et sociale destinée à modifier la répartition des revenus au sein de l'économie nationale. Les politiques des revenus sont parfois mobilisées pour infléchir la conjoncture économique ; le plus souvent, les politiques de revenus sont appliquées pour agir durablement sur l'activité économique ; il s'agit donc de politiques structurelles ; elles sont souvent engagées en fonction d'objectifs sociaux (notamment pour lutter contre les inégalités sociales) mais aussi économiques.

L'État intervient dans la répartition des revenus primaires. Par exemple, en France, il fixe un salaire minimum : ainsi, institué en 1950, le *salaire minimum interprofessionnel garanti (SMIG)* désigne le niveau du salaire horaire sous lequel aucun salarié ne peut

◄ Revenu primaire
Voir p. 43

être rémunéré ; l'évolution du SMIG est indexée sur celle des prix. À la fin des années 1960, le SMIG est remplacé par le *salaire minimum interprofessionnel de croissance (SMIC)*, salaire minimum créé en 1969, dont la revalorisation est indexée sur l'évolution des prix et sur les gains de pouvoir d'achat du salaire horaire moyen ouvrier. L'indexation est le procédé qui lie l'évolution d'une variable à celle d'une autre. L'indexation des salaires (ou indexation salariale) est le procédé qui lie la hausse des salaires à celle des prix, voire également à d'autres variables.

Revenus de
la propriété ►
Voir p. 45

L'État peut influer sur les revenus de la propriété par sa politique de taux d'intérêt ou par le contrôle qu'il peut éventuellement exercer sur les loyers. Il peut aussi réglementer les revenus des professions indépendantes (par exemple, réglementation des tarifs des professions libérales). Il peut intervenir dans le processus de négociation des salaires ; en outre, la politique de salaires dans la fonction publique peut revêtir un caractère d'exemplarité pour le secteur privé.

L'État intervient également dans la détermination du revenu disponible des agents économiques par sa *politique fiscale*, qui désigne l'ensemble des mesures décidées par l'État pour faire évoluer les modalités des prélèvements fiscaux ; cette politique est un élément de la politique structurelle de l'État lorsqu'elle s'inscrit dans une perspective de long terme.

La politique des revenus est mise en œuvre pour atteindre des objectifs sociaux, mais aussi pour améliorer les performances économiques du pays : par exemple, à partir de 1983, le gouvernement français applique une nouvelle *politique des salaires* (politique des revenus destinée à fixer le niveau ou l'évolution des salaires), consistant à désindexer les salaires des prix. La *désindexation* est un procédé qui dissocie l'évolution d'une variable de l'évolution d'une autre. La *désindexation des salaires* (ou *désindexation salariale*) est le procédé qui consiste à ne plus lier l'évolution des salaires à celle des prix ou de ne le faire que partiellement.

L'État intervient également sur le revenu disponible des ménages en distribuant des allocations ou prestations sociales : par exemple, il distribue un revenu minimum d'insertion (RMI).

Revenu minimum
d'insertion ►
Voir p. 45

Les politiques de l'emploi

Une *politique de l'emploi* est une politique structurelle destinée à influer sur l'offre et la demande de travail et à améliorer le fonctionnement du marché du travail. Elle revêt un caractère social mais aussi économique. Elle se traduit par un ensemble de dépenses : les dépenses pour l'emploi (les mesures relevant des politiques conjoncturelles et la diminution des charges sociales appliquées de manière générale ne sont pas comprises dans les dépenses pour l'emploi).

◄ **Charges sociales**
Voir p. 249

Ces dépenses peuvent être actives ou passives. Les dépenses passives constituent le support privilégié du *traitement social du chômage*, à savoir un ensemble de mesures destinées à atténuer les effets du chômage sur les individus et non pas à agir sur ses causes ; en revanche, le *traitement économique du chômage* est l'ensemble des mesures destinées à agir sur les causes du chômage.

◄ **Dépenses pour l'emploi**
Voir p. 210

◄ **Dépense active**
Voir p. 210

◄ **Dépense passive**
Voir p. 210

D'autres politiques sociales

Une politique familiale est une politique structurelle mise en œuvre par les pouvoirs publics pour réduire le poids des dépenses supportées par les familles du fait de la naissance et de l'éducation des enfants. Ainsi, la distribution d'*allocations familiales* (revenus de transfert versés aux familles en fonction du nombre et de l'âge de leurs enfants) est un instrument des politiques familiales ; de même, le montant de l'impôt sur le revenu est réduit en fonction du nombre d'enfants par la prise en compte du *quotient familial* (résultat de la division du montant du revenu imposable par un nombre de parts attribuées au foyer fiscal en fonction du nombre de personnes vivant dans ce foyer) : le quotient familial sur lequel est établi le montant de l'impôt sur le revenu est d'autant plus bas que le nombre d'enfants est élevé.

La politique familiale est un élément de la *politique démographique*, une politique structurelle mise en œuvre par les pouvoirs publics pour influer sur l'évolution de la population. Outre la politique familiale, la politique démographique concerne toutes les mesures agissant sur la natalité (par exemple, libéralisation ou restriction de l'avortement) et sur les flux migratoires.

D Des débats théoriques suscité par l'intervention de l'État dans l'économie

L'intervention de l'État dans l'économie suscite de nombreux débats sur l'importance et la nature de cette intervention.

■ Les trois fonctions de l'État dans une économie de marché

L'économie de marché ne peut se passer de l'intervention de l'État, comme l'a montré, par exemple, Richard Abel Musgrave. *Richard Abel Musgrave* (1910-2007) est un économiste américain proche du courant néoclassique. À la fin des années 1950, il établit une typologie qui distingue trois *fonctions économiques de l'État* (rôle que joue l'Etat dans l'économie se traduisant par différentes modalités d'interventions) dans une économie de marché : les fonctions d'allocation de ressources, de redistribution (ou de répartition) des revenus, et de stabilisation ou de régulation (*The Theory of Public Finance*, 1959).

La fonction d'allocation

La *fonction d'allocation de ressources* recouvre les interventions de l'État et d'autres administrations publiques dans la vie économique consistant à produire des biens et des services que ne fournit pas le secteur privé et pourtant nécessaires à l'activité économique, à prélever des impôts pour financer ces productions et/ou à instaurer un cadre réglementaire destiné à contrer les *défaillances du marché* (incapacité d'un marché à assurer l'allocation optimale des ressources économiques, c'est-à-dire la meilleure utilisation possible de ces ressources) qui nuiraient au bien-être de la population. Par exemple, l'État peut lutter contre les externalités négatives, créer les institutions qui permettent le bon fonctionnement de l'économie, contrôler les monopoles et les oligopoles (par exemple, en instituant une législation qui préserve la concurrence grâce à une une *loi antitrust* qui désigne la loi, appliquée depuis la fin du XIXᵉ siècle aux États-Unis, interdisant ou limitant la constitution de firmes susceptibles d'entraver la concurrence sur le marché), produire des biens collectifs...

Bien collectif ►
Voir p. 73

Un *bien collectif* est un bien ou un service *indivisible ou non rival* (un bien ou un service pouvant être consommé simultanément par plusieurs consommateurs alors qu'un *bien rival* est un bien ou un service qui, lorsqu'il est consommé, ne peut l'être conjointement par d'autres). Mais dans certains cas, un bien collectif peut être à la fois non rival et *non excluable* (un bien ou un service dont il est impossible d'individualiser la consommation alors qu'un bien *excluable ou divisible* est un bien ou un service dont la consommation est individualisable). Il s'agit alors d'un bien public qui est un bien collectif pur : la défense nationale est un bien collectif pur. Comme il n'est pas possible d'exclure les consommateurs, chacun d'entre eux peut refuser d'assurer le financement de ce type de bien alors qu'il le consomme (comportement de passager clandestin). L'État ou une collectivité publique va donc se charger de produire les biens collectifs purs et contraindre les individus à leur financement par l'impôt.

◄ Bien public
Voir p. 73

◄ Passager
clandestin
Voir p. 542

Par ailleurs, un bien collectif peut être excluable. Il s'agit alors d'un bien collectif impur ou bien de club (bien indivisible et excluable). C'est par exemple le cas du service rendu par l'Éducation nationale.

◄ Bien collectif
impur / bien
de club
Voir p. 73

La fonction de redistribution et la fonction de régulation

L'État exerce une **fonction de redistribution** ou **fonction de répartition des revenus** (actions de l'État ayant pour but de modifier la répartition des revenus). La **redistribution** est l'ensemble des mesures prises par l'État ou par d'autres administrations publiques pour modifier la répartition des revenus en prélevant des impôts et des cotisations sociales et en distribuant des revenus de transfert. La redistribution peut être horizontale ou verticale.

La **redistribution horizontale des revenus** désigne les flux de **transferts sociaux** (c'est-à-dire l'ensemble des revenus de transfert et des prélèvements obligatoires qui les financent), au bénéfice des ménages ou des individus victimes des risques sociaux.

Ainsi, un système de **retraite par répartition** (principe d'un système de retraite selon lequel les retraités perçoivent une pension financée par les cotisations sociales des actifs) opère une redistribution horizontale des personnes dont l'âge n'a pas atteint celui de la retraite, aux personnes qui ont atteint cet âge. Il ne faut pas confondre ce système de retraite avec le système de **retraite par capitalisation** (principe d'un système de retraite selon lequel les retraités perçoivent le revenu issu du placement de leur épargne ou qu'un tiers a versé pour leur compte).

La **redistribution verticale** des revenus désigne les flux de transferts sociaux destinés à réduire les inégalités de revenus entre les individus ou les ménages. Cette redistribution agit sur les inégalités au nom d'un principe de justice sociale que la population légitime.

◄ Justice
sociale
Voir p. 436

Par ailleurs, l'État exerce une **fonction de stabilisation** ou **fonction de régulation** (mesures prises par l'État pour stabiliser l'activité

Croissance équilibrée ➤
Voir p. 161

économique afin d'assurer une croissance équilibrée) en mettant en œuvre des politiques économiques conjoncturelles adaptées à la situation économique du moment.

La fonction régulation de l'État est au cœur des *politiques économiques keynésiennes*, c'est-à-dire les politiques économiques conjoncturelles qui confèrent à l'État la responsabilité de mobiliser les politiques budgétaire et monétaire pour améliorer les performances macroéconomiques d'un pays sur courte période. Par exemple, en cas d'accélération de l'inflation, des politiques de rigueur sont mises en œuvre ; en cas de croissance du chômage, il faut recourir aux politiques de relance.

Politique de rigueur ➤
Voir p. 233
Politique de relance ➤
Voir p. 232

Politique budgétaire ➤
Voir p. 235

Dans son ouvrage, *Théorie générale de l'emploi, de l'intérêt et de la monnaie* (1936), John Maynard Keynes privilégie la politique monétaire comme moyen d'influer sur la conjoncture économique d'un pays et de préserver le plein-emploi ; la politique budgétaire joue un rôle supplétif qui devient primordial lorsqu'il est nécessaire de relancer l'activité économique alors que les taux d'intérêt sont déjà très bas.

■ La modélisation de la fonction de régulation de l'État depuis Keynes

Le modèle IS/LM

À la suite des travaux de John Hicks, en 1937, plusieurs économistes formalisent l'intervention conjoncturelle de l'État dans l'économie : celle-ci est perçue comme le moyen de rétablir les déséquilibres momentanés. Dès lors que les déséquilibres sont rétablis, l'analyse néoclassique (à laquelle Keynes s'opposait) retrouve sa pertinence. Cette approche, qui est celle du courant de la synthèse néoclassique, est fondée sur le *modèle IS/LM*, qui est une représentation graphique permettant de déterminer le niveau du revenu national et celui du taux d'intérêt qui assurent en même temps l'égalité entre l'offre et la demande globale de biens et de services et l'équilibre entre l'offre et la demande de monnaie. Le modèle permet également de spécifier les politiques économiques conjoncturelles qu'il faut mettre en œuvre pour assurer le plein-emploi.

Le modèle IS/LM

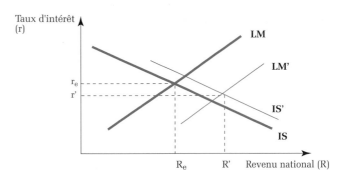

La courbe IS (*investment-saving*) est constituée de l'ensemble des couples (R, r) pour lesquels l'offre globale et la demande globale de biens et de services sont égales. La courbe LM (*liquidity-money*) est constituée de l'ensemble des couples (R, r) pour lesquels l'offre et la demande de monnaie sont égales.

Le couple (R$_e$, r$_e$) est celui qui assure à la fois l'équilibre sur le marché des biens et des services et sur celui de la monnaie. R$_e$ peut être inférieur au niveau du revenu national assurant le plein-emploi. Une politique budgétaire de relance (qui induit un déplacement de la courbe IS vers la droite) et/ou une politique monétaire expansionniste (qui provoque un déplacement de la courbe LM vers la droite) sont de nature à faire croître le revenu national jusqu'à son niveau de plein-emploi. Le modèle montre que le nouveau niveau du revenu national de plein-emploi R' correspond à un niveau du taux d'intérêt r' tel que le marché des biens et des services et celui de la monnaie sont à l'équilibre. En cas d'accélération de l'inflation, une politique budgétaire de rigueur (qui induit un déplacement de la courbe IS vers la gauche) et/ou une politique monétaire d'austérité (qui provoque un déplacement de la courbe LM vers la gauche) sont de nature à réduire le revenu national, donc à diminuer les pressions inflationnistes.

Le modèle Mundell-Fleming

Le **modèle Mundell-Fleming**, établi au début des années 1960 par le Canadien Robert Mundell et l'Américain Marcus Fleming, est un modèle IS/LM appliqué dans le cadre d'une économie ouverte.

Balance des paiements ▶
Voir p. 310

De ce fait, le modèle prend en compte les effets des politiques monétaire et budgétaire sur la balance des paiements.

Le modèle montre les limites des politiques économiques conjoncturelles selon les régimes de change :

– en régime de change fixe, la variation des taux d'intérêt ne peut pas être une mesure efficace pour agir sur l'activité économique puisqu'elle induit la variation des taux de change (alors que les changes doivent être fixes), d'autant plus fortement que les capitaux circulent librement au plan international. Dans ce contexte, la politique budgétaire peut être privilégiée ;

– en régime de change flexible, la politique monétaire peut être efficace. La variation du taux de change ajoute ses effets à ceux de la variation des taux d'intérêt : par exemple, la baisse des taux d'intérêt contribue à relancer l'investissement ; la dépréciation du taux de change consécutive à la baisse des taux d'intérêt dope les exportations ; l'activité économique est donc doublement stimulée. En revanche, le modèle montre que la politique budgétaire est d'autant moins efficace que les capitaux circulent librement.

La courbe de Phillips

Au début de années 1960, les américains Robert Solow et Paul Samuelson, qui ont largement contribué à la vulgarisation du modèle IS/LM, s'inspirent des travaux du Néo-Zélandais William Alban Phillips (1914-1975), pour fonder, sur le plan théorique, la possibilité d'un arbitrage de l'État entre inflation et chômage.

En effet, à la fin des années 1950, sur la base de statistiques concernant l'économie britannique au cours de la période 1861-1957, Phillips constate qu'en règle générale, plus le taux de chômage est élevé, moins la hausse des salaires est forte. Il résume ce constat par une courbe qui portera son nom, la **courbe de Phillips**, qui est une courbe décroissante représentative de la corrélation négative entre variation annuelle des salaires nominaux et taux de chômage (voir courbe ci-dessous). En 1960, Samuelson et Solow testent la validité de cette courbe sur l'économie américaine pour la période 1900-1958. Les résultats ne sont pas probants. Les deux auteurs substituent la variation des prix à celle des salaires. Ils font alors apparaître la possibilité d'un arbitrage entre inflation et chômage :

– aux États-Unis, le plein-emploi (taux de chômage proche de 3 %) s'accompagnerait d'une hausse des prix de l'ordre de 5 % ;

– une inflation nulle correspondrait à un taux de chômage de l'ordre de 5 ou 6 %.

La courbe de Phillips

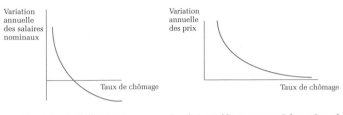

Corrélation de Phillips (1958)

Corrélation établie en 1960 par Solow et Samuelson
Cette courbe est également appelée
courbe de Phillips

La courbe de Phillips, combinée au modèle IS/LM, constitue un ensemble théorique formalisant et justifiant les politiques de régulation de l'État. C'est dans ce cadre théorique que s'inscrivent les politiques économiques conjoncturelles appliquées dans les pays développés à économie de marché depuis 1945.

Jusqu'aux années 1970, ces politiques économiques soutiennent la croissance (politiques monétaire et budgétaire de relance). En cas de surchauffe, des politiques d'austérité sont mises en œuvre (freinage des dépenses publiques et/ou hausse des impôts ; freinage de la création monétaire). Dans certains cas (en Grande-Bretagne, par exemple, au cours des années 1950-1960), ces pratiques se traduiront par des politiques de *stop and go* qui freineront la croissance économique. Une *politique de* **stop and go** est une politique qui combine une alternance rapide de politiques de rigueur et de politiques de relance.

◄ **Surchauffe**
Voir p. 233
◄ **Politique d'austérité**
Voir p. 233

Les politiques d'austérité tendent à durer plus longtemps au cours des années 1960 du fait d'une hausse des prix plus élevée qu'au cours de la décennie précédente.

Depuis les années 1970, les choix des autorités publiques ont évolué. En effet, au cours des années 1970, les pouvoirs publics hésitent entre la politique d'austérité qui induit une hausse du chômage, atteignant des niveaux alarmants à cette époque, et la politique de relance qui aggrave les déséquilibres inflationnistes alors que la hausse des prix est forte. À la fin des années 1970, au sommet de Tokyo, le G7 décide de donner la priorité à la lutte contre l'inflation.

Le **G7** est le groupe des sept principales puissances industrielles mondiales (États-Unis, Japon, Allemagne, France, Grande-Bretagne Italie, Canada), créé en 1975 pour favoriser la concertation entre ces pays (il est parfois fait mention du G5 qui est le regroupement des cinq premières puissances mondiales : États-Unis, Japon, Allemagne, France, Grande-Bretagne). Le G8 (le G7 auquel se joint, depuis 1997, la Russie) semble devoir se substituer au G7. Depuis 1999, à la suite de la crise asiatique, un G20 a été constitué. Le **G20** réunit les ministres, les gouverneurs des banques centrales et, depuis 2008, les chefs d'États de 19 pays (dont des pays émergents), auxquels se joint l'Union européenne, pour favoriser la concertation internationale en matière économique et financière.

En raison du choix d'éradiquer l'inflation (et de résorber les déséquilibres externes excessifs), les politiques conjoncturelles se tendent. Cependant, lorsque le chômage croît fortement, certains États appliquent des politiques de relance en combinant les instruments des politiques conjoncturelles : la relance budgétaire peut être accompagnée d'une rigueur monétaire ; une politique monétaire accommodante peut être combinée à une politique budgétaire de freinage...

■ L'intervention de l'État dans l'économie est critiquée

Les entraves aux mécanismes de marché

La fonction d'allocation renvoie à l'action structurelle des pouvoirs publics. Pour les libéraux, celle-ci peut-être néfaste dès lors qu'elle perturbe les mécanismes de marché : ils soutiennent que le marché doit jouer un rôle important dans l'allocation des ressources.

Par exemple, au cours des années 1920, dans le cadre théorique de l'économie du bien-être, l'économiste libéral britannique Arthur Cecil Pigou (1877-1965) prévoit que l'État puisse intervenir dans l'économie pour lutter contre les effets externes négatifs que les mécanisme du marché ne peuvent prendre en compte : il s'agit de taxer les agents produisant des effets externes négatifs (à la hauteur des nuisances qu'ils provoquent) et de subventionner ceux produisant des effets externes positifs (à la hauteur des bienfaits qu'ils génèrent). L'analyse de Pigou permet de justifier le ***principe du pollueur-payeur*** qui est une règle imposant aux agents économiques dont les activités sont sources de pollution, de verser à la collectivité (État ou collectivités locales) une indemnité compensatrice.

Pigou ►
Voir p. 524

Cette approche est contestée par d'autres économistes libéraux. Depuis les années 1970, ils proposent une alternative au principe du pollueur-payeur : l'allocation de droits à polluer permet de préserver les mécanismes du marché. Un *droit à polluer* ou *quota d'émission* est un permis de polluer correspondant à un volume d'émission d'un polluant (par exemple, un gaz à effet de serre) alloué aux entreprises par les pouvoirs publics. Après distribution initiale des droits à polluer, les entreprises dont l'activité génère un niveau de pollution dépassant le niveau autorisé doivent acquérir des droits à polluer auprès d'autres entreprises qui n'utilisent pas la totalité de leurs permis. Le prix des droits à polluer est déterminé par la confrontation de l'offre et de la demande de ces droits. Ainsi, un niveau de pollution excessif entraîne la hausse du prix des droits à polluer, ce qui incite les entreprises à être plus attentives à la préservation de l'environnement. L'action de l'État (et des pouvoirs publics en général) est alors réglementaire : il s'agit de fixer les niveaux de pollution autorisés et de les contrôler pour imposer l'usage des droits à polluer.

Par ailleurs, l'intervention de l'État dans l'allocation de ressources provoque des dysfonctionnements. C'est pour cela que les libéraux promeuvent la *neutralité budgétaire,* qui est un principe qui conditionne l'élaboration du budget de l'État à la nécessité de préserver le bon fonctionnement des mécanismes de marché. La neutralité budgétaire suppose le respect de trois contraintes :

– le budget doit être le plus souvent équilibré (de nombreux libéraux acceptent cependant de laisser jouer les stabilisateurs automatiques pour réguler les fluctuations économiques) ;

◄ **Stabilisateur automatique**
Voir p. 241

– les interventions de l'État doivent être au plus proche de ses fonctions régaliennes, auxquelles il faut ajouter la prise en charge des infrastructures et de la production de biens collectifs que le secteur privé ne peut assurer ;

◄ **Bien collectif**
Voir p. 73

– l'impôt proportionnel doit être privilégié (si les résistances sociales n'étaient pas si fortes, il faudrait privilégier l'impôt forfaitaire, puisque les contribuables sont réputés consommer à parts égales les biens collectifs produits par l'État).

◄ **Impôt proportionnel**
Voir p. 237

◄ **Impôt forfaitaire**
Voir p. 237

Les limites de la redistribution

L'action redistributrice de l'État est fondée sur un principe de justice sociale. Or, des libéraux, tel Friedrich Von Hayek, récusent le principe de justice sociale, qui suppose une atteinte aux libertés

◄ **Justice sociale**
Voir p. 436

individuelles. Par exemple, prélever des impôts au-delà de ce qu'exigent les fonctions régaliennes est une confiscation injuste des revenus perçus légalement par les agents économiques ; ils sont en outre désincités à mobiliser leurs talents, leurs compétences. De plus, la distribution de prestations sociales modifie les comportements, perpétuant les déséquilibres : par exemple, la distribution d'un revenu minimum désincite les pauvres à chercher un emploi…

Pourtant, certains libéraux, comme Milton Friedman, proposent d'instituer une allocation (qui doit préserver l'incitation à travailler) versée aux individus ne disposant pas d'un r*evenu minimum* (le niveau de revenus considéré, au sein d'une société déterminée et à une époque donnée, comme un **seuil de pauvreté**, à savoir le montant des ressources en dessous duquel les individus ne peuvent satisfaire une partie de leurs besoins essentiels).

Les limites de la régulation

La fonction de régulation de l'État fait également l'objet de nombreuses critiques émanant du courant libéral.

L'américain Arthur Laffer, conseiller économique du président Ronald Reagan au début des années 1980, établit une représentation graphique des effets négatifs d'un taux d'imposition excessif.

La **courbe de Laffer** est la représentation graphique (en forme de U inversé) de l'évolution du montant des recettes fiscales, qui augmente de moins en moins fortement au fur et à mesure que le taux d'imposition s'accroît ; au-delà d'un taux d'imposition critique, les recettes fiscales diminuent.

Prélèvements obligatoires ►
Voir p. 236

Ce raisonnement vaut pour l'ensemble des prélèvements obligatoires. Le niveau trop élevé du taux de prélèvements obligatoires dissuade les entreprises de produire et les individus de travailler. Ainsi, l'offre diminue et le chômage augmente.

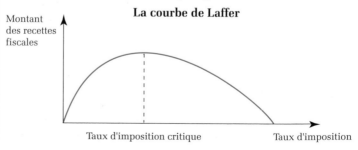

La courbe de Laffer

Montant des recettes fiscales

Taux d'imposition critique

Taux d'imposition

Par conséquent, aux politiques de demande, il convient de substituer des politiques d'offre. Une *politique d'offre* est une politique économique structurelle destinée à inciter les agents économiques à accroître leur offre, en réduisant durablement la *pression fiscale* (part des impôts dans le PIB, exprimée en pourcentage) et, plus globalement, le taux de prélèvements obligatoires. Cette proposition constitue un des axes principaux de l'*économie de l'offre*, courant de la pensée économique libérale dénonçant les interventions excessives de l'État dans l'économie qui brident l'offre.

◄ Taux de prélèvements obligatoires
Voir p. 139

La contestation libérale des politiques budgétaires repose également ment sur la dénonciation des effets négatifs des modalités de financement du déficit budgétaire. Le creusement des déficits pour relancer l'activité économique pourrait être financé par création monétaire : dans ce cas, l'inflation s'accélère ; le déficit pourrait être financé par l'augmentation des impôts : dans ce cas, l'effet de relance du déficit budgétaire est annulé et les agents économiques sont désincités à accroître leur offre. Si le déficit est financé par l'emprunt, la demande de capitaux de l'État augmente, orientant les taux d'intérêt à la hausse et provoquant un *effet d'éviction*, c'est-à-dire un phénomène provoqué par l'accroissement de la demande de capitaux par l'État qui, en drainant l'épargne disponible et en provoquant la hausse des taux d'intérêt, évince les entreprises du marché des capitaux.

◄ Déficit budgétaire
Voir p. 239

Au milieu des années 1970, l'économiste américain Robert Barro énonce son théorème d'équivalence ricardienne, proposition établissant que le financement des dépenses budgétaires par l'impôt a les mêmes effets qu'un financement par l'emprunt. Ainsi, lorsque l'État finance son déficit budgétaire par l'impôt, il confisque une partie des revenus des ménages et annule de ce fait l'effet de relance du déficit ; il en est de même lorsque le financement du déficit est couvert par un emprunt : les agents économiques, anticipant la hausse des impôts destinée à rembourser l'emprunt, épargnent davantage et réduisent leur consommation, ce qui annule l'effet de relance par le déficit budgétaire.

◄ Principe d'équivalence ricardien
Voir p. 546

Au cours des années 1970, Milton Friedman conteste la pertinence de l'arbitrage entre inflation et chômage qui fonde les politiques conjoncturelles d'inspiration keynésienne. En effet, la relance dope la croissance à court terme, fait baisser le chômage et croître les prix. Les salariés, victimes de l'illusion monétaire, réclament avec retard une hausse de leurs salaires quand ils se rendent compte de la baisse de leur pouvoir d'achat ; dès lors, les employeurs licencient

Chômage
naturel ▸
Voir p. 540

un personnel devenu trop coûteux. Le chômage revient à son niveau initial (taux de chômage naturel) et il faut alors une relance plus conséquente que la précédente pour faire à nouveau baisser temporairement le chômage. À long terme, le chômage est toujours à son niveau naturel (ou structurel) et la hausse des prix est plus élevée : la courbe de Phillips est verticale. Pour Milton Friedman, il convient de pratiquer une politique monétaire, qui cale la progression de la masse monétaire sur la croissance anticipée du PIB en volume, et de mettre en œuvre une politique budgétaire refusant le déficit.

Au début des années 1970, des économistes libéraux américains développent une critique plus radicale : contrairement à ce qu'énonce Friedman, qui évoque les *anticipations adaptatives* (anticipations qui modifient progressivement les comportements des agents économiques, ceux-ci traitant avec retard les informations dont ils disposent), ces économistes (qui constituent le courant de

Nouvelle
économie
classique ▸
Voir p. 544

la nouvelle économie classique) retiennent l'hypothèse d'*anticipations rationnelles* (anticipations d'agents rationnels qui ajustent sans délai leurs comportements à toute information nouvelle et qui sont supposés prévoir le futur de la façon la plus juste possible). Ainsi, les politiques économiques conjoncturelles sont inefficaces du fait d'un *effet d'annonce*, c'est-à-dire la modification des comportements des agents économiques à l'annonce d'un événement ou d'une prévision : anticipant les effets inflationnistes de la relance, les salariés exigent immédiatement des hausses de salaires compensatrices ; les employeurs licencient sans délai une main-d'œuvre devenant trop coûteuse… Le chômage ne diminue pas et les prix augmentent.

Ces critiques adressées aux politiques d'inspiration keynésienne fondent les politiques économiques libérales.

Les *politiques économiques libérales* sont des politiques destinées à promouvoir les mécanismes de marché, à libéraliser l'économie en réduisant le poids et les interventions de l'État ; elles sont essentiellement structurelles. Il s'agit généralement de politiques destinées à faire croître l'offre. Cependant, à court terme, la nécessité de préserver la stabilité des prix peut commander la mise en œuvre de politiques économiques conjoncturelles, notamment les politiques monétaires restrictives. Il est en outre parfois nécessaire

Stabilisateur
automatique ▸
Voir p. 241

de laisser jouer les stabilisateurs automatiques.

Par ailleurs, le courant libéral contemporain (auquel il faut ajouter de nombreux auteurs de la nouvelle économie keynésienne) fonde l'intervention des pouvoirs publics dans l'économie sur un principe de crédibilité. La *crédibilité d'une politique économique* repose sur sa faculté d'être maintenue sur une longue période, indépendamment de toute préoccupation électoraliste ou des fluctuations conjoncturelles. Par exemple, confier la politique monétaire à une banque centrale indépendante et soucieuse de la stabilité des prix est de nature à renforcer la crédibilité des pouvoirs publics en matière de lutte contre l'inflation : en effet, les agents économiques rationnels n'ont plus de raison de douter de la volonté des pouvoirs publics d'éradiquer l'inflation, même si le chômage devait croître.

Cette perspective ôte de sa pertinence au clivage traditionnel entre politiques économiques conjoncturelles et politiques économiques structurelles : les politiques économiques et sociales de l'État (et plus généralement, des pouvoirs publics) dans une économie de marché, qu'elles soient à court ou à long terme, doivent être des *politiques de règles*, c'est-à-dire des politiques constamment encadrées par des normes, des prescriptions, des contraintes. Ces politiques doivent contribuer à préserver les mécanismes de marché et à renforcer la crédibilité des pouvoirs publics. Les politiques des règles s'opposent aux *politiques discrétionnaires* qui désignent les politiques économiques et sociales définies par les pouvoirs publics sans qu'ils soient soumis à des contraintes réglementaires bridant leur pouvoir d'intervention.

14

MONDIALISATION ET INTÉGRATION EUROPÉENNE

A **L'essor du commerce international, facteur d'internationalisation des économies nationales**

- Internationalisation et mondialisation
- Les échanges internationaux de biens et de services
- La spécialisation des économies

B **Les théories du commerce international**

- Libre-échange et protectionnisme
- Les théories du commerce international promouvant le libre-échange
- Les théories contestant le libre-échange et promouvant le protectionnisme
- Les nouvelles théories du commerce international

C **Du GATT à l'OMC**

- L'extension du libre-échange depuis 1947
- La mise en place de l'OMC

D **Les migrations internationales des travailleurs et l'internationalisation des capitaux**

- Les flux migratoires et les flux de capitaux
- La multinationalisation des firmes
- La balance des paiements

E **L'intégration européenne**

- Les modalités de l'intégration économique
- L'Union européenne, l'intégration économique régionale la plus aboutie
- Du serpent monétaire européen à l'euro

L'*ouverture internationale* est le processus par lequel les pays s'insèrent dans les flux d'échanges internationaux.

Les *échanges internationaux* sont des échanges entre pays pouvant porter sur des marchandises, des services, des capitaux (investissements des firmes et placements divers à l'étranger) et les migrations internationales des travailleurs.

À l'opposé, l'*autarcie* désigne la situation des pays refusant tout type d'échange avec l'extérieur. Actuellement, aucun pays n'est totalement autarcique, mais certains d'entre eux sont très peu ouverts sur l'extérieur.

A L'essor du commerce international, facteur d'internationalisation des économies nationales

■ Internationalisation et mondialisation

Sur longue période, on constate la tendance à l'*internationalisation des économies nationales*, c'est-à-dire l'essor des échanges internationaux résultant d'une insertion plus grande des pays dans l'économie mondiale. Depuis les années 1980, cette tendance s'accentue : les obstacles aux échanges sont restreints ou éliminés. Cette évolution traduit le processus de *mondialisation* (ou *globalisation*), c'est-à-dire l'émergence d'un vaste marché mondial des biens, des services, des capitaux et de la force de travail, s'affranchissant des frontières politiques et, de ce fait, limitant la capacité des États à influer sur l'activité intérieure et sur les structures socioéconomiques nationales.

Toutefois, la distinction entre internationalisation et mondialisation n'est pas toujours retenue dans la littérature économique. Les deux termes sont alors parfois considérés comme synonymes.

Certains auteurs, prolongeant les thèses exposées par l'historien Fernand Braudel, considèrent que l'économie mondiale d'aujourd'hui reproduit le schéma d'une économie-monde.

Fernand Braudel (1902-1985), historien français, analyse la lente évolution des structures socioéconomiques des sociétés et privilégie de ce fait la longue durée. Il opère une distinction entre économie de marché et capitalisme. L'économie de marché est fondée sur des échanges de proximité, transparents et honnêtes, mettant

Capitalisme ▶
Voir p. 166
Économie
de marché ▶
Voir p. 56

directement en relation les producteurs et les consommateurs ; le capitalisme est caractérisé par les échanges au loin, la constitution de monopoles bafouant les règles de la concurrence et l'émergence d'une bourgeoisie d'affaires s'emparant de l'État. Braudel établit par ailleurs le concept d'économie-monde sur lequel il fonde son analyse des transformations qui marquent l'histoire des sociétés. Parmi les ouvrages qu'il a publiés, on peut citer : *La Méditerranée et le Monde méditerranéen à l'époque de Philippe II* (1949), *Civilisation matérielle, économie et capitalisme, XVe-XVIIIe siècle* (1979), *La Dynamique du capitalisme* (1985), *L'Identité de la France* (1986).

Une **économie-monde** est, selon Braudel, un vaste espace hiérarchisé : une ville-centre concentre tous les leviers du pouvoir ; les régions environnantes du centre constituent le cœur de l'économie-monde qui, selon les termes de Braudel, « réunit tout ce qui existe de plus avancé et de plus diversifié » ; le cœur domine des économies intermédiaires, « la zone des brillants seconds ». Au-delà, les zones périphériques regroupent les régions les plus attardées sur lesquelles la domination du centre et du cœur est totale.

Au sein d'une même économie-monde, deux centres (donc deux cœurs) peuvent être momentanément en concurrence mais, à terme un seul subsiste. Par ailleurs, plusieurs économies-mondes coexistent au sein de l'économie mondiale. Chacune étant autosuffisante, les échanges entre économies-mondes sont très limités.

Aujourd'hui, l'économie mondiale est structurée par la **Triade** qui désigne, selon le Japonais Kenichi Ohmae, l'ensemble des pays exerçant une domination économique sur le monde qui constituent les trois pôles de l'économie mondiale : les États-Unis, le Japon et l'Union européenne. Ces pays représentent 50 à 55 % du commerce mondial des biens et des services et captent une large part des investissements des firmes à l'étranger et des flux de capitaux financiers internationaux. Ils exercent leur domination sur le reste du monde, d'autant plus fortement que le niveau de développement des autres pays est bas. Ainsi, la Triade constituerait le cœur d'une économie-monde qui recouvrirait l'ensemble de la planète. ◄ Union européenne Voir p. 297

Mais cette perspective est contestable. Braudel invite à distinguer économie mondiale, qui est « le marché de tout l'univers » pour reprendre la formule de Sismondi (citée par Braudel), et économie-monde, qui n'en constitue qu'une fraction. De plus, parmi les villes de la Triade qui disposent des atouts suffisants pour prétendre au statut de centre, aucune ne semble devoir l'emporter sur les autres. Par voie de conséquence, l'économie-monde triadique aurait durablement plusieurs cœurs, ce qui ne correspond pas au modèle de Braudel.

Une autre thèse soutient que chacun des trois pôles de la Triade constitue le cœur d'une économie-monde : l'économie mondiale serait alors composée de trois économies-mondes. Mais, par définition, une économie-monde est autosuffisante et développe peu d'échanges avec les autres économies-mondes constituant l'économie mondiale. Or, les trois pôles de la Triade développent entre eux d'intenses relations de toute nature.

■ Les échanges internationaux de biens et de services

Le *commerce international* correspond aux échanges de biens et de services entre les pays. Son volume est égal à celui des exportations (ou des importations) mondiales de biens et de services (une conception plus restrictive du commerce international limite son champ aux seuls échanges mondiaux de biens).

Une *importation* est un flux de biens ou de services en provenance de l'étranger, entrant sur le territoire national ; à l'inverse, une *exportation* est un flux de biens ou de services sortant du territoire national, vers l'étranger.

L'essor du commerce international participe à l'internationalisation des économies nationales et implique l'accroissement de leur taux d'ouverture. Le *taux d'ouverture* est, pour une période donnée et un pays déterminé, la moyenne des exportations et des importations de biens et de services, exprimée en pourcentage du PIB. Cet indicateur est plus significatif que le *taux d'exportation*, c'est-à-dire, pour une période donnée, les exportations en pourcentage du PIB, ou que le *taux d'importation* (importation en pourcentage du PIB).

L'ouverture croissante des économies nationales aux échanges extérieurs se traduit par l'extension d'un *secteur exposé*, c'est-à-dire l'ensemble des entreprises dont l'activité est concurrencée par des producteurs étrangers ; par opposition, le *secteur abrité* correspond à l'ensemble des entreprises, mais aussi des administrations, exerçant leur activité sur le territoire national sans être confrontées à la concurrence internationale.

Balance des biens et des services et balance commerciale

Un relevé statistique périodique de leur *commerce extérieur*, c'est-à-dire les flux de biens et de services traversant la frontière des pays, permet aux pays d'établir leur *balance des biens et des services*, un document comptable qui compare les exportations et les importations de biens et de services au cours d'une période déterminée pour en dégager un solde positif (excédent) ou négatif (déficit). La *balance commerciale*, incluse dans la balance des biens et des services, est un document comptable comparant les seuls flux d'exportations et d'importations de marchandises (les biens).

Le *solde commercial* est la différence entre exportations et importations de marchandises au cours d'une période déterminée. Ce solde peut traduire l'équilibre, le déficit ou l'excédent de la balance commerciale. L'*équilibre commercial* exprime l'égalité entre importations et exportations de biens.

Dans ce cas, les exportations « couvrent » les importations : le *taux de couverture*, à savoir le rapport exportations/importations exprimé en pourcentage, est de 100 %. Un *déficit commercial* est le solde négatif résultant d'exportations de marchandises inférieures aux importations (le taux de couverture est alors inférieur à 100 %) ; un excédent commercial est le solde positif résultant d'exportations de marchandises dépassant les importations (le taux de couverture est supérieur à 100 %). Le solde commercial et le taux de couverture peuvent être calculés par branches ou par pays (clients ou fournisseurs). Un taux de couverture est également calculé pour la totalité des exportations et des importations de biens et de services.

◄ Branche
Voir p. 136

Les flux d'exportations de marchandises sont établis FAB ou franco à bord. Les importations sont mesurées CAF ou coût, assurance et fret. Cette méthode comptable gonfle la valeur des importations CAF en regard de celle des exportations FAB. L'application d'un coefficient correcteur aux importations CAF permet d'obtenir une valeur des importations FAB. Le solde commercial est alors calculé FAB/FAB.

◄ FAB
Voir p. 130

◄ CAF
Voir p. 130

Contrainte extérieure et compétitivité

L'accroissement du taux d'ouverture des pays traduit leur insertion plus grande dans l'économie mondiale et le renforcement de leur interdépendance. Certains d'entre eux peuvent être confrontés à une *contrainte extérieure* qui désigne la limitation du pouvoir

Pouvoir politique ►

Voir p. 442

d'intervention des pouvoirs publics qu'engendrent de mauvaises conditions d'insertion dans les échanges internationaux de biens et de services (et de capitaux) : l'État ne peut plus alors mettre en œuvre les politiques économiques et sociales de son choix.

Dès lors qu'un pays participe plus intensément aux échanges internationaux de biens et de services, la contrainte extérieure à laquelle il est confronté sera d'autant plus forte que son taux d'ouverture est élevé, que sa dépendance à l'égard de l'extérieur est grande pour son approvisionnement en produits primaires (voire semi finis), et que la compétitivité des firmes installées sur son territoire est faible.

La **compétitivité** désigne, pour un produit donné, la capacité d'une entreprise ou d'une économie à préserver ou à augmenter sa part de marché. La **part de marché** représente la fraction des ventes globales du produit sur le marché national et sur les marchés extérieurs qui, au cours d'une période, est couverte par celles de l'entreprise ou d'une économie (la compétitivité d'une économie peut être établie produit par produit ou pour l'ensemble des produits).

La **compétitivité prix** désigne l'aptitude d'une entreprise ou d'une économie à pratiquer des prix plus bas que ceux des concurrents. Cette forme de compétitivité dépend de plusieurs facteurs :

– la **compétitivité coûts**, qui désigne la capacité d'une entreprise ou d'une économie à réduire les coûts de production unitaires ;

– les variations des taux de changes ;

– le **comportement de marge**, qui correspond aux comportements des exportateurs fixant leurs prix de vente en fonction du bénéfice par unité produite qu'ils escomptent.

Des prix élevés ne nuisent pas obligatoirement à la compétitivité. La **compétitivité hors prix** (ou **compétitivité structurelle** ou encore **compétitivité produit**) désigne la capacité d'une entreprise ou d'une économie à mobiliser d'autres facteurs que les prix (performances techniques des produits, les délais de livraison, l'efficience du service après-vente, l'offre de facilités de paiements…), pour vendre des produits même quand ils sont chers.

La faible compétitivité d'un pays, ou plus précisément de certaines entreprises qui y sont installées, est révélée par une forte **élasticité des importations par rapport à la croissance du PIB** (ou au revenu national) qui mesure la variation relative (en pourcentage) des importations en regard de celle du PIB (ou du revenu national) : elle permet de connaître le taux de croissance des importations lorsque le PIB (ou le revenu national) augmente de 1 % au cours d'une période donnée. Par exemple, une élasticité égale à 3 permet de déduire que les importations augmentent de 3 % quand le PIB (ou le revenu national) s'accroît de 1 %. Une faible compétitivité se traduit par un niveau élevé et/ou une forte croissance du *taux de pénétration* (calculé globalement ou par branches), qui mesure, au cours d'une période donnée et pour un pays déterminé, le rapport entre les importations de biens et de services du pays et la demande intérieure (ce rapport étant exprimé en pourcentage).

◄ **Branche**
Voir p. 136

■ La spécialisation des économies

Dans une économie insuffisamment compétitive, toute relance de la croissance dopera les importations, au risque de creuser le déficit de la balance des biens et des services (ou de réduire son excédent) et, par conséquent, d'accentuer l'endettement externe du pays. L'État peut alors être dans l'obligation d'appliquer une politique d'austérité destinée à freiner les importations au prix d'une hausse du chômage. Par ailleurs, l'appareil productif doit évoluer de façon à rétablir durablement la compétitivité nationale. Il s'agit de faire émerger des *pôles de compétitivité*, c'est-à-dire des secteurs au sein desquels les entreprises sont fortement compétitives par rapport aux concurrents et exercent des effets d'entraînement sur l'ensemble de l'économie. La constitution de pôles de compétitivité au sein d'un pays peut imposer l'évolution de sa *spécialisation*, qui correspond aux principales productions autour desquelles s'organise l'appareil productif national.

◄ **Politique d'austérité**
Voir p. 233

Une mauvaise spécialisation d'un pays s'insérant dans les échanges de biens et de services affaiblit la compétitivité nationale et alimente les déficits externes. Dans certains cas, elle peut également être source d'appauvrissement des nations : la *croissance appauvrissante*, concept forgé à la fin des années 1950 par l'économiste américain d'origine indienne Jagdish Bhagwati, désigne le fait que l'insertion dans le commerce international de certains pays se traduit par un recul de leur revenu par habitant du fait de la conjonction de certaines caractéristiques de leur économie :
– le secteur d'exportation représente une part importante du PIB ;
– l'élasticité des importations par rapport à la croissance du PIB est forte ;
– les termes de l'échange diminuent.

Les **termes de l'échange** sont un indicateur mesuré par le rapport indice des prix à l'exportation/indice des prix à l'importation (ce rapport étant, le plus souvent, multiplié par 100), c'est-à-dire le prix relatif des produits exportés.

Dans la configuration envisagée par Bhagwati, la hausse du PIB induite par celle des exportations conduit à une augmentation conséquente des importations du fait de leur forte élasticité. La dégradation des termes de l'échange, par exemple lorsque le prix des exportations augmente moins que celui des importations, commande d'accroître fortement le volume des exportations pour préserver le pouvoir d'achat des recettes d'exportations. En d'autres termes, pour maintenir le même volume d'importations, il est nécessaire d'accroître le volume des exportations pour pallier les effets négatifs, sur les recettes d'exportations, de la dégradation des termes de l'échange. Si tel n'est pas le cas, la hausse des importations doit être freinée, ce qui commande le ralentissement, voire la réduction de la demande intérieure (puisque, par hypothèse, la demande extérieure, à laquelle répondent les exportations, augmente), donc du revenu par habitant. Ce risque menace, par exemple, un pays exportateur de produits primaires dont la baisse des prix relatifs n'induit qu'un modeste accroissement de la demande du fait d'une faible élasticité-prix.

Élasticité-prix ▷
Voir p. 560

La spécialisation des appareils productifs nationaux fonde une **division internationale du travail (DIT)**, c'est-à-dire la répartition des activités productives entre les différents pays. Cette DIT alimente plus ou moins fortement les courants d'échanges de biens et de services (mais aussi de capitaux et de force de travail). Elle résulte de plusieurs facteurs :

– pour les auteurs libéraux : la présence de ressources naturelles et les facteurs de production disponibles (capital et travail) commandent la spécialisation de nombreux pays ;

– pour les auteurs contestant le courant libéral (marxistes, tiers-mondistes…), la spécialisation peut être imposée par les économies dominantes ou les grandes firmes.

La spécialisation évoluant, la DIT n'est pas immuable. Certains auteurs discernent l'émergence d'une **nouvelle division internationale du travail (NDIT)**, à savoir la modification de la DIT provoquée par l'industrialisation de certains pays en développement depuis les années 1970 ; ceux-ci deviennent de sérieux concurrents pour les pays développés les plus industrialisés et mettent à mal le schéma d'une DIT traditionnelle, qui confère aux pays développés la production de biens industriels et de services, et aux pays en développement la production de produits primaires. En fait, cette perspective est contestée par de nombreux auteurs : d'une part, la DIT traditionnelle simplifie à l'excès les réalités de la spécialisation des nations ; d'autre part, la NDIT ne modifie en rien la domination des pays les plus avancés sur l'économie mondiale.

B Les théories du commerce international

Depuis 1945, l'essor du commerce international des biens et des services s'inscrit dans un contexte marqué par l'extension du *libre-échange*, qui est une politique commerciale se traduisant par la réduction puis l'élimination de tout obstacle douanier aux échanges internationaux de biens et de services.

◄ Commerce international
Voir p. 268

■ Libre-échange et protectionnisme

Le libre-échange s'oppose aux politiques commerciales protectionnistes qui caractérisaient l'économie mondiale jusqu'aux années 1940 (à l'exception de la période comprise entre les années 1840 et les années 1870). Le *protectionnisme* est une politique commerciale dont l'objet est de favoriser l'activité nationale au détriment de la concurrence étrangère en instaurant des barrières douanières ; cette politique ne signifie pas obligatoirement que le volume du commerce international recule, mais qu'il est encadré par des mesures de contrôle mises en œuvre par les États.

Le protectionnisme peut être tarifaire ou non tarifaire.

Le *protectionnisme tarifaire* est une politique commerciale qui consiste à appliquer des droits de douane aux importations. Les droits de douane sont des taxes frappant le prix des produits importés. Ces taxes peuvent être forfaitaires ; elles sont le plus souvent exprimées en pourcentage du prix du produit (droits ad valorem).

Le *protectionnisme non tarifaire* est une politique commerciale qui regroupe un ensemble de mesures destinées à dresser des obstacles aux importations autrement que par des droits de douane. Par exemple, un *quota* est une mesure non tarifaire prise par un État qui fixe la fraction de la demande nationale pouvant être couverte par des importations (les quotas sont établis par produit et par pays). Les

contingentements sont des mesures protectionnistes non tarifaires qui imposent pour certains produits et par pays ou groupes de pays, un contingent. Un **contingent** est un volume maximum d'importation, autorisé pour une période donnée. Ainsi, les **accords multifibres** sont des accords commerciaux permettant aux pays développés à économie de marché d'imposer des contingents d'importation aux pays en développement exportateurs de produits textiles. Ces accords, établis pour la première fois en 1974, puis plusieurs fois renouvelés, sont démantelés depuis 2005.

Troc ►
Voir p. 90

Le **clearing** (ou **compensation**) est une pratique permettant aux pays en manque de liquidités internationales de nouer des relations commerciales selon des règles proche de celle du troc. Le *clearing* relève du protectionnisme non tarifaire : il fixe le volume des échanges au cours d'une période et il peut être considéré comme une forme de contingentement.

Alors que le protectionnisme tarifaire constituait la forme essentielle des barrières à l'échange au XIXᵉ siècle, le protectionnisme non tarifaire se développe entre les deux guerres mondiales. De la fin des années 1940 aux années 1960, les deux formes de protectionnisme reculent ; depuis les années 1970, les barrières non tarifaires tendent à réapparaître lors des phases de freinage de la croissance.

Trente
Glorieuses ►
Voir p. 158

Ce **néoprotectionnisme**, c'est-à-dire le recours au protectionnisme non tarifaire depuis la fin des Trente Glorieuses, n'a pas pour autant stoppé la tendance libre-échangiste entamée depuis la fin des années 1940, comme le montre une récente étude de l'OCDE.

L'**OCDE (Organisation de coopération et de développement économique)** est instituée en 1960 pour faciliter la concertation entre les pays membres dans le but de favoriser leur croissance. Elle regroupe aujourd'hui 34 pays, qui pour la plupart sont des pays développés (États-Unis, Grande-Bretagne, France, Allemagne, Japon…).

■ Les théories du commerce international promouvant le libre-échange

Gain à
l'échange ►
Voir p. 55

Les libre-échangistes veulent montrer que le commerce international génère un gain à l'échange qui, pour les pays, correspond à la possibilité de se procurer davantage de produits qu'en situation d'autarcie, notamment ceux qu'ils ne peuvent pas produire ou qui sont moins chers à l'étranger.

Au XVIIIe siècle, le courant libéral promeut le libre-échange en opposition aux idées mercantilistes qui privilégient le protectionnisme. Les physiocrates sont favorables à la libéralisation des échanges ; néanmoins, les fondements théoriques du libre-échange sont établis par l'école classique : Adam Smith (1723-1790) soutient, dans son ouvrage *Recherches sur la nature et les causes de la richesse des nations* (1776), que le libre-échange est facteur d'enrichissement pour les nations s'adonnant au commerce international. Chacune doit se spécialiser dans la production pour laquelle elle dispose d'un *avantage absolu*, c'est-à-dire un coût unitaire plus bas que dans les autres pays, en raison d'une productivité du travail élevée.

◄ Smith
Voir p. 515

David Ricardo (1772-1823) approfondit cette analyse dans son ouvrage, *Des principes de l'économie politique et de l'impôt*, paru en 1817 : il établit la *loi des avantages comparatifs* (ou *relatifs*), loi stipulant que les pays ne disposant pas d'un avantage absolu bénéficient du libre-échange dès lors qu'ils se spécialisent dans la production pour laquelle ils disposent du désavantage le plus faible en termes de coûts unitaires ou de niveau de productivité du travail, tandis que les autres pays optent pour la production bénéficiant de l'avantage absolu le plus élevé.

◄ Ricardo
Voir p. 518

Alors que l'avantage absolu est fondé sur le niveau absolu des coûts unitaires (l'avantage réside dans les coûts unitaires les plus bas), l'*avantage comparatif* (ou *relatif*) désigne l'écart relatif de ces coûts entre pays (l'avantage comparatif repose sur les coûts unitaires relativement les plus bas ou les plus faiblement supérieurs en regard de ceux des concurrents).

Par exemple, si en une heure de travail sont obtenus 5 mètres de tissu et 100 litres de vin en Grande-Bretagne, et 10 mètres de tissu et 300 litres de vin au Portugal, dans les deux cas, le Portugal dispose d'un avantage absolu (la Grande-Bretagne n'en bénéfice d'aucun). Cet avantage est plus important sur le vin (trois fois) que sur le tissu (deux fois). Le Portugal dispose donc d'un avantage comparatif (ou relatif) sur le vin et la Grande-Bretagne enregistre son désavantage le plus faible sur le tissu. Si les Portugais exportent 300 litres de vin en Grande-Bretagne, ils pourront en échange obtenir 15 mètres de tissu alors qu'au Portugal, 300 litres de vin s'échangent contre seulement 10 mètres de tissu. Si les Britanniques exportent 5 mètres de tissu au Portugal, ils se procureront 150 litres de vin alors qu'en Grande-Bretagne, ces 5 mètres s'échangent contre 100 litres de vin. Ainsi, les deux pays ont intérêt à opter pour le libre-échange en se spécialisant : la Grande-Bretagne dans le textile et le Portugal dans le vin.

Au début du XIXᵉ siècle, Ricardo mobilise sa théorie pour justifier le libre-échange et l'abrogation des *lois sur les blés* (ou *corn laws*) qui sont des règles grevant de lourdes taxes les importations de blé en Grande-Bretagne afin de protéger l'agriculture britannique. Selon Ricardo, l'adoption du libre-échange permettrait d'abaisser le prix du blé en Grande-Bretagne, donc des salaires, gonflant les profits des industriels. Ceux-ci pourraient écouler leurs produits sur le marché intérieur et les marchés internationaux.

L'analyse ricardienne est reprise au XXᵉ siècle par Eli Heckscher, en 1919, et par Bertil Ohlin, en 1933.

Eli Heckscher (1879-1952) est un économiste suédois dont les travaux relèvent de l'histoire économique. Il s'est, en particulier, intéressé à la doctrine mercantiliste, dont il montre les limites. Il a en outre développé des analyses sur les politiques monétaires des banques centrales. Dans un court article, paru en 1919, il fonde l'avantage comparatif dont disposent les pays sur leur dotation factorielle. Professeur de Bertil Ohlin, il en a été également l'inspirateur. Il a publié *Mercantilism* (1931).

Bertil Ohlin (1899-1979) est un économiste suédois qui a particulièrement étudié les questions relevant de l'économie internationale en s'intéressant aux fondements de l'avantage comparatif à la suite des travaux d'Eli Heckscher. Ces travaux lui ont valu le prix Nobel d'économie en 1977 (qu'il partage avec le britannique James Meade). Par ailleurs, conjointement avec d'autres économistes suédois, il développe au cours des années 1930 certaines analyses proches de celles de Keynes (multiplicateur, rôle de l'incertitude...). Pourtant, il se réclame du libéralisme tout en manifestant son souci d'œuvrer pour la justice sociale. Son ouvrage, *Interregional and International Trade*, a été publié en1933.

Heckscher et Ohlin fondent la spécialisation des pays sur leur *dotation factorielle,* qui désigne les facteurs de production (capital travail, terre) dont les pays disposent : ils ont intérêt à se spécialiser dans les productions mobilisant les facteurs de production qu'ils possèdent en abondance, et à importer les produits incorporant les facteurs de production qui leur manquent. Par exemple, le Brésil, disposant de vastes étendues de terres, devrait exporter des produits agricoles et importer des biens d'équipement. En revanche, la Grande-Bretagne, disposant de peu de terres, mais de beaucoup de

Keynes ►
Voir p. 532

Justice sociale ►
Voir p. 436

Spécialisation ►
Voir p. 271

capital exportera des produits industriels en échange de produits agricoles.

Après le second conflit mondial, plusieurs auteurs complètent les thèses d'Heckscher et d'Ohlin pour justifier le libre-échange. C'est le cas, en 1948, de Paul Samuelson.

Samuelson établit, en 1948, les fondements du *théorème d'Heckscher-Ohlin-Samuelson* (ou *théorème HOS*), c'est-à-dire un ensemble de propositions logiques destinées à démontrer que l'extension des échanges et l'adoption du libre-échange induisent la convergence mondiale de la rémunération des facteurs de production. En effet, conformément aux principes énoncés par Heckscher et Ohlin, certains pays se spécialisent dans des productions nécessitant l'emploi d'une main-d'œuvre abondante, tandis que d'autres le feront dans des productions à forte intensité capitalistique. Dans les premiers, la hausse de la production conduit à un accroissement de la demande de travail, donc des salaires, tandis que les importations à fort contenu de capital réduisent la rareté de ce dernier dont le prix relatif chute. Symétriquement, dans les pays exportant des produits à fort contenu de capital, le prix relatif de ce facteur s'accroît et celui du travail diminue. Ainsi, les prix des facteurs tendent à converger.

◄ **Demande de travail** Voir p. 203

◄ **Prix relatif** Voir p. 157

Au début des années 1950, testant la pertinence des thèses d'Heckscher et d'Ohlin sur l'économie américaine, Wassily Leontief infirme l'analyse de ces auteurs.

Wassily Leontief (1906-1999) est un économiste américain d'origine russe, dont la plus grande partie des travaux portent sur les relations inter-industrielles entre les différentes branches de l'économie, qu'il représente sous la forme d'un tableau *input/output*. Ce tableau permet, par exemple, de connaître la quantité d'input nécessaire à la production d'une unité d'un bien ou l'intensité capitalistique des branches. Le tableau *input/output* est largement utilisé par les systèmes de comptabilité nationale. C'est en reconnaissance de la qualité de ses travaux que Leontief reçoit le prix Nobel d'économie en 1973. Il a notamment publié *Essais d'économiques* (1974).

◄ **Branche** Voir p. 136

◄ *Input / Output* Voir p. 24

Sur la base de tableaux *input/output* établis sur l'économie américaine, Leontief révèle, au début des années 1950, un paradoxe. Le *paradoxe de Leontief* est le constat *a priori* inattendu que le contenu en facteur travail des exportations américaines est plus élevé que ne le laissait supposer le niveau de l'accumulation du capital aux États-Unis. Ce paradoxe paraît résolu dès lors que la productivité

◄ **Accumulation du capital** Voir p. 159

du travail est prise en compte. Si, par exemple, la productivité du travailleur américain vaut trois fois celle d'un travailleur dans un autre pays, la dotation en facteur travail des États-Unis est bien plus élevée qu'il n'y paraît (ici, trois fois plus élevée que la dotation apparente).

■ Les théories contestant le libre-échange et promouvant le protectionnisme

Marx ▶
Voir p. 525

Les approches promouvant le libre-échange sont contestées par de nombreux auteurs. Par exemple, Karl Marx (1818-1883) voit dans le commerce international un facteur d'inégalité entre nations : le libre-échange est le moyen par lequel les firmes des pays capitalistes dominants enrayent la chute de leur taux de profit en élargissant leurs débouchés et en se procurant des produits primaires peu coûteux. La spécialisation des pays dominés est par ailleurs imposée par les pays dominants en fonction des intérêts des capitalistes. Cette analyse a été reprise à la fin des années 1960 par Arghiri Emmanuel.

Exploitation ▶
Voir p. 369

Arghiri Emmanuel (1911-2001) économiste d'inspiration marxiste, développe ses travaux en appliquant aux échanges entre pays pauvres et pays riches la théorie de l'exploitation de Marx. Le commerce international régi par les principes libre-échangistes est néfaste aux pays en développement : les exportations des pays capitalistes à destination des pays en développement incorporent moins d'heures de travail que les importations en provenance de ces pays. Ce transfert de valeur se traduit pour les firmes des pays avancés par un surprofit qui est en partie distribué à leurs salariés sous forme de hauts salaires relativement à ceux des pays en développement. Par conséquent, les salariés des pays riches participent à l'exploitation de salariés des pays pauvres. A. Emmanuel a publié *L'Échange inégal* (1969) et *La Dynamique des inégalités* (1999).

Prolongeant les thèses marxistes, la plupart des théoriciens de l'impérialisme développent une analyse critique de l'évolution du capitalisme et du commerce international. Cette approche est notamment celle de Lénine.

Engels ▶
Voir p. 493

Wladimir Ilitch Oulianov (1870-1924) dit *Lénine* est le leader de la révolution bolchevique de 1917, en Russie. Son action politique est fondée sur l'œuvre de Karl Marx et de Friedrich Engels. Il développe une théorie de la révolution privilégiant le rôle d'un parti

d'avant-garde de la classe ouvrière, auquel adhèrent des professionnels de l'action révolutionnaire. En 1916, il expose ses thèses sur
l'impérialisme, qu'il considère comme la dernière phase du développement du capitalisme. Ses principaux ouvrages sont : *L'Impérialisme, stade suprême du capitalisme* (1916) et *L'État et la révolution*
(1918).

Pour Lénine, l'***impérialisme*** est le stade ultime du développement du capitalisme caractérisé par la concentration du capital et de
la production, la fusion du capital bancaire et industriel, l'exportation des capitaux, la formation de firmes multinationales et le partage du globe par les grandes puissances, dont la domination bloque
le développement des pays dominés.

◀ **Firme**
multinationale
Voir p. 288

Ces différentes approches confèrent au libre-échange un statut d'instrument de domination des pays développés sur les pays
pauvres. Le commerce international ne peut alors être bénéfique à
tous les participants aux échanges. Le protectionnisme, en revanche,
peut permettre aux nations dominées d'enclencher un processus de
développement fondé sur l'essor d'une industrie nationale, abritée
de la concurrence des firmes des pays avancés.

Le protectionnisme est par ailleurs légitimé par des auteurs ne
s'inscrivant pas dans la perspective marxiste. Ainsi, Friedrich List
(1789-1846) perçoit le protectionnisme comme le moyen de stimuler
l'industrialisation des nations. Il promeut un ***protectionnisme éducateur***, c'est-à-dire un ensemble de mesures protégeant le marché
intérieur et permettant l'essor d'entreprises naissantes qui, à l'abri
des barrières douanières, disposent du temps d'apprentissage nécessaire pour accéder au niveau de compétitivité des pays plus avancés. Dès lors que ce niveau de compétitivité est atteint, les barrières
douanières doivent être abolies et le libre-échange instauré.

Des auteurs contemporains développent une approche similaire
en promouvant les politiques commerciales stratégiques. Une ***politique commerciale stratégique*** correspond à un ensemble de mesures mises en œuvre par les États (ou une coalition d'États) pour
développer des activités jugées stratégiques (aéronautique, électronique…) de façon à réduire toute dépendance à l'égard de l'extérieur.
La distribution de subventions et les commandes publiques en faveur des entreprises intervenant dans les secteurs jugés stratégiques,
la protection du marché intérieur, sont les outils de ces politiques
commerciales.

Cette approche a été popularisée et critiquée, au cours des années 1980, par Paul Krugman.

Paul Krugman (né en 1954, prix Nobel d'économie en 2008) est un économiste américain contemporain, spécialiste de l'économie internationale ; il contribue notamment à l'élaboration de nouvelles théories du commerce international, prenant en compte les imperfections de la concurrence. Il a publié *Économie internationale*, avec M. Obstfeld (2004, 7ᵉ éd.) puis *La Mondialisation n'est pas coupable* (2005, 3ᵉ éd.).

Pour Krugman, les politiques commerciales stratégiques d'inspiration protectionniste présentent plusieurs inconvénients : elles risquent de déclencher des conflits commerciaux majeurs entre les pays ; l'intervention de l'État perturbe l'allocation de ressources : les ressources consacrées au développement des secteurs stratégiques feront défaut aux autres secteurs et doperont artificiellement l'essor de certaines entreprises (par exemple, les fournisseurs des industries stratégiques). Toutefois, Krugman reconnaît que le libre-échange n'offre pas tous les avantages que décrivent les théories traditionnelles. Il n'en est pas moins vrai que les politiques commerciales libre-échangistes présentent moins d'inconvénients que les politiques protectionnistes : le libre-échange est un *second best*. Un *second best* est une situation qui n'est pas optimale (une situation optimale serait telle qu'il serait impossible d'améliorer la satisfaction d'un agent économique sans détériorer celle d'au moins un autre), mais la meilleure possible compte tenu du contexte. Ainsi, le libre-échange n'est pas totalement optimal mais, constituant la moins mauvaise des politiques commerciales, il offre des opportunités plus favorables que le protectionnisme.

■ **Les nouvelles théories du commerce international**

Les théories contemporaines du commerce international dénoncent l'irréalisme des théories traditionnelles issues des approches de Smith et de Ricardo. Les thèses de ces auteurs classiques induisent une représentation des échanges internationaux fondée sur un *commerce interbranche* qui désigne les échanges internationaux portant sur des produits issus de branches différentes (par exemple, un pays exporte des automobiles et importe des matières premières). Or, la plus grande part des échanges mondiaux de biens

Smith ▶
Voir p. 515

Ricardo ▶
Voir p. 518

Branche ▶
Voir p. 136

et de services est un *commerce intrabranche* (ou *échanges croisés*), à savoir des importations et des exportations concernant des produits similaires issus des mêmes branches (par exemple, les automobiles apparaissent à la fois dans les exportations et les importations d'un pays pour des montants significatifs, c'est-à-dire dépassant une certaine fraction des échanges extérieurs). Le commerce intrabranche peut concerner des produits similaires de même niveau de gamme, mais différenciés horizontalement selon la marque ou l'image que s'en font les acheteurs : par exemple, les Français achètent des voitures allemandes pour leur robustesse supposée ou réelle ; les Allemands acquièrent des voitures françaises pour leur confort… Le commerce intrabranche peut également concerner des produits similaires de gammes différentes (des automobiles de bas de gamme contre des automobiles de haut de gamme) : la différenciation des produits est dans ce cas verticale.

Une partie importante du commerce international résulte de la stratégie de *multinationalisation*, c'est-à-dire le fait pour une entreprise d'implanter une ou des unités de production à l'étranger, se transformant ainsi en firme multinationale (FMN). Ainsi, les FMN développent une forme de commerce dont les modalités échappent aux principes libéraux qui fondent le libre-échange : le *commerce captif* (ou *commerce intrafirme* ou encore *echange intrafirme*), c'est-à-dire les échanges de biens et de services au sein d'une FMN entre les différentes unités de production qui la composent, est régi par des impératifs fixés par la direction du groupe. Celle-ci élabore une *décomposition internationale des processus productifs (DIPP)* qui consiste à scinder le processus de production en différents segments localisés dans différents pays en vue de maximiser la rentabilité.

Par ailleurs, les nouvelles théories du commerce international adoptent l'hypothèse de rendements d'échelle croissants, plus réaliste que celle des rendements d'échelle constants ou décroissants, sur laquelle reposent les théories traditionnelles justifiant le libre-échange. L'hypothèse des rendements d'échelle croissants permet de prendre en compte l'imperfection de la concurrence : en augmentant leur production, les entreprises présentes sur le marché d'un produit interdisent l'arrivée de tout concurrent nouveau du fait de la baisse des coûts unitaires renforçant leur compétitivité. Chaque pays se spécialise alors dans les productions pour lesquelles les rendements croissants sont les plus intenses et délaisse les autres : les marchés

◄ **FMN**
Voir p. 288

◄ **Rendements d'échelle**
Voir p. 27

Oligopole ▶
Voir p. 69

sont des oligopoles sur lesquels s'affrontent de grandes firmes peu nombreuses pour lesquelles le commerce international offre l'opportunité d'accroître leur production, donc de diminuer leurs coûts unitaires pour gonfler leur profit. Dans ce cas, les grandes firmes différencient leurs produits, notamment par l'image de marque. L'économiste Bernard Lassudrie-Duchêne y voit une manière de répondre à une demande de différence des consommateurs.

Pour le Suédois Steffen Linder, l'existence d'un important marché intérieur induit une demande de biens ou d'une variété de produits dont le volume et la structure sont liés au niveau de vie (demande représentative). Les firmes répondent à cette demande en bénéficiant d'économies d'échelle en raison des rendements d'échelle croissants qui élèvent leur compétitivité et dopent leurs exportations vers les pays à structure de demande proche, d'où des échanges intra-branches. Toutefois, les producteurs vont chercher à différencier leurs produits : dans ce cas, la différenciation n'est pas le fait d'une demande de différence des consommateurs, mais du comportement des producteurs.

Économies
d'échelle ▶
Voir p. 28

Différenciation ▶
Voir p. 33

Les différentes perspectives ouvertes par les nouvelles théories du commerce international font apparaître les avantages comparatifs comme le résultat et non la cause des échanges internationaux de biens et de services : la croissance des échanges provoque un accroissement de la production qui réduit les coûts unitaires, conférant un avantage de compétitivité aux firmes en bénéficiant.

▐C▌ Du GATT à l'OMC

■ L'extension du libre-échange depuis 1947

L'essor du commerce international de biens et de services n'est pas indépendant du contexte institutionnel dans lequel il intervient.

Ainsi, l'*Accord général sur les tarifs et le commerce (Agetac)* (ou, en anglais, *General Agreement on Tariffs and Trade [GATT]*), est un traité signé en 1947 par 23 pays, destiné à promouvoir le libre-échange et le multilatéralisme.

Le *multilatéralisme* désigne le fait qu'un ensemble de pays décident de coopérer et d'adopter les mêmes règles régissant leurs relations (dans le cadre du GATT, il s'agit des relations commerciales ; depuis 1945, le principe du multilatéralisme prévaut également en matière monétaire). Cette option s'oppose à celle du *bilatéralisme*, qui est une forme de relations entre pays correspondant au fait que chacun définit les modalités de ses relations internationales (notamment commerciales) par des accords qu'il signe avec chacun de ses partenaires ; les termes d'un accord intéressant deux pays (accord bilatéral) ne sont pas *a priori* applicables aux autres pays.

Le multilatéralisme promu par le GATT commande l'application de la *clause de la nation la plus favorisée*, qui est un principe stipulant que chaque pays s'engage à accorder à tout autre pays signataire de l'accord les avantages commerciaux qu'il concéderait à l'un d'entre eux (par exemple, la réduction des tarifs douaniers). En outre, l'accord prévoit qu'aucun pays ne peut favoriser ses producteurs par l'octroi de subventions à l'exportation ou l'érection de barrières douanières discriminantes, quelles que soient leurs formes. Le GATT prohibe le dumping, qui est une pratique commerciale consistant à vendre un produit à un prix inférieur à son coût de production. Toutefois, certaines pratiques pouvant être assimilées au dumping persistent. Par exemple, le *dumping monétaire* est une pratique des autorités monétaires de certains pays, consistant à prendre des mesures destinées à provoquer une sous-évaluation systématique du taux de change de la monnaie nationale pour doper la compétitivité des firmes installées sur leur territoire ; le *dumping social* désigne la pratique des pouvoirs publics de certains pays qui perpétuent un faible niveau de protection sociale pour réduire les charges des entreprises, donc diminuer leurs coûts. Il recouvre également les pratiques des employeurs et des États destinées à maintenir les salaires à de bas niveaux pour préserver la compétitivité prix des firmes.

◁ Subvention
Voir p. 245

La mise en œuvre des mesures de libéralisation du commerce international promues par le GATT fait l'objet de *négociations commerciales multilatérales* (ou *rounds*), c'est-à-dire des réunions regroupant les responsables politiques des pays signataires en vue de décider de mesures concrètes favorisant l'essor du commerce international, de compléter l'accord initial et de consolider les acquis en matière de libéralisation des échanges commerciaux. De 1947 à 1993, huit *rounds* sont parvenus à réduire les barrières douanières.

Certaines exceptions aux principes généraux énoncés précédemment sont cependant prévues par le GATT. Ainsi, jusqu'à 1993, les services sont exclus des négociations multilatérales ; les produits agricoles ne sont pas expressément exclus, mais n'ont pas fait l'objet de négociation jusqu'à la fin des années 1980. Le recours à un protectionnisme temporaire est envisageable pour pallier des difficultés passagères.

La clause de la nation la plus favorisée peut ne pas être appliquée : la **Conférence des Nations unies sur le commerce et le développement**, la **CNUCED** (en anglais, **UNCTAD, United Nations Conference on Trade and Development**), est une institution, mise en place en 1964 à la demande des pays du tiers-monde, qui réunit tous les quatre ans au sein de l'Organisation des Nations unies (ONU), pays développés et pays en développement et dont l'objectif est de favoriser le développement des PED en assurant leur insertion dans l'économie mondiale. Par exemple, la CNUCED a œuvré pour que les PED puissent accorder des avantages tarifaires à d'autres PED sans les accorder aux pays développés ; en outre, le **système généralisé de préférence (SGP)** est un accord international, signé en 1968, mais appliqué à partir de 1971, promu par la CNUCED et agréé dans le cadre du GATT, qui autorise la baisse des droits de douane sur les importations des pays développés en provenance des PED, sans réciprocité et sans avoir à réduire les droits appliqués aux importations en provenance d'autres pays développés.

Enfin, le GATT admet la constitution de zones d'échanges privilégiés entre pays. il s'agit d'une entorse à la clause de la nation la plus favorisée puisque les membres de la zone d'échanges réduisent les obstacles douaniers au sein de la zone sans en faire bénéficier les pays signataires du GATT hors zone. Cependant, les termes du GATT stipulent que la constitution de telles zones ne doit pas se traduire par un renforcement des obstacles douaniers à l'égard des pays tiers.

■ La mise en place de l'OMC

La **conférence de Marrakech** est la réunion, en avril 1994, des responsables politiques des pays ayant participé à l'*Uruguay round*, confirmant la tendance à la libéralisation des échanges de biens et de services enregistrée depuis 1947. L'*Uruguay round* est le 8e cycle de négociation organisé dans le cadre du GATT depuis sa signature en 1947 ; entamé en 1986 à Punta del Este, en Uruguay, ce cycle de négociation s'achève à Genève en décembre 1993.

L'*Uruguay round* aboutit à une nouvelle baisse des tarifs douaniers. Le démantèlement des AMF est programmé comme celui des mesures de limitation quantitative des importations. Les échanges de produits agricoles font également l'objet de mesures de libéralisation progressives. De plus, la conférence de Marrakech institue l'*Accord général sur le commerce des services (AGCS)*, en anglais *General Agreement on Trade in Services (GATS)*, qui désigne un cadre juridique étendant le champ d'application des mesures de libéralisation aux échanges internationaux de services. Dans ce cadre, il est également prévu de mieux protéger les droits de propriété intellectuelle : les accords *TRIP's (Trade Related Intellectual Property's Rights)* ou, en français, *Accords sur les droits de propriété intellectuelle* touchant au commerce *(ADPIC)*, sont des mesures incluses dans le GATS destinées à garantir la protection des marques, des brevets, des auteurs.

◀ AMF
Voir p. 115

Par ailleurs, la conférence de Marrakech institue l'*Organisation mondiale du commerce (OMC)*, une nouvelle institution internationale (154 membres en décembre 2012) chargée de la gestion de l'accord issu de l'*Uruguay round* et du règlement des conflits commerciaux entre pays.

Techniquement, une Conférence ministérielle (composée des responsables politiques de tous les pays membres) se réunit au moins tous les deux ans et se substitue aux *rounds*. Elle constitue un organe de décision. Huit Conférences ont été réunies entre 1995 et 2011.

Un Conseil général, composé de représentants des pays membres, se réunit quand c'est nécessaire, en fonction des problèmes à traiter. Ce Conseil est chargé de la gestion de l'organisation et d'appliquer les décisions de la Conférence ministérielle. Il constitue également l'Organe de règlement des différends (ORD) qui statue sur les conflits commerciaux entre pays membres. Dans tous les cas, les décisions sont prises sur la base d'une voix par État membre. Sous la conduite du Conseil général, trois conseils spécialisés supervisent le fonctionnement des accords multilatéraux dans leur domaine respectif (trois domaines ont été retenus : marchandises, services, droits de propriété intellectuelle).

Enfin, l'OMC associe à une partie des travaux des Conférences ministérielles, des *organisations non gouvernementales (ONG)* qui sont des associations privées à but non lucratif créées pour défendre les intérêts de leurs membres ou de collectivités humaines plus larges et qui n'ont pas pour vocation à conquérir ou à exercer le pouvoir politique.

D Les migrations internationales des travailleurs et l'internationalisation des capitaux

L'internationalisation des économies nationales et la mondialisation, entendue comme la constitution d'un vaste marché mondial faisant abstraction des frontières politiques, ne sont pas réductibles à l'essor des échanges internationaux de biens et de services. Les flux migratoires et les mouvements de capitaux entre pays y contribuent également.

■ Les flux migratoires et les flux de capitaux

Les *flux migratoires* (ou *migrations*) sont des déplacements de populations d'un lieu à un autre. Ces flux participent à l'internationalisation des économies nationales dès lors qu'il s'agit de *migrations internationales*, c'est-à-dire de déplacements de populations d'un pays à un autre dans lequel elles désirent s'installer. Les déplacements quotidiens des travailleurs frontaliers ne sont donc pas inclus dans les flux migratoires internationaux ; les migrations touristiques non plus.

L'*émigration* correspond aux flux de personnes quittant un pays (pays d'origine des flux migratoires) pour s'installer dans un autre (pays d'accueil). Pour l'Institut national de la statistique et des études économiques (Insee), l'*immigration* désigne les déplacements de personnes étrangères nées à l'étranger venant s'installer sur le territoire d'un pays d'accueil. La définition de l'Insee invite à ne pas confondre étranger et immigré. Au sein d'un pays (par exemple, la France), un *étranger* est celui qui ne possède pas les attributs de la nationalité (ici, la nationalité française) définis par ce pays. Un *immigré* est celui qui est venu s'installer sur le territoire national (ici, la France) après y être entré comme étranger. Un immigré peut acquérir la nationalité du pays par naturalisation : certains immigrés sont donc français ; en revanche, les étrangers nés en France ne sont pas des immigrés.

Les flux migratoires influent sur les autres flux internationaux : par exemple, les immigrés envoient une part de leurs salaires à leurs familles restées dans le pays d'origine. Celles-ci alimentent les flux d'échanges de biens et services par leur consommation de produits

Citoyenneté ▸
Voir p. 449

Nationalité ▸
Voir p. 443

importés ; les immigrés freinent ou réduisent la croissance des coûts salariaux dans le pays d'accueil en augmentant l'offre de travail ; la compétitivité prix des firmes en bénéficie, impliquant, toute chose égale par ailleurs, une croissance de leurs exportations.

◄ Offre de travail
Voir p. 203

Par ailleurs, les frontières des économies nationales sont franchies par des flux entrants et sortants de capitaux : plusieurs opérations sont à l'origine de ces flux.

Les *investissements directs à l'étranger (IDE)* désignent les flux de capitaux provoqués par des entreprises développant leurs activités productives à l'étranger (les flux d'IDE alimentent le stock d'IDE des firmes multinationales, c'est-à-dire le stock de capital qu'elles détiennent à l'étranger). Ces flux d'IDE revêtent plusieurs formes :

– l'implantation d'une unité de production à l'étranger ;

– l'acquisition d'une part du capital social d'une entreprise étrangère déjà existante en vue d'en contrôler la gestion (le Fonds monétaire international fixe la part minimum à 10 %) ;

◄ Capital social
Voir p. 374
◄ Fonds monétaire international
Voir p. 315

– le réinvestissement sur place des bénéfices réalisés par les unités de production sous contrôle (dans ce cas, il n'y a pas de mouvements de capitaux) ;

– les opérations financières (prêts, participations au capital social, avances de fonds) intervenant entre la maison-mère ou société-mère et les unités de production étrangères qu'elle contrôle, notamment ses filiales. Au sens strict, une *filiale* est une unité de production bénéficiant d'une autonomie juridique et dont le capital est contrôlé à plus de 50 % par la maison-mère.

Les mouvements internationaux de capitaux sont également alimentés par des *investissements de portefeuille*, c'est-à-dire des flux internationaux de capitaux correspondant à des opérations conduites selon une logique financière et non pas pour développer une activité productive à l'étranger. Il s'agit, par exemple, de l'acquisition d'actions ou de parts de propriété d'entreprises étrangères afin d'en retirer un revenu (des dividendes) maximum et/ou une plus-value du fait de la hausse des cours de ces titres sur les marchés financiers.

◄ Action
Voir p. 99

D'autres opérations concourent à l'internationalisation des capitaux : il s'agit des opérations de prêts ou d'emprunts entre agents économiques de pays différents, des transactions sur les marchés des changes nationaux dès lors que les achats ou les ventes de devises induisent des flux de capitaux entre pays : par exemple, des spéculateurs américains vendent, sur les marchés des changes européens, les dollars qu'ils détiennent contre des livres ou des euros ; dans ce cas, les Européens enregistrent une entrée de capitaux tandis que les Américains subissent une sortie de capitaux.

■ La multinationalisation des firmes

Déréglementation ▶
Voir p. 243

Globalisation financière ▶
Voir p. 109

CNUCED ▶
Voir p. 284

L'internationalisation des mouvements de capitaux est favorisée par la déréglementation, qui réduit fortement ou supprime les entraves à la libre circulation des capitaux et participe ainsi à la globalisation financière. La multinationalisation des firmes induit également des flux de capitaux entre pays du fait des investissements directs à l'étranger (IDE).

Une *firme multinationale (FMN)* – ou *firme transnationale (FTN)* selon la terminalogie de la CNUCED – est une entreprise, le plus souvent de grande taille, qui, à partir d'une base nationale, implante une ou plusieurs unités de production à l'étranger en fonction d'une stratégie conçue par une maison-mère.

L'étendue d'un groupe multinational va au-delà des filiales et des autres unités de production qu'il détient. En effet, il fait appel à des entreprises sous-traitantes, parfois très nombreuses : celles-ci, bien que juridiquement indépendantes, sont économiquement dépendantes du groupe multinational.

Externalisation ▶
Voir p. 39

La *sous-traitance* correspond à la situation d'entreprises qui, juridiquement indépendantes d'une firme (appelée donneur d'ordre), exécutent pour le compte de cette dernière des activités qu'elle aurait pu prendre en charge. Ainsi, en recourant à la sous-traitance, la firme donneuse d'ordre procède à l'externalisation d'une partie de ses activités : par exemple, Nike confie à plusieurs sous-traitants asiatiques la confection de chaussures de sport sur lesquelles seront apposées la marque de la FMN américaine. L'économiste Charles-Albert Michalet distingue trois formes de FMN correspondant à trois types de stratégies (pouvant être associées) :

– les stratégies d'approvisionnement correspondent aux *FMN primaires*, qui sont des firmes disposant d'unités de production à l'étranger dont l'activité est centrée sur la production de matières premières, des produits agricoles, etc., pour répondre aux besoins des industries de transformation ;

– les stratégies de marché sont le fait de FMN disposant de filiales-relais. Une *filiale-relais* est une filiale implantée dans un pays pour y accroître les ventes en se rapprochant des clients. C'est par exemple le cas pour les entreprises productrices de biens de consommation durables. C'est aussi le cas de nombreuses FMN de services qui constituent aujourd'hui la part la plus importante des investissements à l'étranger provenant des pays développés. Il s'agit de banques, de compagnies d'assurances, d'institutions financières, de sociétés de commerce, d'agences de publicité, de compagnies de télécommunication, etc. ;

– enfin, des FMN développent des stratégies de rationalisation en créant des filiales-ateliers. Une *filiale-atelier* est une filiale implantée dans un pays (notamment, un pays à bas salaires) pour y produire à des coûts plus bas que dans le pays d'origine et non pas pour conquérir un nouveau marché.

Cette perspective rappelle dans une certaine mesure celle de Raymond Vernon.

Raymond Vernon (1913-1999) est un économiste américain ; il développe, au cours des années 1960, une thèse qui fonde les stratégies des FMN américaines au cours des années 1950 et 1960, sur le modèle du cycle de vie du produit. Au cours des années 1980, il réduit la portée de sa propre thèse en repérant l'existence de firmes multinationales dont les stratégies ne répondent pas à son modèle. Il a publié *Les Entreprises multinationales* (1973).

Le *cycle de vie du produit* est un modèle qui décompose l'évolution des ventes d'un produit en quatre phases : le lancement (les ventes d'un nouveau produit sont dans un premier temps modestes), la percée (forte croissance des ventes), la maturité (stagnation des vente à un haut niveau) et le déclin (recul des ventes). Le lancement de produits nouveaux (phase 1 du cycle de vie du produit) par les firmes américaines assure leur suprématie sur leur marché national (années 1950). La croissance des ventes (phase 2 du cycle) est d'autant plus forte que la production trouve des débouchés sur les marchés extérieurs. Progressivement, en raison de l'intensification de la concurrence et de la saturation relative des marchés nationaux et internationaux, la progression des ventes et de la production ralentit (phases 3 et 4 du cycle). Pour renforcer leur compétitivité, les entreprises américaines localisent alors une partie de leurs unités de production dans les pays où elles exportaient jusqu'alors (années 1960 et suivantes). Elles peuvent également délocaliser leurs unités de production dans les pays à bas salaires.

◄ Compétitivité
Voir p. 270

La *délocalisation* est une stratégie d'entreprises consistant :
– à fermer une ou plusieurs unités de production dans un pays donné ;
– et à implanter une ou des unités de production équivalentes dans un ou plusieurs autres pays dans lesquels les conditions de production sont jugées plus favorables (coûts de la main-d'œuvre, exonérations fiscales, notamment au sein de zones franches...).

Une *zone franche* est une aire géographique au sein d'un pays, à l'intérieur de laquelle les firmes bénéficient de plusieurs avantages : exonérations ou réductions d'impôts, allégements de charges sociales, facilité d'importation d'intrants, possibilité d'expatrier les profits, accès au marché intérieur du pays d'accueil...

Charges sociales ►
Voir p. 149

Au sens large, la délocalisation inclut également le recours à la sous-traitance internationale.

Sous-traitance ►
Voir p. 288

Certains auteurs repèrent, depuis les années 1980, l'émergence de firmes multinationales globales. La *transnationalisation* (ou *globalisation des firmes*) désigne le processus par lequel certaines FMN tendent à devenir des firmes globales intervenant sur le marché mondial (ou de vastes zones géographiques réunissant plusieurs pays) qu'elles considèrent comme un marché unifié.

Une *firme multinationale globale* est une firme organisée autour d'une stratégie définie centralement par la maison-mère dont la direction, elle-même mondialisée, unifie la gamme de produits sur le marché mondial (ou sur de vastes zones), décide de la localisation des unités de production, constitue des réseaux avec des sous-traitants privilégiés et/ou d'autres FMN et recourt aux marchés des capitaux globalisés. Les filiales sont spécialisées dans la fabrication de composants d'un produit ou du produit fini et alimentent un marché plus large que le marché sur lequel elles sont implantées ; les échanges entre filiales sont alors nombreux.

Les firmes globales n'ignorent pas les spécificités nationales et la conception d'un produit mondial n'exclut pas certaines adaptations relevant de la responsabilité de « filiales régionales » ou d'unités plus déconcentrées. Néanmoins, la maison-mère organise la production du groupe de manière à générer des économies d'échelles, par exemple en centralisant la recherche-développement, en spécialisant des filiales de manière à ce que celles-ci alimentent plusieurs unités de production du groupe sur un marché plus vaste que celui sur lequel elles sont implantées, etc. Cette stratégie de « glocalisation » (global + local) selon la formule du fondateur de la firme Sony,

Éonomies d'échelle ►
Voir p. 28

Akio Morita, permet aux FMN d'accroître leur efficience au sein de l'économie mondiale.

◄ **Efficience**
Voir p. 24

E L'intégration européenne

■ Les modalités de l'intégration économique

L'*intégration économique* est le processus par lequel plusieurs économies nationales constituent un même espace économique au sein duquel les obstacles aux échanges tendent à être abolis.

Au début des années 1960, l'économiste Bela Balassa établit une typologie qui repère quatre niveaux d'intégration économique.

Bela Balassa (1928-1991) est un économiste hongrois ayant émigré aux États-Unis au cours des années 1950. C'est un spécialiste de l'économie internationale qui a particulièrement étudié la constitution de blocs régionaux, en particulier la Communauté économique européenne (*The Theory of Economic Integration*, 1961 ; *European Economic Integration*, 1975).

◄ **Communauté économique européenne**
Voir p. 293

Quatre niveaux d'intégration

Une *zone de libre-échange* est un espace économique constitué par plusieurs pays qui tendent à éliminer les barrières douanières faisant obstacle à leurs échanges de biens et/ou de services au sein de cette zone. Par exemple, l'*Accord de libre-échange nord-américain (ALENA)*, en anglais *North American Free Trade Agreement (NAFTA)*, est un traité signé en 1992 et appliqué depuis 1994, qui met en place une zone de libre-échange entre le Mexique, les États-Unis et le Canada. C'est aussi le cas de l'*Association des nations d'Asie du Sud-Est (ANASE)* ou, en anglais, *Association of South East Asian Nations (ASEAN)*, association entre plusieurs pays d'Asie du Sud-Est ; fondée en 1967, elle regroupe l'Indonésie, la Malaisie, les Philippines, Singapour et la Thaïlande (dès 1967), Brunei (1984), le Viêtnam (1995), la Birmanie et le Laos (1997). Un accord, signé en 1993, prévoit l'institution d'une zone de libre-échange entre ces pays, qui devrait être pleinement réalisée en 2003.

Le deuxième niveau d'intégration économique, plus intense que le précédent, intervient au sein d'une *union douanière*, c'est-à-dire un ensemble de pays appartenant à une zone de libre-échange qui adoptent en outre une politique commerciale commune, notamment un tarif extérieur commun. Un *tarif extérieur commun* désigne des droits de douane identiques appliqués aux pays n'appartenant pas à l'union douanière. La Communauté andine (Bolivie, Pérou, Venezuela – jusqu'en 2006 –, Colombie et Équateur), instituée depuis 1995, est un exemple d'union douanière.

Le troisième niveau d'intégration économique approfondit le précédent. C'est celui du *marché commun* (ou *marché unique*), espace économique regroupant des pays qui, d'une part, constituent une union douanière, libéralisant de ce fait leurs échanges de biens et de services, et, d'autre part, instituent la libre circulation des capitaux et des hommes au sein de l'union. C'est le cas du *Mercado comun del Sur (Mercosur)* qui est un marché commun institué, en 1991, par le traité d'Asunción. Entré en vigueur depuis 1995, il réunit le Brésil, l'Argentine, le Paraguay et l'Uruguay auxquels s'est joint le Venezuela en 2006.

Enfin, le quatrième niveau d'intégration économique est atteint lorsque plusieurs pays forment une *union économique*, c'est-à-dire un espace économique constitué par les pays membres d'un marché commun qui, de surcroît, coordonnent leurs politiques économiques. Une *union économique et monétaire* est un espace économique constitué par les membres d'une union économique qui instaurent une coopération monétaire renforcée. Cette coopération peut aboutir à la création d'une monnaie commune, voire unique, comme c'est le cas de l'Union européenne (UE) depuis 1999. Le degré d'intégration économique atteint à ce stade la plus forte intensité.

Union
européenne ▶
Voir p. 297

La constitution de zones d'échanges n'est pas un phénomène nouveau, mais prend une grande ampleur depuis les années 1960.

Depuis le XIXe siècle et jusqu'aux années 1950, plusieurs accords créent des zones régionales d'échanges. Par exemple, le *zollverein* est une union douanière entre plusieurs États allemands, mis en œuvre en 1834 ; en 1921, la Belgique et le Luxembourg forment également une union douanière. Le *Benelux* (acronyme de Belgique, Nederland, Luxembourg) est une union douanière entre la Belgique, les Pays-Bas et le Luxembourg, instituée en 1948. La *Communauté européenne du charbon et de l'acier (CECA)* désigne l'union douanière constituée en 1951 par la France, l'Allemagne fédérale, l'Italie, la Belgique, les Pays-Bas et le Luxembourg, portant sur les échanges de charbon, d'acier et de minerais de fer entre ces pays. La CECA est dirigée par une haute autorité, organisme supranational. Cette structure a permis l'expansion de la production et la reconversion industrielle. Elle a également contribué à renouer les liens entre l'Allemagne et la France, peu d'années après la fin du second conflit mondial. Cependant, la CECA a aussi connu quelques difficultés face aux crises charbonnières (concurrence du pétrole) à la fin des années 1950, et sidérurgiques au cours des années 1970.

Le *traité de Rome* est un accord signé en mars 1957 par les pays fondateurs de la CECA, instituant la Communauté économique européenne. La *Communauté économique européenne (CEE)* est une union douanière dont la réalisation a été effective en 1968 ; elle est devenue un marché commun ou marché unique en 1993.

◄ Union douanière
Voir p. 291

◄ Marché commun
Voir p. 292

◄ Marché unique
Voir p. 292

À partir des années 1960, le mouvement d'intégration économique s'accélère.

Depuis les années 1960, de nombreuses zones régionales d'échanges ont été constituées sur tous les continents : Marché commun centre-américain (1960), Pacte andin (1966), Accord de libre-échange entre l'Australie et la Nouvelle-Zélande (1965), Communauté économique des États d'Afrique de l'Ouest (1975), etc.

En Europe, l'*Association européenne de libre-échange (AELE)* est une zone de libre-échange, instaurée en 1900, associant plusieurs pays européens : elle regroupe dans un premier temps la Grande-Bretagne, la Norvège, le Danemark, l'Autriche, le Portugal, la Suède, la Suisse et le Liechtenstein ; la Finlande et l'Islande rejoindront la zone en 1961 et 1970 respectivement. Certains de ces pays adhéreront à la CEE (Danemark et Grande-Bretagne en 1973, Portugal en 1986, Finlande, Suède et Autriche en 1995), réduisant l'importance de la zone (aujourd'hui, l'AELE est réduite à la Suisse, à la Norvège, à l'Islande et au Liechtenstein).

Le *traité de Porto* est un accord signé en 1992 par les membres de la CEE et de l'AELE ; il institue un *Espace économique européen (EEE)* qui désigne une vaste zone de libre-échange, tendant à devenir un marché unique, associant les pays signataires. Il est en vigueur depuis le 1er janvier 1994. La Suisse a refusé son adhésion à l'EEE à la suite d'un référendum, en 1992.

Aux formes d'intégration analysées par Bela Balassa, il convient d'ajouter des modalités particulières correspondant à une logique interrégionale, que ne prend pas en compte cet auteur. Par exemple,

ASEAN ►
Voir p. 291

Zone de libre
échange ►
Voir p. 291

l'*Asia Pacific Economic Cooperation (APEC)* est un forum de discussion, créé en 1989, réunissant 21 pays riverains du Pacifique (États-Unis, Mexique, Canada, Chili, Australie, Nouvelle-Zélande, Papouasie-Nouvelle Guinée, Japon, Taïwan, Chine, Corée du Sud, Russie, Pérou, Hong-Kong et les membres de l'ASEAN sauf le Laos et la Birmanie). L'APEC souhaite constituer une zone de libre-échange et libéraliser l'investissement des firmes multinationales au sein de la zone.

Multilatéra-
lisme ►
Voir p. 282

La régionalisation des échanges est-elle contradictoire avec l'essor du multilatéralisme ?

Plusieurs auteurs dénoncent l'effet de détournement du commerce induit par la ***régionalisation des échanges***, c'est-à-dire la constitution par un groupe de pays d'un espace économique intégré (ou bloc régional) au sein duquel les barrières douanières sont réduites, puis généralement supprimées ; ces pays peuvent également prévoir d'éliminer les entraves aux flux de capitaux et de main-d'œuvre au sein du bloc régional. Pour ces auteurs, la constitution de zones d'échanges doperait les échanges entre pays membres de la zone au détriment des pays tiers. Ceux-ci, victimes de ce ***détournement d'échanges*** ou ***détournement de trafic*** (remplacement d'une partie des importations du bloc régional provenant de pays tiers par des échanges entre pays membres du bloc régional) subiraient un freinage de leur croissance qui, en retour, ralentirait leurs importations, donc le commerce mondial. Le risque de conflits commerciaux majeurs serait en outre accru : les pays hors zone pourraient en effet multiplier les mesures de protection à titre de représailles...

Spécialisation ►
Voir p. 271

Enfin, la régionalisation des échanges induit une spécialisation sous-optimale en regard de celle qui prévaudrait dans un contexte de libre-échange généralisé.

Toutefois, d'autres auteurs insistent sur le caractère limité du détournement de trafic dans la mesure où les pays membres de la zone d'échanges commerçaient déjà essentiellement entre eux. De plus, la croissance économique induite par l'essor des échanges intrazone stimule les importations en provenance des pays tiers et la recherche

Économies
d'échelle ►
Voir p. 28

d'économies d'échelle destinées à réduire les coûts unitaires incite à exporter vers les pays hors zone. Il y a alors ***création d'échanges*** ou ***création de trafic*** (accroissement des échanges commerciaux des pays membres d'un bloc régional avec les pays n'appartenant pas à ce bloc).

Par ailleurs, rien n'interdit l'intégration de nouveaux membres, ni des accords entre zones d'échanges ou avec des pays. Par exemple, la Bolivie et le Chili ont signé en 1996 un accord d'association libre-échangiste avec le Mercosur.

Ainsi, la régionalisation des échanges ne nuit pas à l'essor du multilatéralisme promu d'abord par le GATT, puis par l'OMC.

Cependant, lorsque la régionalisation des échanges relève d'une logique d'autarcie, elle devient incompatible avec le multilatéralisme. C'est le cas de la *Politique agricole commune (PAC)*, politique définie par le traité de Rome instituant la CEE (1957) et mise en œuvre en 1962, ayant pour objectifs d'améliorer la productivité des agriculteurs européens, de leur garantir un niveau de vie équitable en regard de celui du reste de la population, de stabiliser les cours, d'assurer l'autosuffisance alimentaire de la CEE et de fixer un niveau raisonnable des prix pour les consommateurs. Pour atteindre ces objectifs, le niveau des prix de nombreux produits agricoles sont garantis aux producteurs (le niveau des prix garantis varie selon les produits) ; les débouchés de la production sont assurés (les surplus sont acquis par la Communauté, qui finance leur stockage) ou les destructions de récoltes, en cas de surproduction, sont indemnisées. Dans le cadre de la PAC, les agriculteurs bénéficient de la préférence communautaire, c'est à dire une protection du marché intérieur européen destinée à inciter les États membres de la CEE à s'approvisionner au sein de la zone plutôt qu'à l'extérieur : les prix garantis aux producteurs sont supérieurs aux prix mondiaux. Pour dissuader les acheteurs de produits agricoles de s'approvisionner à l'étranger, un prélèvement (une taxe) équivalant à un tarif douanier est appliqué aux importations de produits agricoles ; en revanche, pour permettre aux producteurs d'exporter, ceux-ci bénéficient d'une restitution, qui équivaut à une subvention à l'exportation, destinée à aligner les prix européens sur les prix mondiaux sans abaisser les revenus des producteurs.

La protection dont bénéficie l'agriculture européenne contredit les principes du multilatéralisme et du libre-échange. Toutefois, de nombreux accords promouvant le libre-échange signés par la CEE (puis par l'Union européenne à partir de 1993) prouvent que celle-ci n'est pas la forteresse que certains dénoncent : la CEE (l'Union européenne depuis 1993) s'est largement ouverte aux autres pays (accords avec l'AELE par la constitution de l'Espace économique européen, avec les pays d'Europe centrale et

◄ **Mercosur**
Voir p. 292

◄ **GATT**
Voir p. 282

◄ **OMC**
Voir p. 285

◄ **CEE**
Voir p. 293

◄ **Union européenne**
Voir p. 297

◄ **AELE**
Voir p. 293

◄ **Globalisation financière**
Voir p. 109

orientale, avec le Mercosur...). En outre, les modalités de son intégration économique ont participé au processus de mondialisation. Il en est ainsi, par exemple, de la libre circulation des capitaux qui, au sein du marché unique, a contribué à la globalisation financière. Enfin, les politiques commerciales de l'UE s'inscrivent très nettement dans une tendance libre-échangiste. Par exemple, la protection dont bénéficie l'agriculture est progressivement réduite depuis les années 1980. C'est pourquoi, dans sa globalité, l'intégration européenne est compatible avec l'essor du multilatéralisme.

Ce n'était en revanche pas le cas du *Conseil d'assistance économique mutuelle*, le *CAEM* (en anglais, *Council for Mutual Economic Assistance, le Comecon*) qui est une union régionale, créée en 1949, regroupant la Bulgarie, la Hongrie, la Pologne, la Roumanie, la Tchécoslovaquie, l'Albanie (jusqu'en 1961) et l'URSS ; la RDA y adhéra en 1950, la Mongolie en 1962, Cuba en 1972 et le Viêtnam en 1978. Cette organisation, destinée officiellement à renforcer la cohésion des États membres, était un instrument de domination de l'URSS sur le camp socialiste. Les échanges intrazones étaient planifiés. Les dirigeants socialistes, se méfiant du libre-échange, privilégiaient l'autarcie. Au début des années 1960, des tentatives pour instaurer une forme de multilatéralisme au sein du CAEM et une *division internationale socialiste du travail (DIST)*, c'est-à-dire une répartition des activités productive entre les pays socialistes, enregistrent des résultats décevants. Il en est de même des échanges commerciaux avec l'Ouest au cours des années 1970. Le CAEM ne pouvait promouvoir le libre-échange et le multilatéralisme en raison des fondements des économies socialistes centralement planifiées. Il est dissout en juin 1991 alors que, depuis la fin des années 1980, les pays d'Europe centrale et orientale et l'ex-URSS ont déjà redéployé leurs échanges vers l'Ouest et entamé, depuis 1990-1991, leur transition vers le capitalisme.

■ L'Union européenne, l'intégration économique régionale la plus aboutie

Traité de Rome ▻
Voir p. 293

En mars 1957, la signature du traité de Rome accentue l'intégration économique de l'Europe de l'Ouest par la création de la Communauté économique européenne, la CEE (ainsi qu'Euratom dans le domaine du nucléaire) qui associe six pays : l'Allemagne, la France, l'Italie, la Belgique, le Luxembourg et les Pays-Bas. Cet évènement confirme l'émergence d'une Europe communautaire qu'avait initiée la CECA. L'*Europe communautaire* désigne l'union des pays membres de la CEE (devenue Union européenne en 1993), dotée d'institutions spécifiques communes destinées à favoriser l'intégration économique, sociale et politique de ces pays.

◄ **CEE**
Voir p. 293

Le traité de Rome prévoit d'instaurer, à moyen terme, une union douanière, et, à plus long terme, un marché commun. À cet effet, il est prévu de supprimer progressivement les droits de douane et les barrières non tarifaires au sein de la zone et d'instaurer un tarif extérieur commun. En outre, le traité prévoit la mise en œuvre d'une politique agricole commune ; de plus, des fonds structurels participent à l'intégration européenne.

◄ **Union douanière**
Voir p. 291

◄ **Tarif extérieur commun**
Voir p. 292

Les *fonds structurels* sont des financements spécifiques destinés à la mise en œuvre d'actions de formation, de qualification et d'insertion professionnelle (Fonds social européen ou FSE, créé dès 1957), au développement des régions en retard (Fonds européen de développement régional ou FEDER, mis en place en 1975), à la modernisation de l'agriculture (Fonds européen d'orientation et de garantie agricole), etc.

Depuis la mise en œuvre de l'union douanière, en 1968, le renforcement de l'intégration économique européenne est passé par différentes étapes qui ont intensifié le commerce intra-communautaire : celui-ci représentait un peu plus de 10 % du commerce mondial en 1957 ; au début de années 2000, cette part atteint 30 %. Le commerce intra-communautaire représentait environ un quart du commerce extérieur de la CEE en 1957 ; au début des années 2000, le commerce intrazone de l'Union européenne (qui a succédé à la CEE en 1993) dépasse 60 % de son commerce extérieur.

L'approfondissement de l'intégration européenne des années 1970 aux années 1990

À partir des années 1970, la CEE s'élargit. En 1973, trois nouveaux pays y adhèrent : le Danemark, la Grande-Bretagne et l'Eire ; la Grèce les rejoint en 1981 ; le Portugal et l'Espagne, en 1986. En 1995, la Suède, la Finlande et l'Autriche deviennent membres de l'Union européenne. L'*Union européenne (UE)* est une union économique et monétaire se substituant à la CEE, conformément aux termes du traité de Maastricht.

◄ **Union économique et monétaire**
Voir p. 292

Citoyenneté ▶
Voir p. 449

Subsidiarité ▶
Voir p. 453

Le *traité de Maastricht* est un traité, signé en 1992, qui confirme l'instauration du marché unique, institue une coopération politique (en matière de politique étrangère) et juridique plus intense entre les pays membres ; il définit en outre les contours d'une citoyenneté de l'Union et promeut le principe de subsidiarité, stipulant que l'intervention communautaire doit être limitée aux domaines pour lesquels l'action des gouvernements nationaux serait moins efficiente. Enfin, le traité de Maastricht prévoit à moyen terme l'union monétaire (adoption d'une monnaie unique) au sein de l'UE.

Ce traité conditionne l'adoption de la monnaie unique européenne (l'euro) par les pays membres de l'UE au respect de *critères de convergence* qui sont un ensemble d'objectifs macroéconomiques assignés aux membres de l'UE afin de réduire leurs disparités. Cinq critères ont été retenus :

– le taux d'inflation ne doit pas dépasser de plus de 1,5 point la hausse moyenne des prix des trois pays membres de l'UE les moins inflationnistes ;

– le taux d'intérêt à long terme ne doit pas dépasser de plus de 2 points la moyenne des taux d'intérêt des trois pays membres de l'UE les moins inflationnistes ;

– le *déficit public* (déficit des administrations publiques) doit être inférieur à 3 % du PIB ;

– l'endettement des administrations publiques devant être inférieur à 60 % du PIB ;

– l'absence de dévaluation de la monnaie nationale (sur une période de deux ans) et le respect des marges de fluctuation prévues par le système monétaire européen.

Système
monétaire
européen ▶
Voir p. 307

En 1995, « l'Agenda 2000 » développe une stratégie d'approfondissement de l'Union vers plusieurs *pays d'Europe centrale et orientale (PECO)*, c'est-à-dire l'espace géographique correspondant aux pays d'Europe de l'Est qui appartenaient, avant 1990, au bloc des pays socialistes (sauf la Russie, l'Ukraine et la Biélorussie ou Belarus). Depuis mars 1998, des négociations d'adhésion sont effectivement entamées avec la Pologne, la Hongrie, la République tchèque, l'Estonie et la Slovénie. Il en est de même, depuis février 2000, avec la Slovaquie, la Bulgarie, la Roumanie, la Lituanie et la Lettonie. Des négociations d'adhésion ont également été entamées avec des pays n'appartenant pas au groupe des PECO : il s'agit de Chypre (en 1998) et de Malte (en 2000). Ces pays adhèrent à l'UE en mai 2004 et janvier 2007 (Roumanie et Bulgarie).

Les institutions européennes

Certaines institutions sont de nature politique.

L'*Europe politique* est l'ensemble des institutions européennes disposant du pouvoir politique (Conseil européen, Conseil de l'union européenne, Commission et Parlement).

Le *Conseil européen* est une instance créée en 1975 (mais officialisée par un traité en 1986 seulement), composée des chefs d'État et de gouvernement des États membres et du président de la Commission. Au cours des sommets européens, il fixe les grandes orientations, les priorités de l'Union, et cherche des solutions aux problèmes de fonctionnement que le Conseil de l'Union européenne n'a pas pu résoudre. La présidence du Conseil européen est assurée à tour de rôle par les États membres et pour une période de six mois.

◄ Sommet européen
Voir p. 299
◄ Conseil de l'UE
Voir p. 299

Un *sommet européen* est la réunion du Conseil européen (au moins une réunion par semestre) dans une ville du pays assurant la présidence. Par ailleurs, le Conseil européen décide de l'opportunité d'organiser une *Conférence intergouvernementale*, c'est-à-dire la réunion des représentants des États membres destinée à préparer la révision des traités qui fondent l'Union (toutefois, c'est au Conseil européen qu'il revient d'adopter les traités révisés : ceux-ci doivent être ensuite ratifiés par les États membres).

Le *Conseil de l'Union européenne* (ou *Conseil des ministres de l'UE*) est une instance réunissant les ministres des États membres concernés par les dossiers, les questions à traiter ; il adopte des actes communautaires que la Commission met en application. Il se réunit aussi souvent que nécessaire. Comme pour le Conseil européen, la présidence du Conseil de l'UE est assurée à tour de rôle par les États membres et pour une période de six mois.

◄ Commission
Voir p. 300

Depuis l'Acte unique européen, la procédure de décision au sein du Conseil de l'UE a été modifiée.

L'*Acte unique européen* est un accord, signé en 1986 par les pays membres de la CEE et entré en vigueur en juillet 1987, amendant le traité de Rome. Il prévoit la mise en œuvre d'un marché commun (marché unique) en 1993 qui concrétise les « quatre libertés » (libre circulation des marchandises, des services, des capitaux et des hommes) énoncées dans le traité de Rome. Par ailleurs, l'Acte unique instaure de nouvelles procédures décisionnelles : jusqu'alors, la procédure de décision reposait sur un accord unanime des pays membres au sein

◄ Marché commun
Voir p. 292

par un haut représentant désigné par les États membres. Définie pour la première fois dans le cadre du traité de Maastricht, la PESC est fondée sur plusieurs principes : la défense de l'indépendance et de la sécurité de l'Union, le maintien de la paix sur le continent, le respect des valeurs communes partagées par les membres de l'UE, des libertés fondamentales, des règles de la démocratie et de l'État de droit.

État de droit ▶
Voir p. 456

Le traité d'Amsterdam renforce la coopération juridique et policière des États, déjà envisagée dans le traité de Maastricht, notamment pour parachever la réglementation permettant la libre circulation des hommes au sein de l'Union prévue par les **accords de Schengen** (accords prévoyant la libre circulation des personnes au sein de « l'espace Schengen » – sauf clauses d'exception en cas de danger pour la sécurité publique des États signataires –, la coopération des pays membres face à la criminalité, au terrorisme, et des mesures communes pour contrôler l'immigration et mettre en œuvre une politique d'asile).

Le traité d'Amsterdam institue, par ailleurs, les modalités d'une coopération renforcée entre les États. La **coopération renforcée** est un processus permettant à une majorité d'États d'accentuer, au cours d'une période donnée et sans mettre en cause les principes généraux du traité, leur coopération dans certains domaines communautaires.

Conseil
européen ▶
Voir p. 299

Toutefois, la PESC est exclue du champ d'application de ce principe. Au sommet de Nice, en décembre 2000, le Conseil européen confirme cette opportunité et supprime le droit de veto figurant dans le traité d'Amsterdam, que pouvait exercer tout membre de l'Union à l'encontre de ce processus. Le traité d'Amsterdam contient également un « volet emploi » instituant, sans réelle contrainte, une coopération des États membres en matière de politique de l'emploi, afin de réduire le chômage au sein de l'UE.

Au traité d'Amsterdam a succédé le **traité de Nice**, traité adopté par le Conseil européen lors du sommet de Nice en décembre 2000 et signé par les pays membres en février 2001. Ce traité prolonge, mais aussi modifie certains éléments du traité d'Amsterdam et ajoute des articles nouveaux, notamment ceux qu'implique l'adhésion de nouveaux pays. Ainsi, le traité de Nice s'applique depuis 2004 aux 27 membres de l'UE après l'élargissement intervenu en mai 2004 puis en janvier 2007. Le traité confirme et renforce les orientations du traité d'Amsterdam en matière de politique européenne de sécurité commune (PESC) et de coopération juridique et policière entre les États. Les pondérations des voix intervenant dans la procédure du vote à majorité qualifiée sont modifiées pour tenir compte des nouveaux adhérents (les domaines concernant cette procédure sont plus nombreux) ; il en est de même du nombre et de la répartition par pays des députés européens ; en outre, la procédure de codécision est étendue à de nouveaux domaines. Le nombre et le mode de désignation des membres de la Commission sont également revus. Enfin, la procédure de coopération renforcée ne peut plus être entravée par le veto d'un pays membre.

◄ Majorité qualifiée
Voir p. 300

◄ Codécision
Voir p. 300

Enfin, le *traité de Lisbonne* est signé en 2007 et entre en vigueur en 2009 (en fait, sa pleine application ne sera effective qu'en 2014, voire 2017). Il prévoit l'approfondissement de l'intégration prévue par les traités précédents. Il institue en outre un Président du Conseil européen, élu à la majorité qualifiée par le Conseil européen pour un mandat de deux ans et demi et renouvelable une fois. Il est chargé de la représentation extérieure de l'UE et de l'encadrement des travaux du Conseil européen. Celui-ci désigne aussi un haut représentant pour les affaires étrangères et la PESC, vice-président de la commission et président le conseil des ministres des affaires étrangères de l'UE. La charte des droits sociaux fondamentaux fait l'objet d'une référence qui lui confère une force contraignante (sauf pour la Grande-Bretagne, la Pologne et la République tchèque). Le traité prévoit de faciliter les coopérations renforcées et instaure un droit de quitter l'Union pour les pays qui le souhaiteraient.

Ce nouveau traité régit les rapports entre les 27 pays membres de l'UE, rejoints en 2013 par la Croatie qui a négocié son adhésion depuis 2005. En outre, la Serbie dispose depuis 2012 du statut de candidat à l'adhésion (comme la Turquie depuis 1999).

De manière plus générale, les traités de l'UE semblent ouvrir de nouvelles perspectives pour une *Europe sociale*, c'est-à-dire une intégration sociale plus poussée au sein de l'UE (par exemple, en matière de droit des travailleurs, de réduction des inégalités, etc.).

Cependant, cette intégration sociale reste limitée en regard des réalisations économiques des européens : le libéralisme inspirant les choix de la Commission et le poids de la culture et de l'histoire propres à chacun des membres de l'Union qui fondent les systèmes de protection sociale, expliquent ce que certains appellent le « déficit

◄ Commission
Voir p. 300

Subsidiarité ►

Voir p. 453

social de l'Europe ». En outre, tout approfondissement de l'intégration sociale est soumis au principe de subsidiarité et, par conséquent, à la volonté politique des gouvernements nationaux de se dessaisir de certaines de leurs prérogatives dans le domaine de la protection sociale.

■ *Policy mix* et coordination des politiques économiques et sociales au sein de l'Union européenne

Le cas particulier du policy mix *européen*

Policy mix ►

Voir p. 242

Le *policy mix* européen est spécifique : au sein de l'Union économique et monétaire, la politique monétaire est élaborée, indépendamment des États, par les gouverneurs des banques centrales de la zone et par le directoire de la Banque centrale européenne en fonction d'un seul objectif, la stabilité des prix. Le directoire met en œuvre cette politique.

En revanche, chaque État conserve la responsabilité de sa politique budgétaire dans les limites fixées par le pacte de stabilité et de croissance. Le *Pacte de stabilité et de croissance* est un accord entre les pays de l'Union européenne, établi lors du sommet de Dublin de décembre 1996, qui fixe des règles limitant les déficits publics des pays ayant adopté l'euro et de ceux qui veulent en faire autant. Amendé en 2005, le pacte de stabilité pérennise l'un des critères de convergence prévu par le traité de Maastricht en fixant une limite au déficit public de chaque État (3 % de son PIB), sous peine de sanction (prélèvement sur le PNB du pays fautif). Cette sanction n'est pas applicable en cas de dépassement modéré du déficit public autorisé consécutif à des circonstances exceptionnelles (croissance faible ou nulle) et/ou à des facteurs pertinents (niveau des investissements publics notamment en recherche-développement, aide aux pays en développement…). L'État reconnu fautif dispose d'un délai pour corriger sa politique budgétaire avant que la sanction soit réellement appliquée.

Il est en outre recommandé aux États membres, dans le cadre du pacte de stabilité, de réduire leur déficit, voire de dégager un solde positif (en particulier le solde primaire calculé hors charges de la dette), au cours des périodes de croissance, pour bénéficier de marges

Récession ►

Voir p. 118

Commission ►

Voir p. 300

de manœuvre en cas de récession. De plus, chaque année, les États membres déposent auprès de la Commission et du Conseil de l'Union européenne, un « programme de stabilité et de croissance » définissant les objectifs des finances publiques à l'horizon de trois ans.

Depuis 2012, une réforme du pacte de stabilité prévoit de prendre également en compte le seuil maximum d'endettement public et renforce la surveillance des comptes publics par la Commission et le Conseil européen.

La coordination des politiques économiques et sociales des pays de l'Union européenne

La mise en œuvre du *policy mix* européen révèle par ailleurs les difficultés à coordonner les politiques économiques et sociales entre pays : la ***coordination internationale des politiques économiques et sociales*** est une forme de coopération entre États nationaux qui les incite à élaborer leurs politiques économiques et sociales dans un cadre national, tout en tenant compte des interdépendances entre pays. Cette coordination est destinée à accroître l'efficience des politiques économiques et sociales en assurant leur compatibilité.

◄ Efficience
Voir p. 24

Le champ de la coordination ne se réduit pas aux politiques conjoncturelles : rien n'interdit d'y inclure également les politiques structurelles. En outre, la coordination ne doit pas être confondue avec la mise en œuvre de politiques communes. Une ***politique commune*** est un ensemble de décisions élaborées en commun par plusieurs États et s'appliquant à l'identique à chacun d'eux ; une politique commune n'est donc pas conçue au sein de chaque État. Par exemple, la politique agricole commune (PAC) est élaborée au niveau de l'Union européenne par les États et non au niveau de chaque État ; la coordination ne doit pas non plus être assimilée à l'élaboration de politiques uniques.

◄ Politique agricole commune
Voir p. 295

Une ***politique unique*** est un ensemble de mesures appliquées par une instance de décision supérieure aux États qui lui ont délégué leur pouvoir dans certains domaines. Par exemple, la politique monétaire appliquée par la Banque centrale européenne n'est pas le fruit d'une coordination des politiques nationales ; en revanche, elle implique au niveau de chaque État des politiques économiques et sociales qui doivent être coordonnées.

La coordination n'impose pas des politiques économiques et sociales identiques. La prise en compte des interdépendances commande parfois des politiques divergentes. Ainsi, certains pays peuvent mettre en œuvre des politiques de relance de la demande qui stimuleront leurs importations au bénéfice des pays partenaires devant freiner leur activité intérieure pour réduire leur déficit externe.

Au sein de l'Union européenne, la coordination internationale des politiques économiques et sociales est rendue plus difficile du fait d'une intégration politique insuffisante. Ainsi, l'application du principe de subsidiarité au domaine ne relevant pas des politiques communes laisse aux États la possibilité de mettre en œuvre les politiques économiques et sociales de leur choix. Cependant, ce choix n'est pas totalement libre :

Subsidiarité ▶
Voir p. 453

– la politique monétaire n'est plus du ressort des pays membres de l'Union économique et monétaire et leurs politiques budgétaires doivent s'inscrire dans le cadre du pacte de stabilité et de croissance ;

– des politiques communes sont définies au niveau communautaire et s'imposent aux États membres ;

Marché unique ▶
Voir p. 292

– l'appartenance à l'Union européenne impose certaines contraintes : dans un espace économique constituant un marché unique, chaque État membre doit prendre en compte les interdépendances entre économies nationales.

■ Du serpent monétaire européen à l'euro

Face au désordre monétaire international, causé par l'effondrement du système de Bretton Woods, les pays européens ont tenté de créer, en Europe, un îlot de stabilité des taux de change, le Système monétaire européen (SME).

Le Système monétaire européen

Le Système monétaire européen s'est imposé progressivement ; il est possible de dégager certaines étapes clefs :

– la création de la CEE, en 1957, s'effectue dans un contexte de monnaie stable ; le traité de Rome ne traite pas précisément des questions monétaires ;

– en 1968, R. Barre, alors vice-président de la Commission européenne, présente le premier plan destiné à créer des liens monétaires étroits entre les pays de la communauté ;

– le **sommet de La Haye**, en 1969, est une conférence durant laquelle les six pays membres de la Communauté européenne décident la création par étape d'une union économique et monétaire ;

– le **serpent monétaire européen**, créé en 1972, est un système qui limite les fluctuations à plus ou moins 2,25 % autour d'un taux de référence représenté par une parité entre les monnaies européennes entre elles, et entre celles-ci et le dollar ; son objectif est de contribuer à la stabilisation des taux de change au sein de la CEE. Mais le dollar est très instable et les marges de fluctuations sont trop faibles, ce qui rend le système trop contraignant ;

– le *Système monétaire européen (SME)*, créé en décembre 1978 à la conférence de Brême et entré en application à partir de 1979, est un système monétaire qui limite les fluctuations autour d'un panier de monnaies européennes, l'ECU. Les marges de fluctuation sont généralement de plus ou moins 2,25 % jusqu'en 1993 (elles atteignent alors plus ou moins 15 %).

L'ECU (European Currency Unit) était un panier des monnaies européennes. Il est né en 1969, mais il a vu son rôle s'élargir considérablement avec la mise en place du SME puisqu'il est devenu l'unité monétaire de référence jusqu'à la mise en place de la monnaie unique européenne : l'euro.

Le rôle principal du SME est de stabiliser les taux de change. Pour cela, il est nécessaire de fixer des limites de fluctuation ; c'est le rôle du *cours pivot*, c'est-à-dire de la parité de chaque monnaie avec l'Ecu ; cette parité n'est pas le taux de change réel de la monnaie, mais un taux de référence duquel elle ne doit pas trop s'écarter. Si une monnaie, malgré les interventions de sa banque centrale, risque de dépasser les marges de fluctuation, les autres banques centrales sont tenues à la solidarité et doivent aider cette monnaie (par la vente ou par l'achat, suivant le cas). Mais lorsqu'une monnaie a structurellement tendance à dépasser les marges de fluctuation, sa parité peut être revue à la baisse ou à la hausse : il s'agit d'une dévaluation ou d'une réévaluation. Toute dévaluation ou réévaluation est un constat d'échec pour le SME, qui a comme vocation la stabilisation des taux de change.

◄ Banque centrale
Voir p. 100

◄ Dévaluation
Voir p. 315
◄ Réévaluation
Voir p. 315

L'Union économique et monétaire

Le traité de Maastricht (1992) est une étape importante dans le processus d'intégration européenne. Il a été décidé à Maastricht d'instaurer « la fixation irrévocable des taux de change conduisant à l'instauration d'une monnaie unique, l'Ecu, ainsi que la définition et la conduite d'une politique monétaire et d'une politique de change uniques dont l'objectif principal est de maintenir la stabilité des prix » (art. 3 A). D'autre part « la Banque centrale européenne est

◄ Traité de
Maastricht
Voir p. 298

seule habilitée à autoriser l'émission de billets de banque dans la Communauté » (art. 105 A). La politique monétaire est du ressort de la Banque centrale européenne.

L'*union monétaire* est une union de plusieurs pays adoptant une monnaie unique et, par voie de conséquence, une politique monétaire et une politique de taux de change communes.

L'Union monétaire européenne a été instaurée le 1er janvier 1999. À cette date, l'*euro* devient la monnaie européenne commune. Elle devient la monnaie unique en 2002 ; les monnaies nationales n'ont alors plus cours.

La *Banque centrale européenne (BCE)* est la banque qui coordonne les banques centrales des pays de la zone euro ; à ce titre, elle est l'autorité monétaire européenne qui émet les billets et détermine la politique monétaire.

L'adoption de la monnaie unique présente de nombreux avantages : diminution de coûts de conversion, diminution du risque de change (risque lié à la fluctuation des taux de change pouvant jouer sur les prix d'achat ou de vente des entreprises en relation avec l'étranger), accroissement de la concurrence, renforcement de la solidarité européenne...

Toutefois, la politique des changes n'est plus nationale, mais européenne, ce qui peut poser des problèmes de régulation économique. En effet, l'adoption d'une monnaie unique par plusieurs pays supposent que ceux-ci forment une *zone monétaire optimale* : il s'agit selon Robert Mundell (Prix Nobel d'économie en 1999) d'un ensemble de régions ou de pays constituant un espace géographique au sein duquel les facteurs de production (capital et travail) sont mobiles, notamment lors d'un *choc asymétrique*, c'est-à-dire un évenement perturbant fortement l'activité économique dans certaines régions ou dans certains pays alors que d'autres n'en ressentent pas les effets ou beaucoup moins. Par exemple, si, suite à une augmentation brutale du prix du pétrole importé, certains pays d'une même zone subissent une crise y faisant croître le chômage, l'émigration de la main-d'oeuvre excédentaire vers les autres pays de la zone rétablira le plein emploi.

Mais la zone euro forme-t-elle une zone monétaire optimale ?

Politique monétaire ▶
Voir p. 233

Choc d'offre / Choc de demande ▶
Voir p. 121

15

LE FINANCEMENT DE L'ÉCONOMIE MONDIALE

A La balance des paiements

L'insertion d'un pays dans l'économie mondiale donne lieu à la multiplication des transactions financières et non financières entre les résidents du pays et les non-résidents.

■ Présentation

Les *résidents* sont des agents économiques qui développent durablement leurs opérations économiques, financières et monétaires dans le pays. Les *non-résidents* sont des agents économiques ne développant pas durablement leurs opérations dans le pays. Un résident peut être étranger et un non-résident peut ne pas l'être. Ainsi, la filiale d'une firme multinationale (FMN) américaine implantée en France est considérée par la France comme un résident ; en revanche, la filiale d'une FMN française aux États-Unis est considérée comme un non-résident du point de vue français.

Filiale ▶
Voir p. 287
Firme
multinationale ▶
Voir p. 288

La *balance des paiements* est un document comptable qui récapitule, pour une période donnée, les flux attachés aux transactions entre résidents et non-résidents d'un territoire économique dont les frontières sont établies par les autorités comptables. Les territoires d'outre-mer sont inclus dans le territoire économique pour l'établissement de la balance des paiements française transmise au Fonds monétaire international (FMI) ; ce n'est pas le cas pour celle qui est remise aux instances européennes.

Fonds monétaire
international ▶
Voir p. 315

La balance des paiements comporte trois comptes :

– le *compte des transactions courantes* comptabilise les flux entrants et sortants d'échanges de biens et de services. Il inclut la balance commerciale (qui ne comptabilise que les flux entrants et sortants d'échanges de biens), les flux de revenus des facteurs de production (intérêts, dividendes, salaires…) et les flux correspondant à des transferts courants. Les *transferts courants* (ou *transferts unilatéraux*) sont la contrepartie de biens, services ou capitaux exportés ou importés gratuitement (par exemple, la contribution française au budget européen, les transferts d'épargne des migrants…). Le compte des transactions courantes se substitue à la balance des transactions courantes établie pour les pays jusqu'aux années 1990. La balance des transactions courantes (ou balance des

Biens ▶
Voir p. 20-21
Services ▶
Voir p. 20-21
Facteurs de
production ▶
Voir p. 23

Épargne ▶
Voir p. 51

paiements courants) désignait le document comptable regroupant la balance commerciale et la *balance des invisibles* comptabilisant les flux entrants et sortants d'échanges de services ;

– le *compte de capital* enregistre les flux entrants et sortants correspondant à des transferts en capital (dons et annulations de dettes) et à des achats ou cessions d'actifs non financiers non produits (les brevets par exemple) ;

– le *compte financier* comptabilise les flux entrants et sortants d'investissements directs à l'étranger, d'investissements de portefeuille et ceux portant sur d'autres opérations financières et monétaires (prêts ou emprunts internationaux, par exemple). Ce compte inclut également les avoirs de réserves (ou réserves de changes) détenus par la Banque centrale. C'est donc ce compte qui mesure les *flux internationaux de capitaux*, c'est-à-dire l'ensemble des mouvements de capitaux entre résidents et non-résidents, que ces capitaux soient à long terme (comme les investissements directs à l'étranger) ou à plus court terme (comme les investissements de portefeuille).

■ Interprétation économique

La somme des soldes du compte des transactions courantes et du compte de capital peut faire apparaître un excédent ou un déficit. Un déficit révèle un *besoin de financement de la nation*, c'est-à-dire une situation telle que la somme des besoins et des capacités de financement des agents résidents est négative ; au niveau macroéconomique, l'épargne nationale est alors inférieure à l'investissement national ; un excédent indique une *capacité de financement de la nation*, c'est-à-dire une situation telle que la somme des besoins et des capacités de financement des agents résidents est positive ; au niveau macroéconomique, l'épargne nationale est alors supérieure à l'investissement national. Un besoin de financement de la nation se traduit par un excédent du compte financier. En effet, les agents résidents doivent recourir aux non-résidents pour couvrir le déficit d'épargne et/ou puiser sur les réserves de changes de la Banque centrale. C'est d'ailleurs ce dernier poste, les avoirs de réserves, qui, en fin de compte, assure que la balance des paiements est équilibrée. Par exemple, si le compte financier, hors les avoirs de réserves, est excédentaire de 10 milliards d'euros alors que le besoin de financement de la nation est de 15 milliards d'euros, les avoirs de réserves diminuent de 5 milliards ; si l'excédent du compte financier, hors avoirs de réserves, est de 15 milliards d'euros et que le besoin de financement de la nation est de 10 milliards, les avoirs de réserves augmentent de 5 milliards.

Ainsi, évoquer un déficit de la balance des paiements n'a pas de sens. En revanche, les soldes partiels (celui de la balance commerciale, celui des biens et services, celui du compte des transactions courantes…) peuvent être excédentaires ou déficitaires.

De même, le solde de la balance globale des paiements peut être déficitaire ou excédentaire. La *balance globale des paiements* est un document comptable, établi pour une période donnée et un pays déterminé, qui regroupe le compte des transactions courantes, le compte de capital et les flux recensés par le compte financier hors ceux du secteur bancaire et des autorités monétaires. En cas de déficit de la balance globale, le système bancaire s'endette à l'égard de l'extérieur et/ou les réserves de changes diminuent ; en cas d'excédent, le système bancaire se désendette vis-à-vis de l'extérieur et/ou les réserves de changes s'accroissent.

Les composantes de la balance des paiements

– Compte des transactions courantes
  • Biens et services
  • Revenus des facteurs de production
  • Transferts courants (unilatéraux)
– Compte de capital
– Compte financier
  • Investissements directs à l'étranger
  • Investissements de portefeuille
  • Autres opérations financières
  • Avoirs de réserves
  • Erreurs et omissions

La balance des paiements présente, en complément du compte financier, un poste « erreurs et omissions », dont l'objet est d'établir l'équilibre comptable de la balance des paiements. En effet, la balance des paiements est par définition équilibrée : la somme des soldes des trois comptes dont elle est composée est nulle, la variation des avoirs de réserves soldant le déséquilibre. Toutefois, dans les faits, les imperfections dans la mesure des flux recensés dans la balance des paiements font que la somme des trois soldes n'est pas nulle. Le poste « Erreurs et omissions » rétablit l'équilibre : par exemple, si la somme des soldes des trois comptes fait apparaître un déficit de – 10 milliards d'euros, le poste « Erreurs et omissions » sera de + 10 milliards.

B Le système monétaire international

De même que la multiplication des échanges à l'intérieur d'un pays rend nécessaire l'utilisation de monnaie, la multiplication des échanges internationaux rend nécessaire l'utilisation d'un moyen de paiement international reconnu par tous.

◀ **Monnaie**
Voir p. 91-93
◀ **Échanges internationaux**
Voir p. 266

Le *système monétaire international (SMI)* est un système ayant pour fonction de définir les moyens de paiement et de réserve internationaux, ainsi que les modalités de conversion des monnaies nationales entre elles et avec le ou les moyens de paiement internationaux.

L'objectif de chaque SMI est d'être source de stabilité de façon à ce que la sphère monétaire ne perturbe pas la sphère réelle de la production et des échanges.

Chaque SMI peut être caractérisé par trois particularités : un étalon, qui est la base du taux de change de chaque monnaie, un ou des moyens de paiement internationaux, des modalités propres de conversion et de fixation des taux de change.

Le *taux de change* (ou *parité de change*) désigne la valeur d'une monnaie exprimée dans une autre monnaie.

Une *devise* désigne la monnaie d'un autre pays.

Le *pair* est la définition officielle d'une monnaie exprimé par rapport à l'étalon du système monétaire.

Plusieurs systèmes monétaires internationaux différents se sont succédés.

■ Étalon or et étalon de change or

L'*étalon or* (ou *gold standard*) est un système monétaire international mis en place progressivement au xixᵉ siècle. Il découle logiquement des systèmes monétaires nationaux qui étaient basés sur l'or. Ses caractéristiques sont les suivantes : l'or a une fonction d'étalon, chaque monnaie est définie par un poids d'or ; les monnaies sont convertibles en or ; le moyen de paiement international est l'or. Les règlements en monnaies nationales convertibles en or ne sont pas exclus ; dans les faits, en raison de la puissance économique, financière et commerciale de la Grande-Bretagne, l'or perd peu à peu sa fonction de moyen de paiement (mais pas d'étalon) au profit de la livre.

Création monétaire ▶ Voir p. 100

Ce système est une source de stabilité car, la base monétaire étant l'or, il limite la création monétaire et il modère la variation des taux de change.

La guerre de 1914 conduit à la fin de ce système. En effet, afin de couvrir leurs dépenses militaires puis leurs dépenses de reconstruction, les États font largement appel à la création monétaire, ce qui engendre une forte inflation. Les monnaies quittant leur base

Inflation ▶ Voir p. 105

métallique (l'or), les États se voient dans l'obligation d'abandonner la convertibilité or de leurs monnaies, d'où le début d'une période de forte instabilité des taux de change.

L'*étalon de change or* (ou *gold exchange standard*) est un système monétaire international établi lors de la conférence de Gênes en 1922. Ses caractéristiques sont les suivantes : l'étalon est l'or et les pays doivent établir un taux de change fixe entre leur monnaie et celui-ci ; la convertibilité avec l'or n'est pas obligatoire (seuls les grands pays ayant des réserves d'or peuvent garantir une convertibilité, le plus souvent limitée aux lingots – d'où le terme de « *gold bullion standard* ») ; les instruments de paiement et de réserve internationaux sont l'or et toutes les monnaies convertibles.

Dévaluation ▶ Voir p. 315
Hyperinflation ▶ Voir p. 106

Ce SMI fut très instable en raison, principalement, des problèmes des systèmes monétaires nationaux (dévaluation compétitive en France ; politique de déflation en Grande-Bretagne ; hyperinflation en Allemagne…). Au début des années trente, la tendance est à l'isolationnisme et le système monétaire international éclate.

■ Le système de Bretton Woods

Keynes ▶ Voir p. 532

Le nouveau SMI devait, selon Keynes, assurer une stabilité monétaire internationale et permettre une croissance harmonieuse des économies nationales. Le *bancor* est une nouvelle monnaie internationale, proposée par Keynes, qui ne verra jamais le jour. Indépendant de toute monnaie nationale, il aurait été émis par une banque centrale mondiale.

Les Américains souhaitent que l'or conserve un rôle important (ils ont en réserve les deux tiers des stocks d'or mondiaux) et que le dollar, monnaie du seul pays en situation d'abondance, devienne la monnaie internationale.

Le *système de Bretton Woods* est un système monétaire international établi lors de la conférence de Bretton Woods en 1944. Ses caractéristiques sont les suivantes :

– c'est un système de parités fixes : chaque monnaie a un taux de change fixe avec le dollar (sa marge de fluctuation par rapport à ce taux n'est que de 1 %) et le dollar a un taux de change fixe avec l'or (35 $ l'once d'or). L'or conserve donc une fonction d'étalon ;

– chaque monnaie est convertible en dollars (elles sont aussi convertibles entre elles) et le dollar est convertible en or ;

– chaque monnaie, par une politique des changes adaptée, doit défendre sa parité avec le dollar.

Les *parités fixes*, ou *changes fixes*, désignent un système dans lequel les taux de change sont définis par les autorités monétaires et ne peuvent être modifiés que par une dévaluation ou une réévaluation. Chaque autorité monétaire est tenue de défendre sa parité par une politique des changes appropriée. ◄ **Taux de change** Voir p. 313

Une *dévaluation* est un changement de parité à la baisse décidé par les autorités monétaires dans un système de taux de change fixe. Une *réévaluation* est un changement de parité à la hausse décidé par les autorités monétaires dans un système de taux de change fixe.

Le *Fonds monétaire international (FMI)*, créé en 1944 lors de la conférence de Bretton Woods, est une caisse commune qui a pour objectif d'aider les pays en cas de déficit de leur balance globale des paiements afin de contribuer à la stabilité des taux de change. Dans les années 1970, le FMI a orienté son action vers l'assistance financière aux pays en développement. ◄ **Balance globale des paiements** Voir p. 312

◄ **Pays en développement** Voir p. 165

Les pays membres doivent verser au FMI une quote-part déterminée en fonction de leur poids économique.

Les *DTS (droits de tirage spéciaux)*, créés en 1969, sont formés par un panier de monnaies différentes. Il s'agit d'un nouvel instrument de paiement international, mais qui n'a pas remplacé le dollar dans sa fonction effective de monnaie internationale.

La *Banque mondiale*, crée en 1944 lors de la conférence de Bretton Woods, est une institution internationale du financement du développement. Instituée pour favoriser la reconstruction en Europe après la guerre, elle contribue actuellement au financement des pays en développement.

La mise en place du système de Bretton Woods fut difficile, car les économies européennes et japonaise étaient ruinées par la guerre. Le manque de dollars et d'or à l'extérieur des États-Unis avait créé une pénurie de moyens de paiement internationaux. L'économie mondiale était en situation de *dollar gap* (situation dans laquelle la demande de dollars excède de beaucoup l'offre).

SMI ▶
Voir p. 313

Afin de remédier à ces problèmes, les premières années du nouveau SMI se caractérisent par la très grande souplesse de son fonctionnement ; ainsi des dévaluations très importantes sont autorisées.

De plus, pour compenser le manque de dollars dans le monde, les États-Unis mettent en œuvre le *plan Marshall* (plan américain d'aide à l'Europe annoncé en 1947 : 35 milliards de dollars composés de 11,5 milliards d'aide militaire, de 17 milliards de dons, le reste étant composé de prêts à long terme).

Entre 1950 et 1960 on assiste à une forte expansion économique et à une internationalisation des échanges. L'Europe, grâce à ses exportations, peut se constituer des réserves en dollars.

■ La crise du système de Bretton Woods

Le système monétaire international de Bretton Woods reposait sur le dollar et la confiance dans le dollar reposait elle-même sur deux piliers : la puissance économique américaine et la convertibilité du dollar en or. Mais, dès 1960, dans son célèbre paradoxe, Triffin montre que le système de Bretton Woods est voué à l'échec.

Paradoxe de Triffin : paradoxe énoncé par l'économiste belge Triffin selon lequel une monnaie nationale ne peut servir durablement de monnaie internationale. En effet, soit la balance globale des paiements du pays de la monnaie internationale est déficitaire, ce qui permet aux autres pays de disposer d'instruments de paiement, mais ce qui sape à terme la confiance dans cette monnaie, soit sa balance globale est excédentaire, ce qui provoque un manque de liquidités internationales, donc ralentit la croissance des échanges.

Balance globale
des paiements ▶
Voir p. 312

À partir du début des années 1960, une forte augmentation du nombre des eurodollars (un *eurodollar* est un dollar détenu à l'extérieur des États-Unis ; une eurodevise est une monnaie détenue par des non-résidents) a commencé à saper la confiance en celui-ci et à créer un mouvement de conversion des dollars en or qui obligea le Président Nixon à supprimer la convertibilité. Le dollar devenu inconvertible, tout le SMI est mis en question.

◄ **Non-résident**
Voir p. 310

Les *accords de la Jamaïque*, en 1976 à Kingston, officialisent un nouveau SMI, le système des taux de change flottants, qui donne libre jeu aux mécanismes du marché. L'or est démonétisé.

■ Le système des changes flottants

Les *changes flottants* désignent un système dans lequel les taux de change varient librement en fonction de l'offre et de la demande de devises sur le marché des changes. Dans ce système, les taux de changes ne sont pas fixés par les autorités monétaires. Les taux de change variant librement, il n'est plus possible, dans le cadre du SMI, d'effectuer une dévaluation ou une réévaluation.

◄ **Dévaluation**
Voir p. 315

La *dépréciation* désigne la baisse du taux de change, dans un système de changes flottants, lorsqu'une monnaie est plus offerte que demandée. L'*appréciation* désigne la hausse du taux de change, dans un système de changes flottants, lorsqu'une monnaie est plus demandée qu'offerte.

◄ **Réévaluation**
Voir p. 315

La flexibilité permise par les changes flottants a provoqué une grande volatilité du cours des monnaies. Le SMI s'oriente vers un polycentrisme monétaire : le dollar reste l'instrument de paiement international privilégié, mais il est de plus en plus concurrencé par le yen et par l'euro.

![C] Les taux de change

■ Les déterminants des taux de change

Le taux de change varie en fonction de l'offre et de la demande de la monnaie en question et résulte donc directement du solde de la balance globale des paiements : si la balance globale des paiements est excédentaire, cela signifie que la monnaie est plus demandée qu'offerte, ce qui conduit à une appréciation de la monnaie. Au contraire, une balance déficitaire conduit à une dépréciation puisque la monnaie nationale est convertie en devises pour régler le déficit.

◄ **Balance globale des paiements**
Voir p. 312

Pour analyser les déterminants de la valeur des monnaies, il faut donc examiner les deux principales composantes de la balance globale des paiements : le compte des transactions courantes et les flux internationaux de capitaux (enregistrés dans le compte financier) ;

– le solde du compte des transactions courantes dépend essentiellement de la croissance du pays (plus sa croissance est forte, plus il a tendance à importer), de la croissance de ses partenaires (plus leur croissance est importante, plus le pays aura tendance à exporter) et de sa compétitivité c'est-à-dire aussi bien sa compétitivité prix que sa compétitivité produit (ou compétitivité hors prix). Un excédent de la balance des transactions courantes joue donc dans le sens d'une appréciation monétaire ;

– les flux internationaux de capitaux peuvent faire varier de façon forte et rapide les taux de change ; les taux d'intérêt et les anticipations jouent alors un rôle essentiel. Ces capitaux sont en effet à la fois sensibles au taux d'intérêt proposé et au *risque de change* (risque de perte financière due à la dépréciation de la devise détenue). Toutes choses égales par ailleurs, la hausse du taux d'intérêt, en attirant des capitaux, provoque une hausse du taux de change, et inversement, une baisse du taux d'intérêt provoque une sortie de capitaux et une diminution du cours de la monnaie. Les anticipations et la confiance dans la monnaie sont aussi des déterminants importants. Le taux d'intérêt doit compenser le risque de change.

Les autorités monétaires peuvent mener une *politique de change* (politique qui consiste à agir sur les taux de change par l'achat ou la vente de devises ou de monnaie nationale et surtout par l'action sur les taux d'intérêt afin d'attirer ou non les capitaux).

■ Les effets des variations des taux de change

Un taux de change élevé nuit à la compétitivité extérieure en renchérissant les exportations, mais il diminue le prix des importations. Symétriquement, une dépréciation (ou une dévaluation en parités fixes) est inflationniste (car elle augmente le prix des importations), mais favorise la compétitivité en diminuant le prix des exportations et devrait améliorer le solde de la balance des biens et des services.

Cette amélioration n'est pas immédiate, elle suit la forme d'une *courbe en J* : courbe de la forme d'un J qui montre qu'à la suite

Compte des transactions courantes ►
Voir p. 310

Compte financier ►
Voir p. 311

Compétitivité prix ►
Voir p. 270

Compétitivité produit ►
Voir p. 270

Compétitivité hors prix ►
Voir p. 270

Appréciation ►
Voir p. 317

Taux d'intérêt ►
Voir p. 96

Compétitivité ►
Voir p. 270

Dépréciation ►
Voir p. 317

Dévaluation ►
Voir p. 315

Parités fixes ►
Voir p. 315

Balance des biens et des services ►
Voir p. 269

d'une dépréciation, le solde commercial se détériore dans un premier temps, puis s'améliore ensuite. En effet, la baisse du taux de change provoque deux effets : un effet prix et un effet volume.

L'effet prix exprime le renchérissement des importations et l'amélioration de la compétitivité prix induite par la baisse du taux de change ; cet effet prix joue très rapidement et provoque la détérioration de la balance des biens et des services.

Dans un deuxième temps, un effet volume devrait être induit par l'effet prix : la hausse du prix des importations conduit à leur baisse et la hausse de la compétitivité prix des exportations conduit à l'augmentation de celles-ci. C'est cet effet volume qui devrait provoquer une amélioration de la balance des biens et des services.

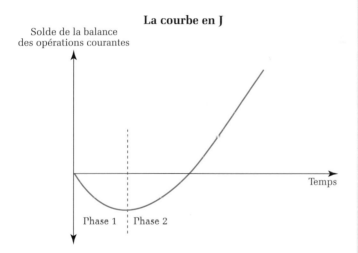

La courbe en J

Cette amélioration ne se produit pas toujours. Une dépréciation peut n'avoir que peu d'impact sur la compétitivité et les soldes extérieurs, car ses effets peuvent être en partie neutralisés si les entreprises profitent de cette opportunité pour augmenter leurs marges bénéficiaires ou si une part importante des importations est incompressible : c'est le cas pour tous les biens qui ne sont pas produits sur le territoire national.

◄ **Dépréciation**
Voir p. 317

La dépréciation peut par ailleurs provoquer un cercle vicieux car, en suscitant une inflation importée, donc une perte de compétitivité, et en provoquant une défiance vis-à-vis de la monnaie, elle peut

◄ **Inflation importée**
Voir p. 106

Balance globale des paiements ▶

Voir p. 312

dégrader le compte des transactions courantes et provoquer une fuite des capitaux et, par voie de conséquence, dégrader la balance globale des paiements, ce qui conduit naturellement à une nouvelle dépréciation.

La sous-évaluation monétaire peut donc doper la croissance à court terme, mais elle n'est pas sans risque à long terme. En revanche, une monnaie appréciée est généralement le signe d'une économie solide qui dégage des excédents commerciaux et qui attire les capitaux étrangers.

16

SOCIALISATION ET CONSTRUCTION DES IDENTITÉS SOCIALES

A La socialisation

- Mécanismes et agents de socialisation
- La socialisation différentielle
- Socialisation primaire et socialisation secondaire

B La culture

- Culture et culture de masse
- Les relations interculturelles

Chacun d'entre nous a une *identité sociale*, produit des caractéristiques repérables par les autres (âge, sexe, profession, niveau d'instruction, appartenances diverses...) qui nous définissent à leurs yeux comme un être singulier, mais aussi comme un membre du groupe social. L'identité relève de l'*inné* (ce qui est transmis par le matériel génétique, comme la couleur des yeux), **mais aussi de** l'*acquis* (ce qui relève d'un processus d'apprentissage). La *socialisation* est le processus d'apprentissage par lequel un individu devient membre de la société. Par ce processus, l'individu intériorise la *culture*, ensemble des manières de faire, de penser et de sentir partagées par les membres d'un même groupe.

Groupe social ▶
Voir p. 344

A La socialisation

■ Mécanismes et agents de socialisation

Les mécanismes de la socialisation

La socialisation peut être subie par l'individu. On parle alors d'*inculcation*, transmission volontaire et méthodique de valeurs et de normes par une institution. L'individu est passif dans son apprentissage, et un système de sanctions positives (rétributions) ou négatives (punitions) est utilisé par les agents socialisateurs. L'apprentissage se fait tel un conditionnement pour aboutir à des comportements réflexes. Les règles de politesse transmises par la famille constituent un bon exemple d'un tel conditionnement puisque les parents insistent parfois longuement pour que leurs enfants disent « s'il vous plaît » et « merci » lorsqu'ils obtiennent satisfaction en réponse à une demande déterminée. D'une manière plus générale, cet apprentissage fait l'objet de félicitations ou de cadeaux quand l'enfant respecte la norme et, inversement, de sanctions diverses, comme la privation de loisirs, en cas de non-respect des attentes sociales.

Valeur ▶
Voir p. 332
Norme ▶
Voir p. 332

La socialisation n'est cependant jamais totalement passive, et c'est heureux, car les générations nouvelles doivent sans cesse s'adapter à un environnement qui change. Pour parvenir à l'*imprégnation*, intériorisation de la culture d'un groupe par un individu qui adopte le mode de vie de ce groupe, **l'enfant pratique d'abord une *socialisation par imitation*** (reproduction simple des gestes et des paroles de l'entourage), **puis une *socialisation par interaction*** (participation de l'individu aux apprentissages, où celui-ci apprend au contact des autres et grâce à ses erreurs, qui lui permettent de corriger progressivement ses attitudes). Dans les années 1930, le sociologue américain Georges Herbert Mead a bien montré comment les enfants se socialisaient en reproduisant au cours de leurs jeux les comportements des différents membres de la famille. En se mettant à la place d'un de ses parents, l'enfant s'approprie un rôle social, donc des normes et des valeurs. Dans un second temps, qui correspond à la période de scolarisation, l'enfant passe de jeux libres à des jeux plus structurés dont les règles sont décidées collectivement. Il doit, par exemple, être capable de jouer successivement le rôle du policier et celui du voleur. Par la pratique de telles activités, l'être humain fait l'expérience de la vie collective et en intériorise peu à peu les règles.

◄ Échelle d'attitude
Voir p. 473

◄ Rôle social
Voir p. 333

Les agents de socialisation

Un **agent de socialisation** est une institution favorisant l'intégration des individus en concourant à leur socialisation.

Une **institution** est une structure sociale ou un système de relations sociales dotés d'une certaine stabilité dans le temps. De manière plus précise, on peut opposer les définitions des institutions des deux fondateurs de la sociologie que sont Émile Durkheim et Max Weber. Une **institution au sens de Durkheim** est un fait social organisé selon des règles, qui exerce une influence collective sur les personnes. L'institution dépasse les individus et leur fournit le cadre qui structure leurs activités. Une **institution au sens de Weber** est une association d'individus dont les règles d'action s'exercent à l'intérieur d'une zone déterminée. C'est un régulateur de rapports sociaux qui naît et se transforme au cours de l'action collective.

◄ Durkheim
Voir p. 496

Les agents de socialisation se distinguent en deux groupes : ceux qui ont pour objectif la **socialisation manifeste** (volonté systématique de modeler la personnalité d'autrui) et ceux qui produisent ce que l'on appelle une **socialisation latente** (socialisation qui découle de processus plus informels et qui n'est donc pas volontaire).

La famille, l'école ou encore l'Église revendiquent une action socialisatrice manifeste :

– dans la famille, l'enfant fait l'expérience des rythmes sociaux (veille, repas, sommeil) et des premières règles sociales (être propre). Il apprend à maîtriser le langage et découvre que tous les membres de la famille n'ont pas les mêmes droits et devoirs. Il prend conscience

Rôle ►
Voir p. 333
Statut social ►
Voir p. 333

des rôles propres à son statut social et commence à s'y exercer. Il reçoit ses premiers attributs identitaires (nom, prénom, sexe, nationalité) et de les approprie ;

– à l'école, l'enfant découvre les contraintes propres à la vie en collectivité. Il apprend peu à peu à écouter les autres enfants et à attendre d'être sollicité pour s'exprimer. Il renforce sa maîtrise de la langue en abordant l'écrit. Il acquiert enfin des connaissances relevant des disciplines les plus variées (mathématiques, histoire, langues, etc.) ;

– l'Église accomplit son action de socialisation en imposant des valeurs et le respect de règles de vie, et en dispensant une formation spécifique directement religieuse (catéchisme) ou intégrée à un parcours scolaire (écoles confessionnelles). Dans les pays développés, les Églises ont perdu une grande partie de leur capacité à imposer des règles de vie et leur rôle dans le processus de socialisation s'est progressivement réduit en raison de la *sécularisation de la société* (processus de réduction de l'influence de la religion dans l'organisation de la vie sociale, ou laïcisation, bien décrit par Max Weber au début du xxᵉ siècle).

D'autres agents de socialisation ont une action de socialisation qu'ils ne revendiquent pourtant pas explicitement. C'est le cas des associations, des groupes de pairs, des médias et des organisations professionnelles.

– les associations sont présentes tout au long de la vie des individus. Les enfants fréquentent des crèches, des clubs de sport ou des conservatoires de musique. Les adultes peuvent adhérer à des syndicats ou à des partis politiques. Les retraités trouvent parfois dans les associations l'occasion de mettre leurs compétences à la disposition des autres ;

– un groupe de pairs est un groupe composé d'individus placés *a priori* dans une situation égalitaire (groupe d'amis, camarades d'école, etc.). Les groupes de pairs prennent toute leur place au moment de l'adolescence et permettent aux jeunes d'expérimenter certains des rôles sociaux caractéristiques du monde adulte (relations entre hommes et femmes, engagements politiques). Ils perdent de leur importance à l'âge adulte sans pour autant disparaître ;

– les *médias* (moyens impersonnels de diffusion d'informations, comme la presse, la radio ou la télévision, permettant de transférer un message vers un grand nombre d'individus) socialisent leurs

spectateurs ou auditeurs en proposant des modèles de comportement qui sont la concrétisation de valeurs et de normes ;
– les organisations professionnelles (entreprises et administrations) contribuent à la socialisation en faisant partager à leur personnel stable le respect des règles inhérentes à la profession et à
une déontologie professionnelle. Même si cela ne peut constituer un
objectif central, certaines entreprises se donnent explicitement pour
fonction de socialiser leur personnel et exigent de celui-ci le respect
d'une culture d'entreprise centré autour de quelques valeurs fortes
(dévouement, compétence, dynamisme, etc.).

◀ **Culture
d'entreprise**
Voir p. 84

Tous ces agents de socialisation, qu'ils poursuivent des buts
explicites ou implicites, ont généralement des actions complémentaires permettant de renforcer l'efficacité du processus de socialisation. Mais il peut arriver que la pluralité des agents débouche sur
une concurrence entre eux. Par exemple, l'école et la famille peuvent
entrer en conflit quand l'institution scolaire valorise des modes de
comportement qui peuvent s'opposer à certaines traditions culturelles en vigueur dans les milieux populaires, par exemple. De
même, la famille et le groupe de pairs peuvent entrer en conflit
quand la famille véhicule des valeurs traditionnelles alors que le
groupe de pairs affiche des valeurs résolument inscrites dans la
modernité. Ces situations relèvent d'un *conflit de socialisation*,
situation dans laquelle plusieurs agents de socialisation exercent
des influences contradictoires sur un individu. L'individu en question a donc l'obligation de se positionner vis-à-vis de modèles de
comportements qui peuvent être fort différents. Il peut adopter l'un
des modèles et rejeter l'autre, réaliser un compromis entre les deux,
adopter alternativement l'un puis l'autre, ou bien encore trouver
dans l'évasion la possibilité de ne pas choisir. L'existence d'une pluralité d'agents de socialisation aux langages parfois discordants favorise ainsi de manière positive l'autonomie de certains individus, qui
sont obligés de faire des choix, de même qu'elle peut aussi produire
des échecs de socialisation quand l'opposition des valeurs entre ces
agents débouche sur des comportements de déviance : alcoolisme,
drogue, délinquance, suicide.

◀ **Déviance**
Voir p. 358
◀ **Délinquance**
Voir p. 359

■ La socialisation différentielle

Socialisation et genre

La société attribue des caractéristiques à chaque sexe (l'homme est « fort et combatif », la femme est « faible et émotive ») qui n'ont rien d'innées : les attentes sociales vis-à-vis des hommes et des femmes sont différentes, d'où la définition de rôles précis assignés à chacun en fonction du statut de son sexe ou encore de son genre. Le **genre**, ou « **sexe social** », est l'identité construite par l'environnement des individus, produisant la « masculinité » ou la « féminité », que l'on considère non pas comme des données naturelles, mais comme le résultat de mécanismes puissants de construction et de reproduction sociale. Le concept de « genre » (*gender* en anglais) a été créé pour pouvoir distinguer le sexe anatomique des différences non anatomiques entre hommes et femmes, qui sont source de la prépondérance sociale de la « masculinité ». L'expression « *rapport social de sexe* » qualifie le rapport entre hommes et femmes comme un rapport de pouvoir, principe hiérarchique qui légitime les inégalités sociales, politiques, économiques, voire même psychologiques, que l'on peut observer entre les individus des deux sexes.

La socialisation n'est donc pas identique selon le sexe et participe à la transmission de stéréotypes, qui sont des processus de schématisation et de généralisation qui consistent à attribuer à un ensemble d'individus les mêmes caractères simplifiés à l'extrême, pour pouvoir mieux différencier les membres de cet ensemble de la société environnante (ex. : les stéréotypes féminins et masculins renvoient au soin et à la minutie pour les unes, à l'intrépidité et à l'énergie pour les autres). La différenciation entre les sexes est précoce et commence dès la naissance dans la famille. En effet, les comportements parentaux sont consciemment ou inconsciemment guidés par les représentations sociales attribuées à chaque sexe : les pleurs d'une fille ne seront pas interprétés comme ceux d'un garçon. On stimulera la sociabilité des nourrissons filles alors qu'on cherchera à développer la motricité pour les bébés de sexe masculin. À chaque fois, on prépare les enfants aux rôles qu'on leur attribue dans la société : les filles seront douces et fragiles, attentionnées et tournées vers les autres, alors que les garçons seront acteurs et moteurs dans leur vie sociale, s'affirmant face aux autres. Cette *socialisation différentielle* (socialisation différente selon le groupe d'appartenance

Groupe d'appartenance ▶
Voir p. 345

des individus) s'observe particulièrement à l'occasion des cadeaux faits aux jeunes enfants : les filles sont amenées à jouer leurs futures rôles de mères et d'épouses en recevant tout un matériel destiné à la gestion de l'univers domestique alors que les garçons ont pour mission de s'occuper de la sécurité matérielle et physique du foyer en s'entraînant à des jeux de guerriers, en s'identifiant à des héros de bandes dessinées ou de séries télévisées. Les jeux destinés aux enfants ne sont donc pas choisis selon les goûts personnels, mais selon des normes sociales.

◀ **Normes sociales**
Voir p. 332

Toute dérogation aux représentations sexuelles et aux normes de comportement fait l'objet d'une sanction (remarque verbale, geste…). Les pairs ont aussi un rôle non négligeable dans le respect des normes liées à la socialisation différentielle, de même que l'institution scolaire, qui a encore parfois des attentes différentes envers les représentants de l'un ou l'autre sexe en fonction de la discipline enseignée.

Les attentes et les rôles sexués sont tellement ancrés que les individus concernés les entérinent et participent à leur perpétuation en s'empêchant d'agir autrement. C'est le principe de la *socialisation anticipatrice*, qui est le mécanisme par lequel un individu apprend et intériorise la culture d'un groupe de référence auquel il désire appartenir. Ainsi les jeunes filles osent aller moins prendre la parole en classe ou en public, car elles ont intériorisé la prééminence des garçons en la matière. De leur côté, les garçons ne se rendent pas toujours compte qu'ils monopolisent la parole et occupent tout l'espace public conformément à ce qu'on leur a appris pendant l'enfance. Il arrive même que les médias reproduisent cette dichotomie de l'usage social de la parole et participent de ce fait à la socialisation différentielle, en reproduisant de telles situations à grande échelle.

◀ **Groupe de référence**
Voir p. 316

Socialisation et milieu social

La société est composée de différents groupes sociaux qui occupent des statuts et des rôles très différents. Par conséquent, les normes et valeurs transmises peuvent être aussi différentes, puisque la culture n'est pas la même.

◀ **Groupe social**
Voir p. 344

Si on prend l'exemple des normes du langage, on voit apparaître des différences non négligeables entre les milieux sociaux, ainsi qu'a pu le montrer dès les années 1960 le sociologue anglais Basil Bernstein en établissant l'existence d'un lien entre la classe sociale, le mode de socialisation et la compétence linguistique. Les catégories aisées utilisent un langage explicite et précis avec un champ lexical large alors que les références implicites sont plus nombreuses dans le langage populaire, qui relève, selon Bernstein, d'un « code linguistique restreint ». En effet, dans les milieux aisés (professions libérales, cadres supérieurs…), on accorde de l'importance à la communication écrite, qui tient une place essentielle dans la vie professionnelle, et il est vrai aussi que les études longues ont favorisé l'acquisition d'un langage qui se veut académique. Au contraire, dans les milieux populaires, le rapport au langage est plus utilitaire : il s'agit avant tout d'être pragmatique et d'aller à l'essentiel. Or, à l'école, il est demandé bien souvent aux enfants d'avoir un langage qui correspond plutôt au langage des catégories aisées. Cela peut poser à l'évidence des problèmes pour les enfants de milieux populaires qui ne maîtrisent pas ce langage aussi bien que les enfants issus de milieux bourgeois. Et de fait, on constate bien souvent que les enfants en échec scolaire face à ce type d'apprentissage sont majoritairement des enfants appartenant aux milieux défavorisés.

D'une manière plus générale, on peut aussi observer d'importantes différences en matière de transmission des pratiques culturelles telles que la lecture ou la fréquentation de musées selon le milieu d'origine. Les catégories les plus diplômées vont avoir plus facilement des pratiques culturelles que les autres, et ces pratiques culturelles vont permettre aux enfants de mobiliser plus facilement certaines connaissances requises à l'école. Ces enfants, habitués à fréquenter les lieux culturels dès leur plus jeune âge et à lire des livres, seront plus à même de poursuivre ces pratiques à l'âge adulte.

La socialisation favorise donc la reproduction sociale. Néanmoins, ce constat ne suffit pas pour en conclure à l'existence d'un déterminisme absolu. D'une part, en effet, c'est une évidence que tous les enfants d'ouvriers n'adhèrent pas à la culture ouvrière. Un individu ou sa famille peuvent se choisir comme modèle un groupe social différent de leur groupe d'appartenance et peuvent chercher à acquérir la culture de ce groupe de référence, conformément au modèle de la socialisation anticipatrice décrit plus haut. D'autre part, l'identité n'est pas figée et, à l'âge adulte, en fonction de la socialisation secondaire qu'il reçoit ou qu'il se donne, un individu peut toujours modifier l'identité qu'il s'est construite durant l'enfance.

Pratique culturelle ►
Voir p. 334

Déterminisme ►
Voir p. 394

Culture ►
Voir p. 322

Groupe d'appartenance ►
Voir p. 345

Groupe de référence ►
Voir p. 346

■ Socialisation primaire et socialisation secondaire

Les étapes de la socialisation

On distingue généralement la socialisation primaire et la socialisation secondaire.

La **socialisation primaire** est la socialisation centrée sur l'acquisition des modèles de comportements spécifiques aux enfants. Cette
socialisation primaire est principalement le fait des agents dont
l'objectif est explicitement la socialisation. Elle est caractérisée par
des relations inégales entre l'enfant en situation d'apprentissage et
les adultes qui font office d'éducateurs (ce qui fait, par exemple,
que Durkheim définit l'éducation par l'école comme la socialisation
méthodique de la jeune génération par la génération adulte). Si cette
socialisation est primordiale, il n'en demeure pas moins que le processus de socialisation ne s'achève pas avec l'enfance.

La **socialisation secondaire** est la socialisation centrée sur
l'acquisition des rôles sociaux caractéristiques de l'âge adulte ainsi
que des savoirs professionnels. Elle permet à des individus dont
la personnalité est déjà construite de s'intégrer dans le monde des
adultes. Elle se fonde sur les acquis de la socialisation primaire, les
conforte et, éventuellement, les transforme aussi. Cette socialisation
secondaire est plus spécifiquement le fait de l'enseignement secondaire ou supérieur, des groupes de pairs, des médias et des organisations professionnelles. Elle a pour enjeu principal la création d'une
identité professionnelle associant un savoir technique utilisé dans le
cadre d'une activité productrice, les règles organisant cette activité,
ainsi que la mise en œuvre d'un code déontologique.

*Complémentarité et rupture entre la socialisation primaire
et la socialisation secondaire*

Même si elle est particulièrement intense au cours des premières
années de la vie, la socialisation n'est jamais achevée. En effet, les
sociétés modernes laissent beaucoup de liberté aux individus qui
multiplient les rôles et les statuts dans les différentes sphères de
la société. Dans la plupart des cas, la combinaison des apprentissages faits dans l'enfance et à l'âge adulte est relativement heureuse
et les individus se forgent ainsi une **identité plurielle**, qui est une
identité associant plusieurs cultures d'appartenance. Mais il peut

arriver que l'individu soit amené à rejeter certains des modèles qu'on a cherché à lui inculquer pendant l'enfance et décide de se construire une identité différente à l'âge adulte. On parle alors de **resocialisation**, processus au cours duquel la socialisation secondaire entre en contradiction avec les modèles de référence acquis dans l'enfance. Lorsqu'elle prend cette forme extrême qui est celle de la rupture, la socialisation est vécue comme une souffrance, une source de solitude et de frustration. C'est ainsi qu'Erving Goffman décrit dans *Asiles* (1961) la dynamique de resocialisation qui est à l'œuvre dans des « institutions totales » comme la prison, l'asile, ou encore les camps de concentration. Cette dynamique se manifeste d'abord par une volonté de couper l'individu de tous ses liens avec la vie antérieure par la mise en œuvre de rituels d'admission (attribution d'un matricule, changement de vêtements, etc.), puis par la prise en charge totale de la personne, un contrôle permanent du temps et de l'espace, et l'exigence d'une soumission complète aux représentants de l'institution. Elle débouche sur une destruction de la personnalité, dans le pire des cas, et, plus fréquemment, par l'apparition d'adaptations secondaires qui peuvent nuire aux buts ultimes de l'institution. Goffman cite ainsi le cas des prisonniers qui commandent des livres non pour se cultiver, mais pour impressionner la commission de libération sur parole, ennuyer le bibliothécaire, ou encore tout simplement pour « recevoir un paquet ».

▐B▌ La culture

■ Culture et culture de masse

Qu'est-ce que la culture ?

Il existe de très nombreuses définitions de la culture. On peut en retenir trois parmi les plus significatives : la culture savante, la culture au sens anthropologique et la culture au sens sociologique.

La **culture savante** est l'ensemble des connaissances et des croyances partagées par l'élite des sociétés développées. Cette conception de la culture a pris naissance au cours du XVIIIe siècle avec la philosophie des Lumières. La culture est alors associée aux progrès de la connaissance, de l'éducation, et aussi au raffinement des mœurs. Les personnes « cultivées » sont opposées à celles dont l'esprit n'a pas été mis en valeur et qui sont restées « incultes », par analogie aux terres agricoles demeurées en friche.

Dès la fin du xixe siècle, l'anthropologie donne une autre défini-tion du terme « culture » en rupture avec l'*ethnocentrisme* (propen-sion à considérer sa propre culture comme étant supérieure à celle des autres civilisations, donc à privilégier sans nuance les valeurs et pratiques du groupe ethnique auquel on appartient) qui caractérisait alors la notion de « culture savante ». La définition donnée par l'an-thropologue Edward Tylor fait encore référence. Selon lui, la *culture au sens anthropologique* « est une totalité complexe qui comprend les connaissances, les croyances, les arts, les lois, la morale, la cou-tume et toute autre capacité ou habitude acquise par l'homme en tant que membre d'une société ». Tous les individus d'un territoire donné sont imprégnés par la culture de leur société. C'est ainsi que Ruth Bénédict a pu développer le concept de *modèle culturel (pat-tern of culture)* qui désigne un ensemble de traits culturels carac-térisant une société. Elle estime que la culture d'une société est orientée dans une direction unique et que tous les traits culturels vont dans ce sens. Elle en veut pour preuve les différences de com-portement entre deux tribus indiennes du Nouveau Mexique : les Zunis et les Kwakiutls. Alors que les premiers sont doux, solidaires et paisibles, les seconds sont agressifs, individualistes et excessifs. Ces différences ne sont pas d'ordre biologique : elles s'expliquent par l'éducation et l'imprégnation des membres de chacune des tri-bus par un modèle culturel différent. De son côté, Margaret Mead s'est intéressée aux phénomènes d'*enculturation*, c'est-à-dire d'im-prégnation d'un individu par un modèle culturel. Dans une étude portant sur trois tribus de Nouvelle-Guinée, les Arapesh, les Mun-dugumor et les Chambuli, elle a montré que les comportements masculin et féminin n'étaient pas naturels, mais s'expliquaient par l'éducation. Dans les deux premières tribus, les enfants sont élevés de la même manière, quel que soit leur sexe, mais de façon paisible chez les Arapesh et d'une manière beaucoup plus agressive chez les Mundugumor. Devenus adultes, les premiers sont doux et serviables alors que les seconds sont en perpétuelle rivalité sans qu'il n'y ait de différences entre les femmes et les hommes. À l'inverse, les Cham-buli éduquent différemment garçons et filles en valorisant l'activité chez les filles et la sensibilité chez les hommes. En conséquence, les femmes ont en charge les activités de type économique tandis que la

◄ **Anthropologie**
Voir p. 10

religion et l'art sont réservés aux hommes. Cette idée d'imprégnation d'un individu par un modèle culturel sera reprise et approfondie par Ralph Linton et Abram Kardiner, qui estiment qu'un individu possède à la fois des traits psychologiques qui lui sont propres et d'autres qu'il partage avec les membres du groupe. Ils définissent la *personnalité de base* comme l'ensemble des traits psychologiques communs aux individus partageant la même culture. Dans une société donnée, il existe autant de personnalités de base que de statuts sociaux (homme-femme, aîné-cadet, dominant-dominé, etc.). Pour tous ces auteurs, la culture est ce qui définit une société et assure sa reproduction sociale. Cette conception de la culture comme un bien commun dont hérite chaque individu sera reprise quelques décennies plus tard par le fonctionnalisme.

Reproduction sociale ►
Voir p. 375
Fonctionnalisme ►
Voir p. 502

La *culture au sens sociologique* est l'ensemble des représentations, des valeurs et des normes qui orientent l'action des individus. Le commentaire de cette définition appelle quelques précisions de vocabulaire. Une *représentation* est une construction mentale (croyance, idée ou doctrine) élaborée par une collectivité humaine. Ces représentations prennent la forme de systèmes religieux, de mythes ou de théories portant sur la place de l'homme dans le monde et sur l'organisation de la société. Elles s'expriment dans des valeurs, une *valeur* étant une préférence ou un principe qui oriente l'action des individus.

Ces valeurs peuvent avoir une origine religieuse (l'amour du prochain, la compassion…), politique (la liberté, l'égalité…) ou économique (le travail, la richesse…). Elles sont comme des boussoles qui indiquent une direction sans pour autant donner une indication précise sur la conduite à tenir dans telle ou telle circonstance. Les valeurs se concrétisent dans des normes, une *norme* étant une règle explicite ou implicite prescrivant une conduite socialement valorisée. Alors que les valeurs restent abstraites, les normes précisent ce que doivent être les comportements des individus. Elles se déclinent sous la forme de *normes juridiques* (textes de loi, et règlements édictés par des corps spécialisés qui constituent le droit, indiquant ce qui est légal) et de *normes sociales* (comportements prescrits par la société) qui se décomposent en *mœurs* (règles découlant de la morale sociale) et *usages* (pratiques sociales que l'ancienneté ou l'habitude finit par rendre normales). À la différence des règles juridiques, les mœurs et usages ne sont pas strictement codifiés. Rouler à moins de 50 km/h en ville ou se souhaiter la bonne année sont deux exemples de normes de nature différente. Certaines normes (ex. : les normes juridiques) s'imposent à l'ensemble de la population alors que d'autres diffèrent selon la position sociale des individus. Dans la famille, par exemple, parents et enfants ne doivent pas respecter exactement les mêmes normes. Celles-ci dépendent donc partiellement du *statut*, qui est la position occupée par un individu dans un domaine (professionnel, familial, etc.) et à laquelle sont attachés des droits et des devoirs. Ces droits et devoirs forment les rôles, un *rôle social* étant un comportement attendu d'un individu en raison de son statut social. Hommes et femmes, parents et enfants, enseignants et élèves... doivent donc respecter des normes qui leur sont spécifiques. Valeurs et normes forment un système cohérent qui encadre l'action des individus.

La culture de masse

La **culture de masse** fait référence à un ensemble de normes et de valeurs véhiculées par les mass media (presse, radio, télévision, publicité, Internet) et les autres industries culturelles (industries du cinéma, du disque, parcs de loisirs, etc.). Elle est appelée culture de masse à la fois parce qu'à l'origine elle est diffusée par les mass media, qui rendent les œuvres culturelles (livres, œuvres d'art...) accessibles à une partie sans cesse grandissante de la population, mais aussi parce qu'elle désigne un ensemble de pratiques et de valeurs qui se diffusent largement dans la société (ex. : les normes de beauté). La culture de masse est donc une culture accessible à tous, et en même temps une nouvelle forme de culture au sens sociologique, symbole de la démocratie contemporaine dans laquelle l'égalité entre les citoyens est une valeur fondamentale.

◄ Égalité
Voir p. 131-132

Cette culture de masse est apparue au XIXe siècle : période de profondes transformations économiques et sociales (urbanisation, industrialisation), le XIXe siècle est très tôt marqué par l'apparition de produits culturels à des prix attractifs et utilisant un style qui suscite l'intérêt du plus grand nombre : les livres et les journaux inaugurent le phénomène. La lecture de masse sera prolongée par la progression de l'accès à d'autres produits culturels standardisés grâce à la radio, au cinématographe, puis à la télévision dans la seconde moitié du XXe siècle. Ces équipements seront suivis par l'arrivée massive des nouvelles technologies de l'information et des communications et par le développement d'offres de loisirs, de spectacles, de construction de parcs d'attraction et de centres de vacances. La culture devient un bien standardisé qui se produit en grande quantité et se vend à moindre prix grâce à des procédés de reproduction qui permettent des économies d'échelle. L'art, les loisirs, les vacances deviennent objets de consommation de masse, car de plus en plus accessibles à tous.

Économies d'échelle ►
Voir p. 28
Consommation de masse ►
Voir p. 213
Niveau de vie ►
Voir p. 42

Il ne suffit pas que les industries culturelles se mettent à produire en quantité importante pour que la population ait accès à ces produits. La culture de masse se développe également parce que la population connaît une hausse de son niveau de vie et de son niveau culturel général. L'alphabétisation généralisée permise par l'école (gratuite et obligatoire) est nécessaire à l'extension de l'édition et de la presse. La prolongation de la scolarisation et, notamment, la hausse du niveau de diplôme dans la population permettent également d'expliquer une demande accrue de consommation de biens culturels. D'autre part, les loisirs se développent au xxᵉ siècle avec l'invention des congés payés (1936, le Front populaire) et le désir de la population de s'octroyer des temps de loisir, c'est-à-dire des temps sans obligation professionnelle ou domestique. La réduction du temps de travail tout au long du xxᵉ siècle et le développement de l'électroménager permettent de répondre à ces revendications. Le travail ne constitue plus la seule activité de la journée et l'électroménager permet de se défaire de certaines tâches domestiques, désormais prises en charge partiellement par des machines.

Le fait que la culture de masse s'adresse au plus grand nombre ne signifie pourtant pas qu'elle soit perçue de la même façon par tous. Chaque groupe social interprète le message véhiculé par ces industries de masse en fonction de sa culture d'origine. La standardisation des produits culturels ne s'est pas traduite par l'uniformisation des pratiques culturelles.

Les pratiques culturelles

Si le ***loisir*** est l'activité que l'on effectue durant le temps dont on peut disposer librement, c'est-à-dire sans obligation (travail, tâches domestiques), il n'en demeure pas moins que cette activité s'inscrit dans des registres très différents (jardinage, lecture, sport, télévision…), et que, de ce fait, tout le monde n'a pas la même représentation de ce qu'est le « loisir ». C'est la raison pour laquelle l'analyse scientifique se fonde sur l'étude des pratiques culturelles menée à partir des enquêtes du ministère de la Culture depuis 1973.

Les **pratiques culturelles** regroupent la fréquentation des équipements culturels, les pratiques amateurs, la lecture, l'audiovisuel domestique, les sorties, mais aussi le bricolage et le jardinage, tout en excluant le sport.

De 1973 à 2008 (date de la dernière enquête du ministère), le centre de gravité des pratiques culturelles s'est déplacé vers le pôle audiovisuel. La progression des pratiques audiovisuelles domestiques est le phénomène le plus spectaculaire de ces trente dernières années. Cette montée de l'audiovisuel repose toujours sur la télévision, mais il faut prendre en compte aussi le « boom musical » (supports comme les lecteurs CD, les baladeurs MP3, les DVD) et le développement continu de l'ordinateur domestique. De manière plus détaillée, on constate que l'évolution des pratiques culturelles comporte à la fois des éléments de rupture et de continuité.

La continuité repose sur l'importance toujours affirmée des variables sociodémographiques lourdes (sexe, âge, PCS, situation familiale) dans la segmentation des pratiques culturelles. Même si les différences de pratiques culturelles entre hommes et femmes tendent à se réduire (les femmes continuent à lire plus que les hommes, cependant), ces différences sont affirmées en fonction de l'âge : les plus jeunes écoutent beaucoup de musique, certaines pratiques augmentent avec l'âge, comme la lecture, la participation à la vie associative, le jogging, les visites de musées). C'est cependant l'appartenance à une catégorie socioprofessionnelle donnée qui reste une variable prédictive très forte des pratiques culturelles. Le développement de la culture de masse ne doit pas cacher le maintien de fortes inégalités en matière culturelle, et l'analyse sociologique de Pierre Bourdieu (*La Distinction*, 1979) – qui montrait que les **pratiques légitimes** (pratiques culturelles qui sont celles du groupe dominant, et qui constituent autant de signes d'appartenance à ce groupe) comme l'opéra, la musique classique, la fréquentation des musées, etc. sont accaparées par les classes supérieures alors que les classes moyennes se contentent de pratiques « dégriffées » et que les classes populaires demeurent exclues du champ de la culture légitime – conserve toute son actualité.

◄ Catégorie socioprofesionnelle
Voir p. 378

◄ Inégalité
Voir p. 428

La rupture porte sur l'émergence d'un indéniable mélange des genres. Si les **pratiques consonantes** (pratiques culturelles où l'on observe une stricte correspondance entre la hiérarchie des pratiques et la hiérarchie sociale) sont encore très fréquentes, on observe que certaines pratiques légitimes ne sont pratiquées en fait que par une minorité au sein des classes supérieures et, surtout, que de nombreux membres des catégories supérieures associent pratiques légitimes et pratiques peu légitimes. Les pratiques culturelles restent hiérarchisées, mais elles sont plus hétérogènes et ne séparent plus nécessairement les groupes sociaux, en traversant sans cesse la frontière entre le légitime et l'illégitime. Ce phénomène prend le nom d'*éclectisme culturel*, tendance pour un groupe ou un individu à emprunter ses pratiques de consommation à divers milieux sociaux, en fonction de celles qui apparaissent les plus adaptées dans un moment et une situation donnés.

L'interprétation de l'éclectisme culturel demeure cependant difficile. On peut certes l'interpréter comme par le fait que les individus des différents milieux sociaux sont maintenant plus exposés qu'autrefois aux mêmes instances de socialisation (l'école, les médias, le travail), mais on peut aussi y voir une forme supérieure de domination : les classes supérieures démontreraient à travers l'éclectisme leur capacité à utiliser tous les registres culturels.

■ Les relations interculturelles

Les sous-cultures

Les **sous-cultures** sont des cultures propres à certains groupes sociaux à l'intérieur d'une société globale donnée : elles partagent avec cette société globale un certain nombre de caractéristiques communes, mais présentent aussi des traits spécifiques. Les sous-cultures peuvent se distinguer en fonction de l'espace (on identifie, par exemple, des sous-cultures régionales, comme les cultures basque, bretonne, corse, flamande, picarde), en fonction du sexe (sous-cultures masculine et féminine), de l'âge (sous-culture jeune), du groupe ethnique (sous-culture immigrée) et en fonction du milieu social (sous-cultures de classe : culture populaire, bourgeoise...).

Par exemple, sur la base d'une analyse de la société en termes de classes sociales, on pourra opposer la culture dominante à la culture dominée.

La **culture dominante** est la culture de la classe dominante. Elle véhicule une conception des relations sociales qui est favorable à cette classe. Dans la mesure où elle est considérée comme étant supérieure aux autres sous-cultures par l'essentiel de la population, la culture dominante légitime les pratiques de la classe dominante.

Classe sociale ▶
Voir p. 367

Classe
dominante ▶
Voir p. 374

À l'opposé, la **culture dominée** est la culture d'une classe qui accepte le modèle culturel de la classe dominante et qui reconnaît donc son infériorité sociale.

Parmi les sociologues contemporains, Pierre Bourdieu est un de ceux qui font une analyse en termes de domination. Selon lui, chaque classe sociale est caractérisée par un style de vie qui lui est propre. Il oppose de la sorte la classe dominante aux classes moyenne et populaire, chaque classe se caractérisant par un *habitus* spécifique. Pour assurer sa domination, la classe dominante met en œuvre une **stratégie de distinction**, qui est un ensemble coordonné de pratiques des membres d'une classe sociale afin d'acquérir ou de préserver un prestige leur assurant une position dominante dans un domaine de la société. La fréquentation de l'opéra, de restaurants réputés ou de forums économiques célèbres peut entrer dans le cadre d'une telle stratégie. La culture de la classe dominante est aussi une **culture légitime**, culture considérée comme la référence ultime par les membres d'une société, y compris par ceux qui en sont le plus éloignés. Cette « supériorité culturelle » a une fonction précise : elle permet à la classe dominante d'imposer sa vision de l'ordre social aux autres groupes et de faire accepter sa situation privilégiée, ce qui lui permet d'en retirer à la fois du prestige et des avantages économiques.

◄ **Bourdieu**
Voir p. 506

◄ **Habitus**
Voir p. 507

Évidemment, l'analyse en termes de domination qui vient d'être développée mérite d'être nuancée, à la fois par l'existence d'une culture de masse et aussi par l'apparition de l'éclectisme culturel (voir plus haut).

Le terme « contre-culture » désigne une sous-culture d'un caractère un peu particulier. La **contre-culture** se caractérise par une inversion des normes et des valeurs de la classe dominante en opposition de laquelle elle se définit. La culture négativiste et agressive de certaines bandes d'adolescents est un bon exemple de contre-culture.

Les relations interculturelles

Les échanges entre les différents pays et groupes ethniques ont été la source de modifications des cultures mise en présence à partir du XVIe siècle. Ces relations n'étant pas toujours équilibrées, tout un vocabulaire s'est construit pour exprimer les différents registres des transformations culturelles résultant du contact prolongé des cultures.

On appelle *acculturation* l'ensemble des phénomènes qui résultent d'un contact continu et direct entre groupes d'individus de cultures différentes et qui entraînent des changements dans les modèles culturels initiaux de l'un ou des deux groupes. Les conséquences de cette acculturation dépendent de la nature des relations entre les populations (guerre, tourisme, immigration, etc.), de la taille respective des groupes et des caractéristiques des cultures (leur niveau de complexité et de légitimité). Selon les circonstances, cette mise en contact peut déboucher sur cinq phénomènes :

– l'*assimilation*, à savoir l'intégration par un individu de la totalité de la culture dominante, est une première possibilité. Cela suppose une *déculturation*, qui se traduit par la perte, pour un individu ou un groupe, de sa propre culture ;

– l'*ethnocide* est une destruction systématique du mode de vie et de pensée d'une population. La déculturation est alors consciente et organisée de façon rigoureuse. Le terme a été utilisé pour désigner le sort réservé à certaines tribus amazoniennes au cours de la seconde moitié du xxᵉ siècle. La déforestation a en effet détruit le cadre de vie de nombreuses tribus, réduit de façon irréversible leurs populations et, de ce fait, provoqué la disparition de leur culture. L'agriculture extensive, la prospection minière et la surexploitation de la forêt sont à l'origine de cet ethnocide ;

– la *contre-acculturation* est le rejet d'une culture dominante au nom d'une culture présentée comme étant d'origine. L'affichage ostentatoire de signes religieux chez une minorité d'enfants d'immigrés d'Afrique du Nord en France est un exemple de contre-acculturation. Dans le prolongement de la contre-acculturation, la *culture identitaire* est une culture revendiquée par des communautés ethniques ou religieuses. Le phénomène est apparu aux États-Unis dans les années 1960 avec l'affirmation des cultures noire et indienne. C'est ainsi que s'est développé l'*afro-centrisme*, qui est une doctrine visant à réaffirmer « l'identité africaine » des Noirs américains et à promouvoir la fierté d'être noir. Considérant que la société américaine n'assurait pas une réelle égalité des chances entre Blancs et Noirs, les représentants de la communauté noire ont demandé et obtenu que des places soient réservées aux Afro-américains dans les universités. C'est ainsi que sont nées les premières politiques de discrimination positive. En Europe, à partir des années 1980 et 1990, l'exemple américain a été suivi par des immigrés et des enfants d'immigrés que la crise marginalisait. Alors que la solidarité sociale

Égalité des chances ▶
Voir p. 432

Discrimination positive ▶
Voir p. 389

semblait défaillante, certains sont allés chercher dans des communautés ethniques et religieuses, souvent confondues, à la fois une solidarité concrète et une identité sociale positive. On peut voir dans toutes ces revendications les signes du passage d'une société monoculturelle à une *société multiculturelle*, qui est une société dans laquelle coexistent des groupes ethniques et religieux aux modes de vie et aux revendications différents ;

– le *syncrétisme* est une combinaison relativement cohérente des différents traits culturels en présence. Il y a alors transformation de la culture d'origine. Le phénomène est fréquent, y compris dans des pays réputés pour leurs traditions. Ainsi, alors que la grande majorité des Japonais est bouddhiste ou shintoïste, un rite occidental succède à une cérémonie traditionnelle au cours d'un mariage japonais sur cinq. Cela traduit à la fois le respect de la tradition et des parents et l'aspiration à plus d'individualisme de la part des jeunes. Ce syncrétisme s'explique par la mise en œuvre de plusieurs processus. Il y a d'abord un *processus de sélection culturelle*, qui est un processus permettant l'adoption d'une partie des traits culturels de l'autre culture et le maintien de certaines caractéristiques de la culture d'origine. Le noyau dur de la culture du groupe receveur (ex. : les valeurs et normes relatives aux relations entre les hommes et les femmes) est difficilement abandonné alors que des traits culturels associés à des activités technologiques sont plus facilement assimilés. Il y a ensuite un processus de *réinterprétation culturelle*, qui est un processus consistant à accorder une nouvelle signification aux traits culturels empruntés. Un exemple classique nous est donné par les esclaves noirs au Brésil, qui étaient christianisés dès leur arrivée sur le territoire, mais qui voyaient en Jésus la représentation d'Oxala, le dieu de la création, et en saint Sébastien percé de flèches l'image d'Omulu, le dieu de la variole. Enfin, dans certains cas, le syncrétisme est à l'origine d'un *processus de restructuration culturelle*, qui est un processus se traduisant par une modification en profondeur de la culture d'origine. Ainsi l'adoption d'une technique agricole imposant la sédentarisation d'une population jusquelà nomade se traduit-elle toujours par une transformation radicale de sa culture ;

– enfin, il arrive aussi que la culture dominante s'approprie des éléments de la culture dominée. La *double acculturation* est la modification mutuelle des cultures en présence, la culture dominée subissant des transformations importantes tandis que la dominante s'approprie une petite partie des traits culturels de la culture dominée. Ce concept de double acculturation débouche sur une nouvelle conception de la culture, plus dynamique que celle proposée par le *culturalisme* (courant de l'anthropologie qui a dominé la sociologie américaine des années 1930 aux années 1950, représenté notamment par Ruth Bénédict, Abram Kardiner et Ralph Linton, et qui met en évidence l'influence prépondérante de la culture sur la formation de la personnalité des individus).

Toute culture se transmet au contact des autres et il n'existe pas de « culture pure » qui se transmettrait de façon immuable d'une génération à une autre. La culture est donc une construction collective qui résulte des relations interculturelles.

La mondialisation culturelle

Dépassant le phénomène du contact des cultures et des transformations qui peuvent en résulter, la *mondialisation culturelle* est l'adoption par tous les peuples des pays suffisamment développés d'une culture commune du fait de la consommation des mêmes biens culturels (films, émissions de télévision, jeux vidéo, musique enregistrée, livres, etc.). À l'origine de ce phénomène, on trouve la constitution d'un marché mondial des biens culturels sur lequel opèrent des multinationales associant producteurs et diffuseurs de biens culturels sous toutes les formes. Cela permet de réaliser des économies d'échelle et de bénéficier des synergies offertes par la proximité des différentes activités : un même scénario peut se décliner sous la forme d'un film, d'un jeu vidéo, d'un feuilleton de télévision, puis d'un livre.

Multinationale ►
Voir p. 288
Économies
d'échelle ►
Voir p. 28

Cette création d'un marché culturel mondial dominé par des entreprises principalement américaines fait craindre à la fois la disparition des industries locales concurrentes et une réduction des spécificités socioculturelles. En effet, les industries culturelles américaines sont encore les seules pour le moment à bénéficier à la fois d'un vaste marché intérieur leur permettant de réaliser des économies d'échelle et d'une puissance financière autorisant une diffusion massive au niveau mondial.

On peut donc s'attendre à une réduction des spécificités socioculturelles, une *spécificité socioculturelle* étant un trait culturel ou une pratique spécifique à un groupe social (dans le cas présent une population nationale). Certes, l'alignement de toutes les cultures nationales sur une culture américaine intangible est un phénomène impossible pour des raisons qui tiennent au processus même de l'acculturation. Un feuilleton américain diffusé dans le monde entier va être reçu de façon différente par les téléspectateurs de chaque pays en fonction de leur culture nationale. Certains se focaliseront sur l'intrigue sentimentale alors que d'autres retiendront une valorisation de la réussite individuelle ou, à l'opposé, de la solidarité familiale. Cependant, si la réinterprétation du message en fonction des cultures locales devrait éviter une uniformisation culturelle parfaite, elle n'empêchera certainement pas la réduction des spécificités socioculturelles.

Pour mieux préserver la diversité culturelle, on peut donc refuser cette mise en concurrence des industries culturelles pour des raisons identitaires (la valorisation d'une culture spécifique), politiques ou économiques (la défense d'une industrie et de ses emplois). C'est pourquoi la France, dans les négociations sur la libéralisation des services organisées par l'Organisation mondiale du commerce, veut faire reconnaître le principe de l'*exception culturelle*, qui est un principe stipulant que les biens culturels ne doivent pas être soumis à une concurrence internationale totale. En application de ce principe, la France continue à subventionner son industrie cinématographique.

◄ Organisation mondiale du commerce
Voir p. 285

17

GROUPES ET RÉSEAUX SOCIAUX

penser ou de s'exprimer conforme à son environnement social le plus proche. Dans ce cas, le groupe d'appartenance est aussi le *groupe de référence*, groupe social auquel l'individu souhaite s'identifier, parce qu'il lui semble porteur des valeurs et des buts qui sont les plus en conformité avec ses propres opinions. Lorsque les individus veulent changer de groupe, ils adoptent donc les codes du groupe de référence auquel ils souhaitent s'intégrer : ils réalisent une socialisation anticipatrice. Évidemment, le choix d'un groupe de référence distinct du groupe d'appartenance présente un coût psychologique non négligeable. Bien souvent, la référence aux valeurs d'un groupe distinct du groupe d'appartenance représente une forme de déviance : elle peut générer des conflits d'identité, voire même des réactions de rejet du groupe de référence, qui met alors en œuvre des comportements de fermeture sociale (pour préserver son identité, par exemple). Cette déviance est cependant inévitable dans une société complexe qui ne se reproduit pas à l'identique d'une génération à une autre.

Socialisation anticipatrice ▶
Voir p. 327

Déviance ▶
Voir p. 358

B. Le fonctionnement des groupes sociaux

■ L'influence de la taille du groupe

L'une des variables qui influencent significativement le fonctionnement d'un groupe est sa taille. Dans les groupes de petite taille, les relations interpersonnelles sont intenses. C'est le cas dans la famille ou dans le *groupe de pairs*, c'est-à-dire le groupe composé d'individus placés dans une situation égalitaire (groupe d'amis, de collègues de travail ou de camarades de classe). Ces relations se manifestent à l'occasion du fonctionnement habituel du groupe (par exemple, le cadre de travail), mais elles peuvent aussi déborder sur la sphère privée et renforcer ainsi les liens préexistants. Dans les groupes de grande taille, et en particulier dans ceux de très grande taille (groupes à distance tels que les syndicats, les partis politiques, les ONG, etc.), le système relationnel est plus anonyme, impersonnel et fonctionnel. Il s'appuie sur des règles plus abstraites et codifiées telles que des procédures de vote, des logiques de délégation de pouvoir… Les groupes de grande taille se dotent donc, le plus souvent, de règles institutionnelles contenues dans un règlement.

■ La logique de fonctionnement des grands groupes

La nécessaire mobilisation des membres

Dans son ouvrage *La Logique de l'action collective* (1956), Mancur Olson a contribué à un changement radical d'analyse de l'*action collective* (comportement collectif d'individus qui se mobilisent pour atteindre des buts communs, et cela à l'aide de moyens plus ou moins institutionnalisés). Il a mis en évidence le paradoxe connu depuis sous le nom de *paradoxe d'Olson*, qui énonce que, quand bien même il y aurait des intérêts collectifs à défendre, la mobilisation collective ne va pas pour autant de soi, car l'individu n'a pas forcément intérêt à y prendre part.

Adoptant la perspective de l'individualisme méthodologique, Olson met l'accent sur la logique des intérêts qui peuvent pousser les individus à participer ou pas à l'action collective. En partant de l'hypothèse selon laquelle l'individu rationnel se comporte comme un *homo oeconomicus*, il montre que l'agrégation des comportements rend improbable la mise en œuvre d'une action collective. Par exemple, pour savoir s'il va prendre part à une grève, le salarié va comparer les avantages qu'il peut en retirer (une hausse du salaire) et le coût que cela représente pour lui (perte d'une journée de salaire). En raisonnant de la sorte, il est vite enclin à adopter un comportement de passager clandestin, qui consiste à bénéficier des retombées de l'action collective, qui sont un bien collectif, sans en subir le coût, qui est celui de la participation.

Le paradoxe d'Olson s'applique surtout dans les grands groupes, car chacun aura tendance à penser que sa contribution minime à l'action collective aura une incidence faible sur les résultats et qu'il pourra bénéficier de l'anonymat. Dans les petits groupes que sont les groupes primaires, tous les individus savent que l'action de chacun compte, et il y a aussi des pressions sociales, affectives et morales plus pesantes, car les relations interpersonnelles sont fortes. Par ailleurs, Olson évoque l'existence de mécanismes pour inciter l'individu à participer à l'action collective dans les grands groupes. Le premier est qu'une autorité suffisamment forte (comme un leader charismatique) soit capable d'imposer une discipline de participation. Le deuxième repose sur la distribution d'*incitations sélectives positives*, qui sont des ressources qui ne récompensent que les individus respectant la discipline de participation, ou d'*incitations*

◄ **Individualisme méthodologique**
Voir p. 393

◄ *Homo oeconomicus*
Voir p. 521

◄ **Passager clandestin**
Voir p. 542

◄ **Groupe primaire**
Voir p. 345

sélectives négatives, qui sont des éléments permettant de sanctionner la non-participation (comme en Grande-Bretagne le *closed shop*, dispositif dans lequel l'adhésion aux syndicats conditionnait l'embauche dans certains secteurs d'activité).

Si les analyses d'Olson sont intéressantes, d'autres analyses insistent plutôt sur la dimension sociale et morale de l'engagement. Le besoin de relations sociales et la nécessaire estime de soi peuvent aussi conduire des individus à se mobiliser pour une cause. L'action collective repose également sur des *rétributions symboliques*, qui sont des bénéfices importants de nature sociale ou psychologiques que les individus retirent de leur engagement (comme des occasions de manifester son identité collective, de développer des liens de sociabilité, d'avoir l'impression de « faire l'histoire »…).

Sociabilité ►
Voir p. 349

Les groupes d'intérêt

Quand le groupe parvient à surmonter les obstacles à sa mobilisation que l'on vient d'évoquer, il peut devenir un groupe d'intérêt, qui est un groupe capable de représenter les intérêts d'une sphère sociale et qui vise à influencer non seulement les pouvoirs publics, mais aussi d'autres groupes et l'opinion publique. Parmi les groupes d'intérêt, les *groupes de pression* (ou *lobbies*) sont des organisations dont le but est d'exercer une influence sur le pouvoir politique. Lorsque les groupes d'intérêt visent les organes de décision politique, ils cherchent à participer à des discussions, à des négociations, ou encore à émettre des expertises et des rapports (c'est une pratique courante de la part des organisations non gouvernementales). Lorsqu'ils cherchent à influencer l'opinion publique, les moyens d'action sont plutôt les manifestations et la présence de représentants dans les médias. Les associations, les syndicats ou encore les partis politiques sont très présents dans ce deuxième registre.

Opinion publique ►
Voir p. 474

Les groupes d'intérêt peuvent concerner des enjeux économiques, culturels, politiques, environnementaux, etc. Un groupe ne peut devenir un groupe de pression qu'à la condition de s'organiser durablement ; certains groupes, comme les organisations non gouvernementales ou les grandes entreprises, ont donc des atouts favorisant ce type d'influence sur la décision collective. Les entreprises de cigarettes, les viticulteurs, la grande distribution ou les groupes pharmaceutiques sont des exemples de lobbyistes particulièrement actifs, mais tous les secteurs qui défendent un intérêt économique ont aujourd'hui tendance à développer ce type de stratégie d'influence.

C Les réseaux sociaux

■ Réseaux sociaux et capital social

La sociologie des réseaux sociaux a pour précurseur le philosophe et sociologue allemand Georg Simmel qui, dans sa sociologie formelle, met au centre de son analyse l'étude des actions réciproques des individus. Un *réseau social* est un ensemble de relations entre un ensemble d'acteurs. L'expérience des individus ne se réduit pas en effet à leurs appartenances (sexe, âge, statut, groupe socioprofessionnel, lieu de résidence…), mais intègre également leurs relations sociales. Les membres d'une société étant reliés entre eux par des chaînes d'interconnaissance plus ou moins longues, il est possible de définir les réseaux sociaux selon leur taille (nombre de personnes reliées), leur densité (rapport entre le nombre de liens possibles et le nombre de liens effectifs), leur diversité (degré d'hétérogénéité des membres), ainsi que par la nature des liens tissés (forts ou faibles, orientés ou réciproques, unidimensionnels ou multiples). La représentation graphique des relations (ou graphes) est un outil qui permet de mettre en exergue les structures sociales et les configurations : on pourra ainsi analyser les relations à travers des notions comme celle d'*étoile* (ensemble des relations entre un individu et ses contacts directs) et de *zone* (qui ajoute à l'étoile l'ensemble des relations que les contacts de l'individu de référence entretiennent entre eux).

Les réseaux sociaux permettent d'appréhender la *sociabilité*, qui est l'ensemble des relations concrètes qu'un individu ou un groupe entretiennent avec d'autres. Au sein de cette sociabilité, on pourra distinguer plusieurs formes de sociabilité. La sociabilité formelle est le résultat d'une organisation préexistante (relations liées au groupe d'amis ou à la famille, par exemple). La sociabilité informelle émerge plus spontanément d'interactions (échanges sur Internet par exemple). On peut aussi distinguer les sociabilités individuelles (relation privilégiée entre deux collègues) ou collectives (relations du professeur avec sa classe) ou encore opposer des

◄ Simmel
Voir p. 398

relations de proximité (géographique, sociale, ethnique, affinitaire) ou d'éloignement. Le repérage de toutes ces interactions témoigne de la multiplicité des types de liens qui existent dans une société. Mais, on constate aussi que les individus entrent le plus souvent en contact avec des personnes proches : l'*homophilie* est la tendance à préférer entretenir des relations avec des personnes qui nous ressemblent socialement.

Une des fonctions essentielles des réseaux est d'offrir des ressources à leurs membres. Les réseaux familiaux sont des sources d'entraide (dons, cautions, prêts, garde d'enfants), les réseaux migratoires permettent aux étrangers de s'intégrer plus rapidement dans la société d'accueil, les réseaux d'anciens élèves offrent à la fois des soutiens affectifs, matériels, mais aussi des opportunités d'emploi. Les réseaux sociaux alimentent ainsi le *capital social (au sens sociologique),* ensemble des ressources auxquelles un acteur peut accéder grâce à toutes ses relations directes et indirectes.

■ L'importance des réseaux sociaux dans les démocraties contemporaines

Les réseaux amicaux et familiaux peuvent jouer un rôle considérable pour l'individu, notamment en matière de recherche d'emploi. Dans un célèbre article de 1973, Mark Granovetter a ainsi mis en évidence « la force des liens faibles ». Les *liens forts* sont les liens qui existent à l'intérieur des groupes primaires, dans lesquels les personnes passent du temps ensemble, ont de l'affection les unes pour les autres, se font mutuellement confiance et se rendent des services réciproques. Les *liens faibles* sont des relations peu intenses et peu fréquentes, qui relient bien souvent des individus issus de groupes primaires différents. En étudiant de manière empirique comment les salariés américains ont trouvé un emploi, Granovetter montre que l'obtention de celui-ci dépend en priorité des relations personnelles qu'on a pu tisser. Or, ces relations personnelles concernent plus souvent des liens faibles que des liens forts. Granovetter l'explique par le fait que les individus avec lesquels on est faiblement lié évoluent dans des cercles sociaux différents et ont donc accès à des informations différentes de celles que l'on reçoit habituellement. Les liens faibles sont importants, car ils sont nombreux et plus efficaces dans le processus de transformation de l'information que les liens forts : ces derniers étant très intégrés, l'information ne sort pas du groupe et ils lui permettent donc d'atteindre moins d'individus que les liens faibles. Pour le dire autrement, les liens faibles unissent les groupes, contrairement aux liens forts que l'on retrouve à l'intérieur d'un même groupe. Granovetter démontre ainsi au passage que le marché du travail n'est pas un lieu anonyme de confrontation de l'offre de travail et de la demande de travail, mais qu'il est socialement construit.

À travers les *réseaux sociaux numériques*, qui sont les réseaux sociaux qui s'appuient sur les nouvelles technologies, et notamment sur les usages de l'Internet, le sociologue est invité à prendre en compte la « force des liens numériques », qui ont un impact indéniable sur les formes de la sociabilité et qui portent peut-être aussi la promesse d'un renouveau de la démocratie. Copains d'avant, Cyworld, Facebook, Twitter, Viadéo, etc. présentent des particularités différentes, mais s'appuient sur la même finalité : mettre leurs membres en relation. Ces réseaux sociaux en ligne invitent à repenser le sens des mots « amis » ou « contacts » et, plus largement, les relations sociales lorsque les liens augmentent de façon exponentielle. Ils renouvellent aussi le répertoire d'actions politiques des régimes démocratiques (blogs, mailing, adhésion en ligne, etc.) et encouragent l'émergence de nouveaux espaces de délibération au nom d'un renouveau de la démocratie directe.

◄ **Marché du travail**
Voir p. 54

◄ **Offre / Demande de travail**
Voir p. 203

◄ **Répertoire d'actions politiques**
Voir p. 478

◄ **Démocratie directe**
Voir p. 454

18

CONTRÔLE SOCIAL ET DÉVIANCE

A Le contrôle social

■ Le contrôle social : fondement et formes

Le contrôle social, fondement de la conformité sociale

Groupe social ►
Voir p. 344

Norme ►
Voir p. 332

Valeur ►
Voir p. 332

Le ***contrôle social*** est l'ensemble des moyens par lesquels une société ou un groupe social réussit à faire respecter les normes nécessaires à la vie en collectivité. Il vise à obtenir une certaine ***conformité sociale***, attitude qui consiste à respecter les normes en vigueur et qui est bien souvent le résultat de l'intériorisation par l'individu du système de valeurs auquel il appartient.

On distingue bien souvent le contrôle social interne et le contrôle social externe. Le ***contrôle social interne*** est la contrainte exercée par des règles morales intériorisées sur la conduite de l'individu.

Culture ►
Voir p. 322

Ce contrôle social repose en grande partie sur l'intériorisation par chacun de la culture en vigueur dans la société. C'est pourquoi le respect des normes est souvent spontané et semble naturel. L'*ethos* (règles morales intériorisées par les membres d'un groupe social) est suffisamment fort pour que l'individu s'autodiscipline. Souvent, ce contrôle social interne suffit à normaliser les comportements.

Le ***contrôle social externe*** est la contrainte exercée par l'entourage et les institutions au moyen de sanctions sur la conduite d'un individu. Une ***sanction*** est une punition ou une récompense mise en œuvre par l'entourage ou une institution en réaction à un comportement non conforme ou, au contraire, exemplaire au regard des normes sociales. Les sanctions peuvent être positives ou négatives. On distingue trois registres de sanctions : les sanctions juridiques (ex. : une condamnation), les sanctions économiques (un licenciement ou à l'inverse une prime) et les sanctions sociales (ex. : une mise à l'écart du groupe ou, au contraire, la valorisation d'un individu).

Mœurs ►
Voir p. 332

Usages ►
Voir p. 332

Ces sanctions sociales diffèrent selon les normes. La violation des lois expose le contrevenant à une sanction juridique explicite, tandis que le non-respect des mœurs ou des usages peut amener un individu à subir une sanction sociale sous la forme d'une pression morale venant de son entourage. Dans ce dernier cas, il n'y a ni formalisation de la règle (elle est implicite), ni codification de la sanction (elle est laissée à l'appréciation des partenaires).

La visibilité des sanctions négatives ne doit pas nous faire oublier l'importance des sanctions positives. Certaines sont officielles et strictement réglementées : c'est le cas des décorations, par exemple. Cependant, les sanctions positives sont plus fréquemment informelles. L'éducation des enfants repose de plus en plus sur ce type de sanctions, qui visent à encourager les comportements souhaités plutôt qu'à réprimer ceux que l'on refuse.

Le contrôle social permet donc de maintenir la cohésion sociale (situation d'une société dans laquelle les liens sociaux sont stables et forts, et qui se manifeste par l'attachement au groupe dont font preuve les individus). Il s'agit donc d'encourager certaines pratiques conformes aux règles fixées et d'en décourager d'autres, celles qui sont jugées non conformes à la norme, ou celles qui sons considérées à tort ou à raison comme susceptibles de désorganiser la société. Le rôle de dissuasion du contrôle social est essentiel.

Les formes du contrôle social

Le contrôle social s'exerce à la fois dans les groupes sociaux et au niveau global.

Ce sont d'abord les groupes primaires qui se chargent du contrôle social ; l'appartenance de l'individu au groupe est conditionnée par le respect de normes et de valeurs, et les actes individuels sont encadrés par des cadres de référence. À ce stade, ce contrôle s'exercera de façon informelle par le biais de pressions, de moqueries, de félicitations. La famille et le groupe des pairs jouent un rôle intense au niveau de la réalisation du *contrôle social informel* qui est l'ensemble des pressions informelles résultant des interactions entre un individu et son entourage (ex. : un sourire). Le *contrôle social formel* est l'ensemble des pressions explicites exercées par des institutions ou des groupes sociaux afin de régulariser le comportement des individus (ex. : une sanction juridique).

◄ Groupe primaire Voir p. 345

◄ Groupe de pairs Voir p. 346

Ces pressions, qui pèsent sur les individus, visent à limiter la violence que peuvent s'infliger mutuellement les membres d'une société. Le contrôle social entretient des liens étroits avec la régulation sociale. Ce dernier concept prend des sens bien différents selon que l'on considère que la société est un ensemble bien intégré et que les règles sociales sont une donnée qui s'impose aux individus (point de vue privilégié par Durkheim et le fonctionnalisme en général) ou que l'on s'intéresse aux relations entretenues par les

◄ Durkheim Voir p. 496

◄ Fonctionnalisme Voir p. 502

acteurs sociaux (ex. : syndicats patronaux et syndicats de salariés) et à la construction de règles sociales lors de conflits et de négociations. Dans ce cas, la régulation sociale exprime, certes, le cadre qui structure et permet les relations collectives, mais surtout les adaptations incessantes des formes sociales à un environnement toujours changeant (point de vue privilégié par le sociologue français J.-D. Reynaud).

Selon que l'on adopte l'une ou l'autre de ces perspectives, la *régulation sociale* est :

– soit l'ensemble des mécanismes permettant à une société de maintenir sa cohésion sociale. Cela suppose une reproduction des normes, donc un contrôle social. Socialisation et contrôle social concourent alors à la régulation sociale ;

– soit l'ensemble des mécanismes permettant l'élaboration, la transformation ou la reproduction des normes par les acteurs sociaux. De ce point de vue, la régulation sociale et le contrôle social sont deux processus complémentaires.

■ Modalités et effets du contrôle social

Des modalités qui évoluent en même temps que les sociétés

Les sociétés modernes se caractérisent par la **judiciarisation des rapports sociaux**, phénomène par lequel une organisation sociale a de plus en plus recours au pouvoir judiciaire pour régler des problèmes qui relevaient autrefois d'autres modes de régulation sociale. On assiste progressivement à la mise en place d'une *société de droit*, société régie et régulée en partie par des règles juridiques.

Norme juridique ▶ Voir p. 332
L'importance actuelle des normes juridiques pour réguler les différents espaces sociaux que sont la famille, le travail et la vie en société de manière plus générale résulte en partie de l'intensité des échanges et de la complexité des organisations modernes. Ces normes ne relèvent plus d'un *droit coutumier* (droit qui repose sur la coutume, règle de conduite suivie par un groupe social et qui résulte d'un usage plus ou moins prolongé), mais ont pris la forme de règles écrites très formelles inscrites dans le Code civil, le Code pénal, ou encore le Code de procédure pénale.

Norme sociale ▶ Voir p. 332
Les normes juridiques ainsi fixées sont évidemment profondément liées à la société qu'elles régissent : elles traduisent les normes

sociales en place et évoluent plus ou moins en même temps que les pratiques sociales. La législation sur le divorce illustre bien cela.

À côté de ces normes juridiques parfois considérées comme trop abondantes, les normes sociales semblent s'être allégées dans les sociétés modernes. Si le regard des autres était particulièrement présent dans les sociétés traditionnelles, on peut penser qu'il l'est moins dans les grandes villes contemporaines. De même, alors que le contrôle était explicite dans les entreprises des années 1950 et se traduisait par l'existence d'un contremaître dont le métier était la surveillance du travail des ouvriers, il semble que les salariés soient plus autonomes aujourd'hui. Les normes actuelles semblent donc plus diffuses, plus souples, plus informelles que par le passé. L'exemple du contrôle qui s'exerce au sein de la famille illustre cette tendance : les pratiques internes à la famille sont moins figées, les rôles des uns et des autres mieux répartis, la hiérarchie moins pesante, les formes juridiques de l'institution familiale plus diversifiées.

Toutefois, si les formes du contrôle social ont changé, il n'a pas disparu pour autant. Dans la famille, les lois se déplacent vers la surveillance de l'éducation donnée par les parents (loi de responsabilisation des parents promulguée en 1998 en Angleterre, par exemple). Dans la sphère du travail, le contrôle social est désormais facilité par les nouvelles technologies de l'information et de la communication (NTIC) : l'ordinateur qui garde la trace de toutes les opérations effectuées dans l'entreprise, Internet qui révèle les facettes privées dans l'espace public sans que les individus aient réellement pris conscience que, plus ils exposent leur vie privée, plus cela permet de les contrôler. Dans les villes, au nom de la sécurité, la vidéo-protection organise aussi des formes de surveillance des comportements de chacun.

Contrôle social et ordre social

Apparemment, on peut associer un niveau de contrôle social élevé avec la réalisation de l'*ordre social*, qui est l'état d'une société caractérisée par un niveau élevé de cohésion sociale et des relations harmonieuses entre les composantes de cette société que sont les groupes sociaux, les institutions diverses… Les sanctions informelles, comme celles exercées par la famille, contribuent à réactiver la règle en montrant que certains comportements ne sont pas tolérés. Inversement, tout relâchement de ces sanctions, qui

Déviance ▶

Voir p. 358

se produit, par exemple, lorsque les parents n'assument plus leur mission d'éducateur, développe la déviance et également certaines formes de criminalité. De même, les sanctions formelles, comme les sanctions pénales, peuvent exercer un effet de *dissuasion* sur les criminels et délinquants potentiels, c'est-à-dire qu'elles ont pour but de les détourner du passage à la conduite déviante. Leur efficacité suppose que les délinquants se comportent en individus rationnels comparant systématiquement le bénéfice de l'action criminelle envisagée au coût que représenterait le passage à l'acte. La certitude de la peine, en accroissant ce coût, diminue la criminalité ; l'aggravation des peines amplifie cette réduction du crime.

La réalité est cependant un peu différente et il n'y pas de lien mécanique entre contrôle social et ordre social. L'ordre social dépend avant tout du degré d'acceptation des règles de la vie sociale par les individus qui composent une société donnée, et cette acceptation dépend de facteurs complexes comme la légitimité des dirigeants, le niveau de prospérité de la communauté, l'état des inégalités économiques et sociales, etc. De fait, il y a des « sociétés permissives » dans lesquelles le niveau de criminalité est bas et il existe aussi des sociétés « répressives » où l'ordre social est particulièrement dégradé.

B La déviance

■ Conformité et déviance

La *conformité* est un comportement respectueux des normes et des valeurs d'une collectivité. C'est l'objectif du contrôle social. Cependant, le respect parfait de toutes les valeurs et normes est impossible, ne serait-ce qu'en raison des contradictions éventuelles entre les systèmes normatifs, aussi parce que les sociétés sont rarement totalement figées et que le changement social, même modéré, exige que certains acteurs sociaux adoptent des normes et des valeurs légèrement différentes de celles qui sont partagées par la majorité. C'est pourquoi la violation d'une norme ne suffit pas à définir la déviance. Pour être déviant, ce comportement doit être sanctionné par la collectivité.

Changement social ▶

Voir p. 414

La *déviance* est le non-respect des normes (qu'elles soient ou non légales), provoquant une sanction sociale. La déviance peut prendre plusieurs formes selon que la norme transgressée est une loi ou une coutume.

La **délinquance** est la transgression des normes légales. Pour les juristes, il existe trois catégories de délinquance classées par ordre de gravité : les contraventions, les délits et les crimes. Une **contravention** est une infraction aux normes légales relevant d'un tribunal de police en raison du faible trouble apporté à l'ordre public. C'est le cas d'un automobiliste qui dépasse une limitation de vitesse. Les contraventions sont sanctionnées par des amendes ou une restriction, voire une privation des droits (ex. : suspension du permis de conduire). Un **délit** est une transgression des normes légales relevant des tribunaux correctionnels. Les sanctions peuvent être l'emprisonnement (de six mois à dix ans), une lourde amende ou un travail d'intérêt général. Le vol constitue un exemple classique de délit. Un **crime** est une grave infraction au droit relevant des cours d'assises et passible d'une peine d'emprisonnement pouvant aller jusqu'à la réclusion criminelle à perpétuité. C'est évidemment le cas des meurtres. La notion de crime retenue par les juristes ne doit pas être confondue avec celle des sociologues, et tout particulièrement celle de Durkheim. Le **crime au sens de Durkheim** est une violation de la conscience collective, c'est-à-dire tout acte qui transgresse les valeurs et les normes d'une société. Cette définition englobe non seulement toutes les formes de délinquance, mais aussi l'ensemble des actes qui heurtent la conscience collective, mais sont considérés comme légaux. Ainsi, à la fin du XIXe siècle, le mariage d'une femme de la bourgeoisie avec un ouvrier était certainement considéré comme un crime au sens sociologique du terme.

◄ **Durkheim**
Voir p. 496

◄ **Conscience collective**
Voir p. 497

La transgression des usages et des mœurs est un second type de déviance qui est sanctionné par une pression sociale. Cela peut être le cas de l'alcoolisme, de l'homosexualité, de certaines pratiques religieuses, voire de la maladie mentale. Mais si les normes et déviances sont inséparables, elles sont aussi relatives et varient d'un pays à un autre, ou d'une époque à une autre. Ainsi, en France, des groupes religieux que nous qualifions de « sectaires » subissent une forte pression sociale alors qu'ils sont beaucoup mieux acceptés aux États-Unis. Par contre, dans certains États américains, la majorité de la population considère qu'il est normal d'adopter une attitude discriminatoire vis-à-vis des homosexuels.

◄ **Échelle d'attitude**
Voir p. 473

Lorsque les normes changent, la déviance se transforme également. Et lorsque les normes ne font plus l'objet d'un consensus, la déviance devient difficile à cerner. La généralisation de la non-conformité à l'essentiel des activités sociales conduit à la **marginalité**, qui est la situation d'un individu qui s'écarte de l'ensemble des normes sociales, sans nécessairement violer les normes juridiques. Van Gogh, incapable de fonder une famille et d'exercer une activité « normale », fut en son temps un marginal.

■ L' analyse sociologique de la déviance

Les sociologues fonctionnalistes se sont intéressés à l'acte déviant en lui-même, tandis que les sociologues interactionnistes ont insisté sur le rôle des sanctions dans le processus menant à la déviance.

La déviance, produit de l'anomie

Anomie ▶

Voir p. 395

Émile Durkheim (*De la division du travail social*, 1893) a défini l'anomie comme l'absence de normes, la déficience des règles sociales communément acceptées. Elle témoigne donc d'un dérèglement social provenant d'une insuffisante coordination entre les différents organes de la société ou encore d'un décalage entre les désirs des individus et leur situation objective. L'affaiblissement des normes et la dilution des valeurs peuvent donc conduire à des situations d'anomie. Selon Durkheim, les périodes de crise économique peuvent engendrer des situations d'anomie se traduisant par une hausse des suicides ou de la délinquance.

Fonctionnalisme ▶

Voir p. 502

Pour Robert King Merton (*Éléments de théorie et de méthode sociologique*, 1949), une des figures dominantes du fonctionnalisme, toute société propose des buts valorisés (l'enrichissement et la réussite sociale par exemple) et des moyens légitimes pour y parvenir (le travail, le mérite mesuré par la réussite scolaire…). Les membres de la société qui acceptent ces buts et ces moyens légitimes sont considérés comme conformes. Reprenant la notion d'anomie à Durkheim, mais dans une perspective différente, Merton énonce que celle-ci résulte d'une inadaptation entre les buts valorisés par la société et les moyens légitimes pour les atteindre. Ainsi, dans la société américaine, la réussite individuelle et l'enrichissement sont des buts légitimes qui doivent être atteints par le travail et l'épargne. Les individus qui ne parviennent pas à concilier objectifs et moyens sont classés dans l'une des quatre formes de déviance suivantes : l'*innovation au sens de Merton* est une forme de déviance qui consiste à poursuivre le but légitime par des moyens illégitimes (le délinquant qui cherche à s'enrichir par des moyens illégaux est dans ce cas) ;

le *ritualisme au sens de Merton* est une forme de déviance caractérisée par un respect tellement scrupuleux des règles que les objectifs ne sont pas atteints (cas d'un employé trop zélé qui, en respectant le règlement à la lettre, retarde le fonctionnement de l'ensemble du service) ; l'*évasion au sens de Merton* est une forme de déviance qui est le fait d'individus renonçant à la fois aux buts et aux moyens proposés par la société (la figure du clochard pour qui la réussite professionnelle n'a aucun sens) ; la *rébellion au sens de Merton* est une forme de déviance qui consiste à vouloir substituer de nouvelles valeurs à celles jusque-là acceptées (exemple du révolutionnaire).

Ce type d'analyse, qui explique la déviance par les défauts de l'organisation sociale, a été approfondi par l'étude des bandes, une *bande* étant un groupe primaire composé de jeunes soudés par un territoire, une histoire commune, des leaders et des valeurs partagées. Pour ces jeunes, les pratiques délinquantes sont un moyen plus efficace que les activités considérées comme « normales » pour se procurer des gratifications matérielles (de l'argent) et symboliques (le respect du groupe).

La déviance, produit de l'interaction sociale

Avec l'interactionnisme dans les années 1960, l'intérêt se déplace vers la sanction sociale et l'interaction sociale. Ainsi, pour Howard S. Becker (*Outsiders*, 1963), la déviance n'est pas le fruit d'une défaillance de socialisation ou du contrôle social, mais le produit d'interactions sociales. Pour qu'un acte soit déviant, il faut d'abord qu'il ait été identifié comme tel par les autres acteurs. Cela implique l'édiction de normes par des *entrepreneurs de morale* (personnes qui ont pour fonction de définir la norme qui définit l'acte comme déviant et qui la font ensuite appliquer). Une fois identifié, l'individu sanctionné est victime d'un phénomène d'*étiquetage*, qui est un mécanisme mis en évidence par Becker par lequel des individus ou des groupes sont publiquement désignés comme déviants par un groupe dominant ou une institution qui leur reproche d'avoir enfreint une norme. L'étiquetage des individus déviants peut conduire les acteurs sociaux à entrer dans de véritables carrières de déviants, car la stigmatisation implique l'attribution d'une identité sociale dévalorisée, qui place les individus en marge de la collectivité et les empêche de reprendre le cours d'une vie normale. Le déviant s'inscrit alors durablement dans des comportements déviants, phénomène décrit

◄ **Interactionnisme**
Voir p. 508

◄ **Stigmatisation**
Voir p. 362

aussi sous le nom de *prophétie autoréalisatrice au sens socio-logique*, qui est un mécanisme qui concourt à modeler la personne sur l'image qu'en ont les autres : par exemple, l'étranger d'un emploi « respectable », du fait de sa déviance supposée, va peu à peu dériver vers des activités professionnelles non conventionnelles, marginales ou même interdites par la loi.

Pour illustrer son analyse, Becker prend l'exemple des fumeurs de marijuana aux États-Unis après la Seconde Guerre mondiale. En 1937, le *Bureau of Narcotics*, que la fin de la prohibition de l'alcool avait privé d'une de ses activités essentielles, a obtenu le vote d'une loi punissant l'usage de la marijuana. C'est, selon Becker, cette loi qui est à l'origine de la transformation des fumeurs de marijuana en déviants puisqu'elle a permis de cataloguer comme délinquants des fumeurs jusque-là tolérés. Avec ce vote s'ouvre la possibilité d'une déviance primaire pour les fumeurs de marijuana, la *déviance primaire* étant la transgression initiale d'une norme. L'adoption d'un mode de vie spécifique à ces fumeurs peut déboucher sur une sanction informelle venant de l'entourage et sur une sanction juridique émise par les institutions chargées de faire respecter la loi. L'individu peut intérioriser cette nouvelle identité déviante et avoir des difficultés à réintégrer une vie normale en raison d'une peine de prison ou de l'inscription d'une condamnation sur son casier judiciaire. L'étiquetage initial peut conduire ensuite à une *déviance secondaire* qui, dans le processus de la déviance, est une seconde étape caractérisée par l'intégration dans un groupe déviant au sein duquel l'individu peut faire une carrière délinquante rythmée par les condamnations.

La déviance est donc analysée par la sociologie interactionniste comme le résultat d'une série d'interactions entre un individu et des groupes ou des institutions conduisant à une *stigmatisation*, c'est-à-dire l'attribution à un individu (et plus généralement à un groupe) d'une identité sociale dévalorisante en raison d'une caractéristique physique ou sociale jugée négativement par la majorité de la collectivité. Cette marque sociale dévalorisante est toujours une construction sociale, mais elle peut s'appuyer sur des caractéristiques physiques (couleur de la peau, handicap physique) qui facilitent l'identification sociale et le traitement différencié de l'individu.

Les théories centrées sur l'acte déviant et celles centrées sur la sanction sociale s'opposent par leurs présupposés et leurs méthodes d'analyse des phénomènes sociaux, mais se révèlent également complémentaires du fait que les unes s'attachent à expliquer la déviance primaire et les autres la déviance secondaire.

■ La délinquance

Une nécessaire évaluation

Les **actes délinquants** sont des comportements qui dérogent aux normes sociales et juridiques en vigueur dans une société donnée. Certains comportements déviants sont sanctionnés de façon informelle par le groupe social, d'autres, plus graves donnent lieu à une sanction formelle de la part des institutions judiciaires. La mesure de cette délinquance est aujourd'hui un enjeu important, au niveau politique mais aussi sociologique.

◄ **Groupe social**
Voir p. 344

La principale source d'information est évidemment fournie par les services de police et de gendarmerie. C'est le chiffre officiel de la délinquance. Mais cette statistique est entachée d'un certain nombre de limites qui rendent son exploitation scientifique difficile. En premier lieu, le nombre d'actes délinquants comptabilisés dépend d'abord des déclarations des victimes. Or, la propension à se rendre dans un commissariat pour y porter plainte est inégale selon les quartiers, les groupes sociaux et la nature des actes délinquants. Par ailleurs, les services de police accueillent les plaintes en fonction de contraintes de résultats fixés par leur hiérarchie : si l'objectif affiché par la hiérarchie policière est de diminuer le niveau de la délinquance, certaines plaintes ne seront pas enregistrées. Il semble que ce soit surtout le cas pour les actes d'incivilité les moins graves. Enfin, certaines formes de violence n'apparaissent pas dans les statistiques officielles, car elles ne sont pas qualifiées comme crimes ou délits par le droit mais comme de simples contraventions. Une partie de la délinquance réelle échappe donc à toute comptabilisation et constitue ce que l'on appelle le **chiffre noir de la délinquance**, c'est-à-dire l'écart entre l'enregistrement statistique de la délinquance et la réalité sociale de celle-ci.

◄ **Crime**
Voir p. 359
◄ **Délit**
Voir p. 359

Du chiffre noir aux enquêtes de victimation

Depuis quelques années, une deuxième comptabilisation de la délinquance, en dehors de la statistique officielle citée plus haut, est réalisée à partir d'enquêtes de victimation. On appelle *victimation* le fait d'avoir subi un fait de délinquance sur le plan matériel, physique ou psychique. Les **enquêtes de victimation** sont des questionnaires auprès d'un échantillon de personnes interrogées représentatives de l'ensemble de la population française (plus de 16 000 personnes de plus de 14 ans), qu'elles aient ou non subi des faits délictueux. Elles étudient donc la délinquance et la criminalité du point de vue de la victime. La comparaison des statistiques officielles et des résultats de l'enquête de victimation fait apparaître des écarts importants. Les dernières enquêtes font apparaître trois fois plus d'actes de vols et cinq fois plus de violences physiques et sexuelles que ce qui est déclaré officiellement. Dans le cadre de ces enquêtes, on peut donc mieux évaluer la fréquence des violences au sein des ménages. Ainsi, en France, seuls 7 % des faits de violence exercés dans le cadre familial donneraient lieu à un dépôt de plainte. Les enquêtes de victimation sont également considérées comme un indicateur du **sentiment d'insécurité** qui est le ressenti des personnes interrogées en matière d'insécurité. La violence ressentie est nettement plus élevée que la violence reconnue.

La délinquance juvénile

La **délinquance juvénile** est l'ensemble des comportements délictueux commis par des personnes considérées comme jeunes. Les sources officielles qui permettent de mesurer la délinquance juvénile sont les statistiques policières et l'enregistrement des personnes en examen par le ministère de la Justice. Ces sources révèlent que la délinquance juvénile est plutôt le fait des garçons, entre 12 et 20 ans (avec un pic entre 18 et 19 ans), avec une surreprésentation des jeunes issus de milieux populaires. Ce « constat » fait l'objet d'un débat, qui s'appuie notamment sur les remarques méthodologiques évoquées plus haut. D'une part, la statistique est mise en cause quand on sait que les enquêtes d'autodéclaration montrent notamment que, lors des vols par exemple, les personnes issues de milieux plus favorisés trouvent plus facilement des ententes amiables avec les parties concernées et la police. D'autre part, le sentiment d'insécurité dû à la délinquance juvénile n'est pas un phénomène objectif : il est en effet partiellement construit par les médias.

19

CLASSES, STRATIFICATION ET MOBILITÉS SOCIALES

A   L'analyse de la structure sociale

- Deux grandes conceptions des classes sociales
- Les prolongements au cours du xxe siècle
- La multiplicité actuelle des critères de différenciation sociale

B   La mobilité sociale

- Définitions et mesure de la mobilité sociale par les tables de mobilité
- Les tendances de la mobilité sociale
- Les déterminants de la mobilité et de la reproduction sociale

A L'analyse de la structure sociale

■ Deux grandes conceptions des classes sociales

Hiérarchies de droit et hiérarchies de fait

Toutes les sociétés un tant soit peu complexes admettent des hiérarchies sociales, une *hiérarchie sociale* étant un classement ordonné des catégories sociales selon un critère économique (la richesse), politique (le pouvoir) ou social (le prestige). Il faut différencier la notion de catégorie sociale de celle de groupe social. Alors que les membres d'un même groupe social ont une même situation sociale et sont réunis par des activités qui leur donnent au moins une conscience partielle de leur identité de situation, la *catégorie sociale* est un regroupement d'individus ayant une ou plusieurs caractéristiques communes sans nécessairement avoir conscience de cette identité de situation. Un groupe social se distingue donc d'une catégorie sociale par le fait que ses membres ont conscience de leur communauté d'existence. De ce fait, ils seront davantage enclins à s'organiser pour défendre leurs intérêts, ce que ne feront pas les membres d'une catégorie sociale.

Groupe social ►
Voir p. 344

Dans les sociétés traditionnelles, les hiérarchies sont officielles, chaque groupe social ayant des droits et des devoirs spécifiques. Tel est le cas dans les sociétés de castes ou d'ordres.

Une *caste* est une subdivision endogame et héréditaire d'un système hiérarchique, à laquelle sont assignées des fonctions religieuses et économiques spécifiques. Les castes appliquent le *principe d'endogamie* selon lequel les membres d'un même groupe social se marient entre eux, et les enfants appartiennent à la caste de leurs parents (le statut social est donc héréditaire). L'Inde traditionnelle offrait un exemple classique de société de castes, hiérarchisée selon le degré supposé de pureté religieuse. Aux quatre grandes castes (les prêtres, les guerriers, les agriculteurs et commerçants, les artisans et domestiques) s'ajoutait un groupe hors caste : les intouchables. L'ensemble était subdivisé en près de 4 000 sous-castes correspondant à des métiers particuliers. Chacune de ces castes formait un groupe social fermé dont les membres évitaient le contact avec ceux des autres castes.

Un *ordre* est une subdivision d'un système hiérarchique fondé sur le prestige associé à des fonctions sociales (fonctions militaire, économique ou religieuse). Telle était la situation de la plupart des sociétés européennes au cours du Moyen Âge. En France, sous l'Ancien Régime, la société était partagée en trois ordres : le clergé, la noblesse et le tiers état. En principe, le statut social était hérité et l'immobilité sociale était la règle.

◄ Statut social
Voir p. 333

La situation est très différente dans les sociétés modernes, à la fois égalitaires et individualistes. L'affirmation de l'égalité de droit entre tous les individus a entraîné la disparition des groupes sociaux fermés sur eux-mêmes. En droit, rien ne s'oppose plus à la mobilité sociale des individus.

◄ Égalité de droit
Voir p. 431

Cependant, le développement de l'industrie a favorisé celui des classes sociales. Une *classe sociale* est un groupe social de grande dimension dont l'origine est économique et qui se distingue des autres classes par un niveau de vie, un mode de vie et des pratiques culturelles spécifiques.

◄ Niveau de vie
Voir p. 42
◄ Pratique
culturelle
Voir p. 334

L'exemple le plus frappant est la classe ouvrière. De nombreux ouvriers ont été rassemblés par l'apparition de la grande industrie dans des usines qui offraient des niveaux de rémunération et des conditions de travail relativement proches. Cela favorisait un mode de vie spécifique.

Globalement d'accord sur le fait qu'il existe de vastes groupes d'hommes partageant les mêmes conditions d'existence, les sociologues s'opposent quant à la nature des classes sociales et quant aux relations sociales qui en découlent. Certains font une analyse en termes de structure sociale, d'autres de stratification sociale.

Les sociologues qui pensent que les classes sociales s'intègrent dans une *structure sociale*, ensemble hiérarchisé de groupes sociaux liés par des relations permanentes, sont partisans du *réalisme*, qui est une théorie de la connaissance selon laquelle les concepts utilisés par les chercheurs sont l'incarnation de la réalité. À l'inverse, les sociologues qui font une analyse en termes de stratification sociale appartiennent plutôt au *nominalisme*, théorie de la connaissance selon laquelle les concepts ne représentent pas les phénomènes réels, mais ne sont que des outils créés par les chercheurs afin d'étudier les phénomènes sociaux. Plutôt que de parler d'une structure sociale qui évoque immanquablement les idées de domination et d'opposition entre les groupes qui composent la société, ils préfèrent retenir le concept de *stratification sociale*, différenciation d'une population en strates hiérarchiques superposées, une *strate* étant un ensemble d'individus ayant des caractéristiques commununes qui permettent de les situer sur une échelle hiérarchique. Dans cette perspective de la stratification sociale, la hiérarchie entre les groupes se présente sous la forme d'un continuum et il n'y a pas de barrières infranchissables entre ceux-ci.

L'analyse de la structure sociale selon Karl Marx

Marx ►
Voir p. 525

Une *classe sociale (selon Marx)* est un ensemble d'individus respectant trois conditions :
– ils occupent une place précise dans les rapports de production ;
– ils ont conscience de leur situation commune et de leurs intérêts collectifs ;
– ils s'organisent pour les défendre.

Mode de production capitaliste ►
Voir p. 494

Rapports de production ►
Voir p. 526

Dans le mode de production capitaliste, la place dans les rapports de production se traduit par le fait de posséder ou non des moyens de production et d'échange (principalement les usines). C'est pour Marx le critère essentiel pour définir les classes sociales. Les propriétaires d'usines possèdent un capital, profitent du travail de leurs salariés et bénéficient d'une sécurité matérielle exceptionnelle pour l'époque. Les non-propriétaires sont dans l'obligation de vendre leur force de travail pour vivre.

Le critère de la place dans les rapports de production permet donc à Marx de distinguer les deux classes caractéristiques du mode de production capitaliste : les capitalistes et le prolétariat.

Les *capitalistes (selon Marx)* sont la classe sociale détentrice des moyens de production, donc en mesure d'exploiter le prolétariat.

Le *prolétariat (selon Marx)* est la classe sociale composée d'individus qui, ne possédant que leur force de travail, sont obligés de travailler pour un chef d'entreprise et subissent la précarité liée à

Statut ►
Voir p. 333

Chômage ►
Voir p. 132

Paupérisation absolue ►
Voir p. 495

Paupérisation relative ►
Voir p. 495

leur statut. Chaque crise économique provoque du chômage et une baisse des salaires des prolétaires. Aussi Marx prévoit-il une paupérisation de la classe ouvrière.

La *paupérisation de la classe ouvrière (selon Marx)* est un processus d'appauvrissement de cette classe. On parle de paupérisation absolue lorsque le niveau de vie des ouvriers baisse, et de paupérisation relative lorsqu'il augmente moins vite que celui du reste de la population.

Cette relation capitalistes/prolétariat est donc défavorable aux prolétaires. Dans ses premiers ouvrages, Marx décrit leur situation en termes d'aliénation économique. Puis, à partir de 1845, il privilégie une analyse en termes d'*exploitation*, qui est le fait pour une classe de s'approprier une partie de la richesse créée par une autre classe. Quelles que soient leurs conditions de travail ou de rémunération, les ouvriers continuent d'être exploités tant qu'ils ne perçoivent pas la totalité de la richesse créée par eux. Ce critère de la place dans les rapports de production suffit à Marx pour affirmer que capitalistes et prolétariat sont des classes en soi.

Une *classe en soi (selon Marx)* est une classe définie objectivement par sa place dans les rapports de production. Dans le mode de production capitaliste, les rapports de production sont des rapports d'exploitation qui opposent capitalistes et prolétariat.

Cela ne suffit pas pour faire d'une classe sociale un acteur collectif. Il faut encore que les membres d'une classe développent une conscience de classe et qu'ils s'organisent pour se défendre en participant à la lutte des classes.

La *conscience de classe (selon Marx)* est la capacité d'une classe à identifier les intérêts communs de ses membres et à produire une idéologie justifiant leur défense. Une classe ne développe une conscience de classe que lorsque chacun de ses membres prend conscience du fait que sa situation personnelle a une origine sociale et qu'il doit s'unir avec les autres pour défendre des intérêts communs.

La *lutte des classes (selon Marx)* est l'ensemble des conflits économiques et politiques opposant des classes aux intérêts économiques divergents. Pour Marx, les conflits peuvent être économiques, et avoir pour objectif la diminution de l'exploitation (grâce à une augmentation de salaire par exemple), ou politiques, et avoir pour objectif la suppression de l'exploitation (grâce à l'abolition du capitalisme). Il estime que cette prise de conscience doit se construire dans la lutte syndicale et politique des ouvriers. C'est par la lutte que le prolétariat deviendra une classe pour soi.

Une *classe pour soi (selon Marx)* est une classe qui s'organise pour défendre ses intérêts et qui devient ainsi un acteur collectif. À la différence d'une classe en soi, une classe pour soi se dote d'organisations économiques (ex. : un syndicat) et politiques (ex. : un parti politique) qui défendent ses intérêts.

Toutes les classes ne parviennent pas nécessairement à ce stade et Marx donne les paysans français du milieu du XIXᵉ siècle comme exemple d'une classe en soi qui ne s'est pas transformée en classe pour soi.

Lorsqu'il dénombre les classes sociales présentes dans le mode de production capitaliste, Marx ajoute au prolétariat et aux capitalistes des classes de moindre importance théorique : les propriétaires fonciers, les paysans, le sous-prolétariat et, enfin, la petite bourgeoisie.

Le *sous-prolétariat (selon Marx)* est cette partie de la population privée d'emploi en raison du fonctionnement du mode de production capitaliste (concentration de l'agriculture, développement du machinisme dans l'industrie). Le sous-prolétariat est indispensable au fonctionnement du capitalisme, car la concurrence faite par les chômeurs aux ouvriers pour occuper les emplois non qualifiés empêche les salaires ouvriers de progresser.

La *petite bourgeoisie (selon Marx)* est la classe sociale composée de propriétaires de moyens de production travaillant dans leurs entreprises (les artisans et commerçants). Le fait qu'ils soient propriétaires de leur entreprise pourrait les faire assimiler à la bourgeoisie, mais leur travail manuel les rapproche du prolétariat.

Marx est persuadé que les paysans et la petite bourgeoisie vont décliner numériquement au fur et à mesure qu'une petite partie de leurs membres (les propriétaires fonciers et les petits bourgeois enrichis) rejoindra les capitalistes et l'autre partie, bien plus importante, qui comprend les paysans, artisans et commerçants victimes de la concentration économique, rejoindra le prolétariat. Marx prévoit donc une prolétarisation de la majorité des travailleurs indépendants et une bipolarisation de la structure sociale.

La *prolétarisation des travailleurs indépendants (selon Marx)* est un processus enclenché par la concentration économique et conduisant des travailleurs indépendants (agriculteurs, commerçants et artisans) à devenir des ouvriers aux conditions de vie précaires.

La *polarisation ou bipolarisation de la structure sociale (selon Marx)* est un processus se traduisant par l'accroissement du prolétariat en raison de la diminution de la petite bourgeoisie et de la paysannerie et par l'intensification de la lutte des classes l'opposant à la bourgeoisie.

La détérioration de la situation du prolétariat, qui a vocation à devenir majoritaire, doit hâter la prise de conscience des ouvriers et déboucher sur une révolution qui supprimera le mode de production capitaliste. Selon l'expression de Marx, « la lutte des classes est le moteur de l'histoire ». Cela devrait aboutir, à terme, au communisme dans lequel exploitation et domination disparaîtraient en même temps que les classes sociales.

L'analyse de la stratification sociale selon Max Weber

Alors que Marx expliquait toutes les inégalités sociales par la structure économique, Weber distingue la hiérarchie économique de la hiérarchie sociale et de la hiérarchie politique.

Dans le domaine économique, une *classe sociale (selon Weber)* est un ensemble d'individus ayant les mêmes chances de disposer de biens et de services vendus sur un marché. Le clivage essentiel est ici celui qui oppose les propriétaires aux non-propriétaires puisque les premiers peuvent utiliser leur richesse afin d'acquérir des entreprises, acheter le travail des seconds et s'approprier légitimement le bénéfice issu de la production. Le fait qu'un ensemble d'individus ait une chance égale d'accéder à un certain nombre de biens et de services, donc à un mode de vie spécifique, ne signifie pas que chacun d'entre eux ait le sentiment d'appartenir à une communauté. Une classe sociale n'est donc qu'une catégorie sociale, à moins que ses membres ne se mobilisent de façon consciente pour défendre des intérêts communs. Cette évolution est possible, mais nullement obligatoire. La lutte des classes n'est donc qu'une éventualité spécifique aux sociétés de marché.

Sur la base de cette analyse, Weber distingue quatre grandes classes sociales :

– la classe ouvrière, qui s'organise et prend progressivement conscience de ses intérêts communs ;

– la petite bourgeoisie (commerçants, artisans), qui possède un capital lui assurant un profit ;

– les intellectuels et spécialistes sans biens (ingénieurs, cadres, fonctionnaires), qui ne sont pas des propriétaires, mais disposent d'une qualification leur assurant un certain niveau de revenu ;

– la classe des possédants et de ceux privilégiés par la naissance ou l'éducation, qui bénéficient d'un haut niveau de revenu sans s'astreindre pour autant à un travail.

Dans le domaine social, un *groupe de statut (selon Weber)* est un ensemble d'individus jouissant du même prestige social. Ce prestige dépend du mode de vie, donc de l'éducation, de la naissance et de la profession. Les groupes de statut ne sont qu'imparfaitement liés aux classes sociales puisque l'argent ne confère pas automatiquement un haut niveau d'honneur social : les nouveaux riches, faute d'une éducation appropriée, ont rarement un prestige social correspondant à leurs revenus. Les membres d'un groupe de statut

◄ **Catégorie sociale**
Voir p. 366

peuvent assez spontanément prendre conscience des intérêts qui les

Endogamie ►
Voir p. 366

lient. Ainsi, les mariages y sont fréquemment endogamiques. Les groupes de statut sont donc, plus spontanément que les classes sociales, des communautés ayant une existence réelle. La constitution d'une telle communauté est favorisée lorsqu'il y a conjonction d'une classe sociale et d'un groupe de statut. Telle était, selon Weber, la situation de la classe ouvrière au début du XXᵉ siècle.

Le troisième élément de la stratification sociale est formé par les partis politiques qui sont en compétition pour la conquête du pouvoir.

Même s'il n'exclut pas que la classe sociale la plus défavorisée prenne conscience de sa situation et s'organise politiquement, Weber estime que cette situation n'a rien d'automatique puisque ces trois dimensions de la société (économique, sociale, politique) répondent chacune à une logique qui leur est propre.

L'analyse tridimensionnelle de Weber a le mérite de montrer la complexité de la hiérarchie sociale dans les sociétés modernes. On peut très bien être en haut de l'échelle du point de vue économique (ex. : un artisan qui a fait fortune) et dans une position inférieure en termes de prestige et de pouvoir. Inversement, un noble ruiné ne sera pas au sommet de la hiérarchie sociale, dès lors que l'on considère que ce sommet est composé d'individus qui cumulent les positions les plus élevées selon les trois critères.

■ Les prolongements au cours du XXᵉ siècle

Une étude empirique : l'enquête de Warner

W. Lloyd Warner a coordonné une enquête menée entre 1930 et 1935 dans une petite ville du nord-est des États-Unis (Newburyport) afin d'y étudier la stratification sociale. Il a ordonné la population en fonction de quatre critères permettant de mesurer le prestige social des habitants (profession, source de revenu, type d'habitation, quartier habité) et a conclu à l'existence de six classes superposées (deux supérieures, deux moyennes et deux inférieures). Au sommet, la classe « supérieure-supérieure » est composée des riches familles blanches installées depuis longtemps aux États-Unis alors que, tout en bas, la classe « inférieure-inférieure » regroupe une population de couleur ou d'origine étrangère dont l'activité économique est précaire. Entre les deux, les classes moyennes (supérieure-inférieure,

Classe
moyenne ►
Voir p. 376

moyenne-supérieure, moyenne-inférieure, inférieure-supérieure) ont un souci de respectabilité et de réussite sociale. En fait, Warner et son équipe nomment « classe sociale » ce que Weber appelle « groupe de statut ».

Une *classe sociale (selon Warner)* est un ensemble d'individus situés à la même place sur l'échelle du prestige social.

Ce travail a permis de mettre en valeur la différenciation sociale aux États-Unis sur la base d'une analyse en termes de stratification sociale.

Le renouveau de l'analyse des conflits sociaux chez Dahrendorf

Pour le sociologue allemand Ralph Dahrendorf (*Classes et conflits de classes dans la société industrielle*, 1957), l'analyse des classes sociales effectuée par Marx porte sur un cas particulier : l'époque capitaliste au XIXᵉ siècle. Au XXᵉ siècle, le critère de la propriété des moyens de production aurait perdu de sa pertinence au profit d'un critère plus général, l'autorité. L'*autorité (selon Dahrendorf)* est le pouvoir légitime de donner des ordres à autrui et est attachée à une position sociale, alors que le pouvoir s'attache plutôt à une personne. Si Dahrendorf retient la vision marxiste d'une définition des classes en termes conflictuels puisque, selon lui, l'autorité fait toujours l'objet d'une dichotomie ou coin des groupes (entre ceux qui en ont l'exercice et ceux qui en sont privés), il en relativise immédiatement la portée puisqu'il constate la multiplication des groupes d'intérêt et des conflits de groupes dans les sociétés contemporaines, qui peuvent porter certes sur l'économie, mais aussi sur les questions religieuses, ethniques... Alors que, chez Marx, les institutions et les groupes étaient inscrits dans une seule classe, les groupes et les institutions sont innombrables chez Dahrendorf, puisque tout individu est membre des très nombreux groupes et institutions dans ses différentes sphères d'activité. Dans ces conditions, il n'y a plus ni parti de classe, ni culture de classe, ni religion de classe.

◀ Groupe d'intérêt
Voir p. 348

Le domination culturelle selon Pierre Bourdieu

Écrivant environ cent trente ans après Marx (*La Distinction* est publiée en 1979 alors que le *Manifeste du parti communiste* date de 1848), Pierre Bourdieu développe une analyse en termes de structure sociale qui tient compte à la fois des transformations opérées au sein de cette structure et du développement de la réflexion sociologique.

◀ Structure sociale
Voir p. 367

Weber ►
Voir p. 498

Capital
économique ►
Voir p. 507

Il reconnaît, après Max Weber, que le seul critère économique est insuffisant pour analyser les pratiques sociales et il défend l'idée d'un espace social hiérarchisé en fonction du capital économique d'une part, du capital culturel d'autre part, du capital social enfin. Le capital économique est constitué d'une part des revenus, d'autre part du patrimoine détenu ou dont on a l'usage sans en être le détenteur. Le *capital culturel* est l'ensemble des ressources culturelles dont dispose un individu. Il comprend des compétences culturelles incorporées telles que les capacités langagières, les savoir-faire ou encore les capacités intellectuelles. Il se mesure par la détention de diplômes et se traduit par des pratiques culturelles (fréquentation de salles de théâtre, pratiques artistiques…), mais aussi par la détention d'objets culturels (livres, tableaux…). Le capital culturel est inégalement distribué selon les groupes sociaux. En ce sens, il structure le champ social : certains groupes sociaux détiennent des ressources culturelles importantes (bonne maîtrise de la langue, pratique courante de langues étrangères, connaissances générales…) alors que d'autres, en revanche, sont démunis devant l'écrit ou le langage soutenu.

Le *capital social* peut être défini comme l'ensemble des réseaux de relations que fréquente un individu et qu'il peut, dans certaines circonstances, mobiliser à son avantage. Le capital culturel et le capital social se combinent au capital économique pour définir la place que l'individu occupe dans l'espace social.

Une *classe sociale (selon Bourdieu)* est donc un ensemble d'agents ayant la même position dans l'espace social et des pratiques sociales proches.

À partir de cette définition très générale, Bourdieu distingue trois grandes classes :

– la *classe dominante (selon Bourdieu)* est la classe composée de l'ensemble des agents fortement dotés en capitaux et dont les pratiques sont légitimes. La légitimité (selon Bourdieu) est la capacité à être reconnu comme supérieur aux autres, donc à être accepté comme référence par l'ensemble de la population. En faisant reconnaître ses pratiques sociales comme étant supérieures à celles des autres groupes, cette classe acquiert un prestige qui justifie les bénéfices qu'elle tire de l'activité économique. Elle est composée des cadres (dont les professeurs) fortement dotés en capital culturel et des « gros » indépendants pour lesquels le capital économique est prédominant ;

– les *classes populaires (selon Bourdieu)* sont l'ensemble des agents faiblement dotés en capitaux et dont les pratiques reflètent l'intériorisation des contraintes sociales qui pèsent sur eux. Ces contraintes sont d'ordre économique, mais surtout culturel, puisque ces agents adoptent pour l'essentiel une conception de l'ordre social qui est celle de la classe dominante et qui délégitime par avance leurs éventuelles aspirations. Bourdieu regroupe ici ouvriers, agriculteurs et contremaîtres ;

◄ **Ordre social**
Voir p. 357

– les *classes moyennes (selon Bourdieu)* sont des classes dominées dont les membres aspirent à des pratiques légitimes. Composées des employés, artisans, petits commerçants, techniciens et instituteurs, elles sont principalement caractérisées par une volonté d'ascension sociale.

Ces classes sont liées par une relation de *domination (selon Bourdieu)* qui est la capacité pour une classe de faire accepter aux autres classes une conception de l'ordre social qui le favorise. Les agents dominés subissent donc une **violence symbolique**, qui est l'imposition de choix culturels arbitraires permettant à ceux qui les édictent de maintenir leur pouvoir. Cette violence symbolique se traduirait, par exemple, par le fait qu'une partie des salariés acceptent une stagnation de leur salaire afin d'accroître les profits de l'entreprise qui les emploie. Ceux-ci auraient intériorisé une analyse économique qui assimile les intérêts des actionnaires à ceux de l'entreprise et qui ne considère le salaire que sous l'aspect de son coût. La domination étant par définition efficace, cette réflexion débouche spontanément sur une analyse en termes de reproduction sociale. La *reproduction sociale* est la tendance à perpétuer les inégalités économiques et culturelles au sein d'une population et à transmettre les positions sociales d'une génération à l'autre.

Pour Bourdieu, comme pour Marx, il existe donc une lutte des classes, mais alors que, pour Marx, elle se déroule dans le domaine économique, Bourdieu la situe dans l'ordre symbolique (le domaine des représentations et des croyances).

La moyennisation de la société française :
l'analyse d'Henri Mendras

Dans *La Seconde Révolution française* (1988), Henri Mendras montre comment la **moyennisation de la société**, à savoir la diffusion d'un niveau et d'un mode de vie moyen dans l'ensemble de la population, couplée avec le développement des classes moyennes regroupant une part croissante de cette population, conduit à réactualiser les analyses en termes de stratification sociale. Il centre son analyse sur les *classes moyennes*, qui sont de manière générale un groupe social qui se trouve dans une position intermédiaire entre les classes populaires et les classes dominantes et qui recouvrent les classes moyennes traditionnelles (artisans, commerçants) et les classes moyennes salariées relativement qualifiées (instituteurs, techniciens, etc.). Négligées par Marx, ces classes moyennes salariées se sont rapidement développées après 1945.

Mendras reconnaît qu'au début du xxᵉ siècle, quatre grands groupes sociaux se partageaient le paysage social français :
– la bourgeoisie tirait la totalité de ses revenus de ses capitaux ;
– les paysans vivaient de façon traditionnelle en marge de l'économie marchande ;
– les classes moyennes étaient largement composées de travailleurs indépendants ;
– les prolétaires vivaient de leur travail et connaissaient une précarité extrême.

Chacun de ces groupes formait un ensemble clos avec un mode de vie spécifique ; l'appartenance à chacun de ces groupes était largement héréditaire. Selon Mendras, cette situation n'existe plus. En un siècle, les paysans se sont intégrés à l'économie et à la société moderne ; la bourgeoisie a disparu en tant que classe en raison de la quasi-extinction du nombre de personnes qui vivent de leurs rentes et de la diffusion du capital des entreprises dans la population ; les ouvriers, en gagnant en sécurité et en niveau de vie, ont perdu leur statut de prolétaires et se sont mêlés au reste de la population. Le cœur de la société française est donc constitué d'une constellation centrale qui s'est développée au-dessus d'une constellation populaire.

Niveau de vie ▶
Voir p. 42

Une *constellation centrale (selon Mendras)* est un ensemble de groupes socioprofessionnels ayant en commun des revenus, une qualification moyenne ou supérieure et une mobilité sociale intense. Composée d'ingénieurs, de professeurs, d'instituteurs et de cadres administratifs moyens, cette constellation centrale ne forme pas une classe dans la mesure où, à l'image des étoiles qui ne forment une constellation que pour l'observateur situé sur terre, les groupes socioprofessionnels qui la composent ne sont pas liés entre eux par des relations réelles, mais sont réunis par le sociologue pour former une figure conventionnelle. De plus, cette constellation centrale n'a aucune autre classe à laquelle s'opposer et ne peut donc pas se constituer en tant que classe. Ses membres n'ont, en effet, aucune raison d'entrer systématiquement en conflit avec les différentes élites qui constituent la seule strate qui leur est supérieure.

La **constellation populaire (selon Mendras)** est un ensemble formé par les ouvriers et les employés et caractérisé par un niveau de revenu et de qualification plus faible que la moyenne. La disparition de la bourgeoisie l'ayant privée d'adversaire, cette constellation populaire ne peut former une classe. En bas, les exclus sont isolés et inorganisés.

La thèse de la moyennisation conduit à rejeter la logique du conflit et de la lutte des classes. Elle est cependant mise en cause non seulement par les sociologues qui rejettent l'idée même de l'existence des classes moyennes, mais aussi par ceux qui, tout en acceptant cette existence, font remarquer que ce troisième pôle de stratification n'a pas fait disparaître pour autant la classe ouvrière et la bourgeoisie. En effet, l'existence d'une classe moyenne est parfaitement compatible avec le maintien d'inégalités fortes, et même d'inégalités qui s'accroissent aux extrêmes de la hiérarchie sociale. Dans ce cas, moyennisation et existence d'une classe moyenne ne doivent plus être identifiés.

◄ Inégalité
Voir p. 428

■ La multiplicité actuelle des critères de différenciation sociale

Les professions et catégories socioprofessionnelles

L'étude de la structure sociale française se fait souvent à l'aide d'un outil mis au point par l'Insee : la nomenclature des professions et catégories socioprofessionnelles (PCS).

Une nomenclature est une liste des catégories (d'ensembles) créées pour étudier un domaine particulier. Une **catégorie statistique** est un regroupement d'individus ayant une ou plusieurs caractéristiques communes sans nécessairement avoir conscience de cette identité de situation.

La **nomenclature des PCS** est une liste de professions agrégées en catégories socioprofessionnelles, puis en groupes socioprofessionnels. Elle a été élaborée afin d'étudier l'évolution de la structure sociale ainsi que les pratiques économiques et sociales de la population française.

Pour réaliser cette nomenclature, l'Insee a dressé une liste de 489 professions (repérées par un code à quatre chiffres) qui constituent le niveau le plus détaillé de la nomenclature des PCS, chaque profession regroupant des métiers proche par :

– le type d'activité (ex. : activité agricole ou non agricole) ;

– le **statut (de l'emploi)**, qui est la situation juridique d'un individu au regard de l'emploi. Ce critère permet de distinguer les inactifs des actifs, les chômeurs de ceux qui ont un emploi, les indépendants des salariés et, chez ces derniers, les salariés du privé des fonctionnaires ;

Qualification ▶
Voir p. 196

– la qualification ;

– la taille de l'entreprise pour les travailleurs indépendants ;

– la place dans la hiérarchie professionnelle pour les salariés.

Par exemple, les cardiologues et les rhumatologues ont été regroupés dans la profession « Médecins libéraux spécialistes ». En effet, tout ici rapprochait ces deux métiers : le type d'activité, puisqu'ils relèvent tous les deux de la spécialisation médicale ; le statut de l'emploi, puisque ce sont des travailleurs indépendants ; la qualification, puisque ce sont des métiers à très haut niveau de qualification.

Les 489 professions retenues ont ensuite été regroupées dans un ensemble de 42 catégories socioprofessionnelles (CSP) repérées par un code à deux chiffres et constituant le niveau intermédiaire de la nomenclature de l'Insee.

Une **catégorie socioprofessionnelle (CSP)** est un ensemble d'individus exerçant des professions proches, que ce soit par le type d'activité, le statut de l'emploi ou la place dans une hiérarchie. Ce niveau intermédiaire peut être présenté à un niveau détaillé qui comporte 42 CSP, dont 32 pour les actifs, ou à un niveau de présentation courante qui se réduit à 24 postes, dont 19 pour les actifs.

C'est ainsi que les « Médecins libéraux spécialistes » et les « Avocats » ont été regroupés, avec 16 autres professions, dans la CSP « Professions libérales » (CSP n° 31), dont la principale caractéristique est de rassembler des travailleurs indépendants fortement qualifiés.

Les 42 CSP ont enfin été ramenées à une liste de huit groupes socioprofessionnels repérés par un code à un chiffre.

Un **groupe socioprofessionnel** est un ensemble d'individus rassemblés dans un groupe assez vaste en raison de la proximité sociale des CSP dans lesquelles ils ont été au préalable classés. Les membres d'un groupe socioprofessionnel ont donc des caractéristiques économiques ou sociales en commun, que ce soit le type d'activité (ex. : activité agricole), le statut (ex. : salariés) ou la qualification. L'ensemble des ces huit groupes socioprofessionnels forme le niveau le plus agrégé de la nomenclature des PCS.

Avec les CSP, les sociologues disposent, pour étudier les hiérarchies sociales, d'un outil différent à la fois des classes et des strates.

Les CSP ne sont pas des classes sociales au sens où l'entendent Marx ou Bourdieu, car elles sont conçues comme des catégories statistiques. Ainsi, rien n'indique, *a priori*, que les « Ouvriers qualifiés de type industriel » et encore moins les ouvriers forment des groupes réels agissant pour la défense de leurs intérêts communs. Rien ne laisse entrevoir les éventuelles relations d'exploitation ou de domination. Cependant, il est possible, et même vraisemblable, que les CSP épousent le contour de groupes réels. Dans certains cas, l'officialisation d'une dénomination et son utilisation systématique peuvent avoir contribué à la création d'une identité collective.

Les CSP ne sont pas non plus des strates sociales puisque la combinaison de plusieurs critères empêche de classer l'ensemble de la population sur une échelle unique. On ne peut, par exemple, situer les « Agriculteurs sur petite exploitation » par rapport aux « Instituteurs et assimilés ». Seules les CSP regroupant des salariés se prêtent à un tel classement.

En France, cette nomenclature a fréquemment été utilisée dans des études portant sur la mobilité sociale. Dans ce cas, le découpage en groupes socioprofessionnels est préféré à celui des catégories socioprofessionnelles, qui est trop fin.

◄ **Classe**
Voir p. 367

◄ **Strates**
Voir p. 367

◄ **Marx**
Voir p. 525

◄ **Bourdieu**
Voir p. 506

◄ **Catégorie statistique**
Voir p. 377

◄ **Exploitation**
Voir p. 369

◄ **Domination**
Voir p. 175

L'âge

L'affaiblissement apparent des clivages sociaux en termes de classe a attiré l'attention sur de nouvelles formes de structuration centrées sur l'âge. Les sociologues Henri Mendras (*La Seconde Révolution française*, 1988) et Jean Stœtzel (*Les Valeurs du temps présent*, 1983) affirmaient déjà dans les années 1980 que la structuration de la société française par classes d'âge leur semblait plus adéquate pour expliquer les changements affectant les opinions et les comportements que la structuration par classes sociales. Si la *jeunesse* se définit statistiquement comme les personnes dont l'âge est compris entre 12 et 25 ans, l'*adolescence* est une période variable comprise

B · La mobilité sociale

■ Définition et mesure de la mobilité sociale

Quelques définitions importantes

La *mobilité sociale* est le phénomène qui désigne un changement dans la position sociale d'un individu ou d'un groupe. Elle s'oppose à l'*hérédité sociale* ou *immobilité sociale*, qui est la transmission à l'identique de la position sociale entre deux générations. Cette mobilité recouvre plusieurs dimensions.

On distingue d'abord la *mobilité intragénérationnelle*, qui est le changement de position d'un individu au cours de sa vie professionnelle, et la *mobilité intergénérationnelle*, qui est le changement de position d'un individu par rapport à celle de ses parents.

Une autre distinction porte sur l'ampleur de la mobilité, qui peut être verticale ou horizontale. Une *mobilité verticale* signifie que l'individu évolue au sein des statuts sociaux. La mobilité verticale est qualifiée de *mobilité sociale verticale ascendante* quand l'individu passe d'un statut moins valorisé à un statut plus valorisé. Elle est qualifiée de *mobilité sociale verticale descendante* quand l'individu passe d'un statut plus valorisé à un statut moins valorisé.

Une dernière distinction est relative à l'origine de cette mobilité. Il existe en effet une action mécanique dans la mobilité sociale qui est liée aux évolutions de la structure sociale. Par exemple, la diminution du nombre d'agriculteurs fait que tous les fils d'agriculteurs ne peuvent pas être agriculteurs eux-mêmes. On parlera alors de *mobilité sociale structurelle*, qui est la mobilité rendue obligatoire par les transformations de la structure sociale, c'est-à-dire par l'augmentation et la diminution numérique des différents groupes socioprofessionnels. Inversement, la *mobilité nette* est la mobilité qui ne s'explique pas par les transformations de la structure sociale. Elle exprime le degré de *fluidité sociale*, qui se définit comme la capacité des membres d'une société à changer volontairement de position sociale indépendamment de toute contrainte structurelle. La *mobilité brute*, ou *mobilité totale*, ou encore *mobilité observée*, est la somme de la mobilité structurelle et de la mobilité nette.

L'ampleur de la mobilité sociale observée permet de vérifier dans quelle mesure la société moderne est bien une méritocratie, société

Statut social ►
Voir p. 333

dans laquelle l'accès aux positions sociales valorisées est soumis à une concurrence qui permet la réussite des meilleurs. Cela suppose que l'on appréhende le degré de mobilité en vigueur dans une société donnée par rapport à la situation de *mobilité parfaite*, qui est une situation idéale dans laquelle la position sociale des fils est indépendante de celle des pères. Dans une telle société, les inégalités sociales reflètent strictement le mérite, à la différence des sociétés de castes ou d'ordres où la position sociale des fils est toujours presque identique à celle des pères.

◄ Inégalités sociales
Voir p. 428

La mesure de la mobilité sociale

Si le concept de mobilité sociale peut être attribué au sociologue américain d'origine russe Pitirim Sorokin en 1927 (*Social Mobility*), les premières tentatives de mesure de la mobilité sociale sont plus anciennes : dès 1904, Karl Pearson en Grande-Bretagne ou Paul Lapie en France élaborent les premiers tableaux destinés à comparer la position des individus à celle de leur père, ce que l'on appelle aujourd'hui les « tables de mobilité ». La *table de mobilité* sociale est un tableau à double entrée permettant de comparer la position des enfants et des parents. Elle est construite sur la base de la nomenclature des PCS à partir des enquêtes Formation et qualification professionnelle (FQP) de l'INSEE, qui portent sur des échantillons d'environ 40 000 hommes âgés de 40 à 59 ans, c'est-à-dire à un moment où leur situation professionnelle est relativement stabilisée. La diagonale d'une table de mobilité permet d'identifier les personnes immobiles.

◄ PCS
Voir p. 377

Les tables de mobilité sont de deux sortes. Les *tables de destinée* sont des tables qui dévoilent ce que deviennent les individus qui proviennent d'une catégorie sociale donnée. Autrement dit, connaissant la position sociale du père, on observe celle du fils : c'est ainsi, par exemple, que, dans la table de destinée issue de l'enquête FQP de 2003, on pourra constater que 22 % des fils d'agriculteurs sont devenus agriculteurs eux-mêmes. Les *tables de recrutement* sont des tables qui informent sur l'origine sociale des individus. Connaissant la position sociale de quelqu'un aujourd'hui, on s'interroge sur celle de son père : toujours pour conserver l'exemple des agriculteurs en 2003, on observe que 88 % des agriculteurs ont un père qui était lui-même agriculteur. La comparaison des tables de destinée et de recrutement permet de mettre en évidence l'évolution de la structure sociale, donc de la mobilité structurelle. En effet, comme on vient de le voir, la plupart des fils d'agriculteurs qui exercent ce métier aujourd'hui sont fils d'agriculteurs, alors qu'à l'inverse peu de fils d'agriculteurs sont restés agriculteurs. Cela s'explique par le fait que le nombre d'agriculteurs dans la société a fortement diminué du fait des transformations de la structure sociale.

Toutefois, si ces tables de mobilité apportent des renseignements très précieux, de nombreux sociologues ne se satisfont pas de cette mesure pour différentes raisons : les résultats obtenus dépendent de la précision du découpage statistique (plus les catégories sont nombreuses, plus la mobilité observée sera importante), les parcours des individus sont parfois complexes et mal enregistrés par la table (on peut quitter sa catégorie d'origine puis y revenir, comme lorsque des salariés essaient de monter leur propre entreprise), les professions évoluent selon l'échelle du prestige (ex. : le métier d'instituteur), la mobilité sociale féminine est mal appréhendée (il faudrait pouvoir rapporter la profession des femmes à la profession de leurs mères, mais celles-ci appartiennent encore à une génération où l'activité féminine était peu importante) et, surtout, la mesure de la mobilité ne dit rien sur la capacité réelle des individus à connaître une mobilité voulue. Pour appréhender cette capacité, on préfère utiliser la technique des *odd ratios*, rapport des chances relatives qui constitue un moyen de mesurer l'évolution de l'égalité des chances indépendamment de l'évolution de la structure socioprofessionnelle (par exemple, en 2003, 52 % des fils de cadres supérieurs accèdent à cette même catégorie, pour 9 % qui deviennent ouvriers : ils sont donc 5,8 fois plus souvent cadres supérieurs qu'ouvriers ; simultanément, chez les fils d'ouvriers, ces proportions sont de 23 % et 58 % : ils sont donc 2,5 fois moins souvent cadres supérieurs qu'ouvriers. On peut en conclure que les chances relatives de devenir cadre supérieur plutôt qu'ouvrier sont 2,5 × 5,8 = 13,6 fois plus grandes chez les fils de cadres supérieurs que chez les fils d'ouvriers). À partir de ces instruments, certains sociologues (en France, Louis-André Vallet) évaluent le degré de fluidité sociale, traduction de l'évolution de l'égalité des chances.

Fluidité sociale ►
Voir p. 382

■ Les tendances de la mobilité sociale

Une mobilité intragénérationnelle en hausse

La mobilité augmente dans la plupart des groupes socioprofessionnels. Les changements de groupe en cours de carrière sont plus fréquents qu'au début des années 1980 : entre 1998 et 2003, 20 % des hommes de 30 à 54 ans ayant un emploi ont changé de groupe socioprofessionnel, contre 13 % entre 1980 et 1985.

Au sein de ces différents groupes sociaux, la mobilité intragénérationnelle est cependant inégale. Ce sont les agriculteurs et les cadres qui sont les moins mobiles. À l'opposé de ces deux groupes, on constate une mobilité assez forte, souvent ascendante, chez les ouvriers et employés.

Il faut cependant noter que la croissance économique ne s'accompagne pas toujours d'une mobilité sociale ascendante. Les cas de **déclassement**, qui sont les cas où les individus obtiennent des positions sociales inférieures à celles de leurs pères, ne sont pas rares. Ces déclassements sont d'ailleurs plus importants dans un contexte de ralentissement de croissance. Pour les hommes, ils s'opèrent notamment entre les cadres et les professions intermédiaires, et, pour les femmes, surtout entre les professions intermédiaires et les employées qualifiées. D'une manière générale, ils concernent avant tout le haut de l'échelle sociale et interviennent souvent à la suite d'un passage par le chômage ou l'inactivité.

Une mobilité intergénérationnelle qui semble diminuer

Si, globalement, la mobilité sociale a augmenté depuis soixante ans, toute la question est de savoir si celle-ci résulte exclusivement des transformations de la structure sociale ou si elle révèle plutôt une réelle possibilité de changer de position sociale, bref, une progression de l'égalité des chances. L'interrogation porte donc sur le partage entre la mobilité structurelle et la mobilité nette.

◄ Égalité des chances
Voir p. 432

Les différentes enquêtes FQP révèlent que la mobilité sociale totale reste inchangée depuis 1993, se situant aux alentours de 65 %. Au sein de cette mobilité totale, la composante structurelle est très importante et n'a pas cessé d'augmenter, parce que la déformation des professions d'une génération à une autre n'a pas cessé de croître (20 % en 1977, 22 % en 1993, 25 % en 2003). Cela a pour conséquence que la mobilité nette a tendance à diminuer : elle baisse de 1993 à 2003, passant de 43 % à 40 %.

Fluidité sociale ►
Voir p. 382

Cela dit, il faut rester prudent sur les commentaires globaux, car l'autre mesure de la fluidité sociale, qui est la technique des odd ratios évoquée plus haut, aboutit à une conclusion différente. C'est ainsi que Louis-André Vallet (« Quarante années de mobilité sociale en France. L'évolution de la fluidité sociale à la lumière des modèles récents », *Revue française de sociologie*, janvier-mars 1999) croit pouvoir observer une progression de la mobilité sociale dans la période qui suit les Trente Glorieuses. C'est ainsi que les chances de devenir cadre plutôt qu'ouvrier en 2003 sont 27 fois plus fortes pour les fils de cadre que pour les fils d'ouvrier, alors que ce rapport était égal à 39 en 1993 et à 82 en 1977.

■ Les déterminants de la mobilité et de la reproduction sociale

L'ampleur de la mobilité structurelle et de la mobilité nette

Le principal facteur de la mobilité comme on l'a vu plus haut réside dans la modification de la structure des professions, du fait de l'évolution des structures productives. Les places offertes sont différentes d'une génération à une autre, et ce type de mobilité est qualifié de mobilité structurelle.

Toute fois, la mobilité structurelle n'épuise pas toute la mobilité et la mobilité nette, si elle reste modérée, existe bel et bien, s'expliquant essentiellement par la démocratisation scolaire, qui a permis à un nombre toujours plus élevé d'enfants de milieux populaires d'accéder aux études supérieures.

La démocratisation scolaire prend deux sens différents qui font l'objet d'interprétations opposées. La *démocratisation quantitative* est la croissance de l'enseignement à tous les niveaux où il est dispensé. Cette démocratisation quantitative est incontestable, comme en témoigne l'évolution du taux d'accès au baccalauréat. Alors qu'il était à peine de 10 % en France à la fin des années 1950, il est de 65,4 % en 2010, et le taux de réussite au baccalauréat toutes séries confondues est de 87,2 %. La *démocratisation qualitative*, ou *égalité des chances à l'école*, est la réduction des écarts en matière de réussite scolaire aux différents niveaux d'enseignement qui subsistent entre les différents groupes sociaux. La démocratisation qualitative est le sens véritable des réformes éducatives que l'école a connues à la fin des années 1950 et au début des années 1960 (réforme Berthoin de 1959, qui porte l'obligation scolaire à 16 ans, réforme Capelle-Fouchet de 1963, qui crée le Collège d'enseignement secondaire, réforme Haby de 1975, qui achève l'action entreprise en supprimant les filières des collèges). En matière de démocratisation qualitative et en dépit de ces politiques scolaires volontaristes, force est de reconnaître que le bilan est modeste : si on s'intéresse aux titulaires d'un niveau égal ou supérieur au baccalauréat, on constate même que l'inégalité d'accès aux diplômes s'est accrue de façon continue entre les générations 1920-1922 et 1974-1976.

Si donc le lien entre école et mobilité sociale semble insuffisant en raison d'une démocratisation qualitative insuffisante, il n'en demeure pas moins que ce lien peut être distendu si le nombre de positions sociales de niveau élevé n'augmente pas suffisamment d'une génération à l'autre, bref si la mobilité structurelle est trop faible. C'est ce que montre bien le *paradoxe d'Anderson*, paradoxe mis en évidence en 1961 par le sociologue américain Richard Anderson qui montre que le statut social des fils apparaît comme pratiquement indépendant de leur niveau d'instruction relatif. Le fait d'acquérir un diplôme supérieur à celui de son père ne garantit pas à l'individu une position sociale plus élevée ; un diplôme équivalent peut conduire à un déclassement, et il arrive aussi qu'un diplôme inférieur ne soit pas incompatible avec une mobilité ascendante. Pour Raymond Boudon, le paradoxe s'explique essentiellement par l'*inflation scolaire*, phénomène comparable à l'inflation monétaire et qui est dû à un décalage entre le nombre de diplômes distribués et le nombre de positions sociales disponibles. Alors que le nombre de positions sociales élevées n'augmente pas ou augmente peu du fait d'une mobilité structurelle qui plafonne, le nombre de diplômes augmente fortement, car il est rationnel, au niveau de chacun, de se lancer dans la compétition scolaire dans l'espoir d'une mobilité sociale ascendante.

École et reproduction sociale

L'école, en dépit des espoirs qui étaient placés en elle, permet donc occasionnellement une mobilité sociale individuelle ascendante, mais ne corrige pas globalement les inégalités sociales. Si tous les sociologues s'accordent sur ce constat, ils ne donnent pas tous les mêmes explications.

Bourdieu, *La Reproduction* ►
Voir p. 506

Classe dominante ►
Voir p. 374

Pour Pierre Bourdieu et Jean-Claude Passeron (*Les Héritiers*, 1964 ; *La Reproduction*, 1970), l'école a comme fonction sociale de légitimer la reproduction sociale. Elle permet à la classe dominante de maintenir ses positions sociales tout en faisant accepter ces inégalités de position par l'ensemble de la population. Ce mécanisme repose sur des règles du jeu scolaire ou, du moins, universitaire (valorisation des connaissances pures et « désintéressées », de la compétence linguistique, de l'abstraction, etc.) qui donnent un avantage immédiat à ceux dont l'*habitus* est déjà formé dans ce sens. Tous les élèves et étudiants qui, par leur éducation, privilégient le travail manuel, le concret, l'utile, etc., se sentent peu d'affinité avec l'école. Sous couvert de sélection technique, s'opère donc une sélection sociale qui rend légitimes les inégalités.

Habitus ►
Voir p. 507

La perspective est tout autre dans *L'Inégalité des chances*, publié en 1973 par Raymond Boudon, même s'il reconnaît que les inégalités culturelles sont un des facteurs explicatifs de l'inégalité des chances. Conformément au cadre théorique caractéristique de l'individualisme méthodologique, il explique l'inégalité des chances à l'école par les stratégies d'acteurs. Il remarque qu'à résultats scolaires égaux, les familles populaires optent plus souvent que les familles aisées pour une fin d'études ou des études courtes. Cette *autosélection scolaire* (sortie du système scolaire ou orientation négative décidée par l'élève et sa famille sur la base de critères autres que le niveau de réussite scolaire) est, pour lui, le signe d'une stratégie menée par des acteurs rationnels. Les familles aisées trouvent au risque de mobilité descendante un coût supérieur à celui entraîné par la poursuite des études et choisissent cette dernière éventualité. L'école n'est donc pas responsable de cette inégalité des chances qui s'explique, avant tout, par les stratégies de famille.

Boudon ►
Voir p. 510

Individualisme méthodologique ►
Voir p. 393

Des travaux plus récents effectués dans une perspective microsociologique confirment également le rôle reproducteur de l'institution scolaire. Bernard Charlot (*Le Rapport au savoir en milieu populaire*, 1999) s'attache par exemple à analyser les trajectoires scolaires en reliant les échecs et les succès à ce qu'il appelle le ***rapport au savoir*** défini comme la façon dont chaque enfant se positionne par rapport à l'apprentissage. Selon cette analyse, le profil des élèves et leur trajectoire dépendent en grande partie de leur rapport au savoir, qui est à la fois individuel et collectif. La corrélation entre réussite scolaire et catégories sociales s'explique certes par les déterminismes sociaux, les stratégies individuelles, mais aussi par l'expérience vécue de chacun. De son côté, François Dubet ajoute un élément au débat autour de l'égalité des chances et de la justice scolaire (*Qu'est-ce qu'une école juste ?*, 2004). Selon lui, quel que soit le degré de démocratisation que l'école puisse atteindre, il y aura toujours des « gagnants » et des « perdants », et une école juste se doit de traiter dignement ceux qui échouent dans la compétition scolaire. Le lot et le destin des « mauvais élèves » pose la question du socle minimum de compétences que doit apporter le collège unique.

En tout cas, tous ces travaux justifient amplement toutes les *politiques de discrimination positive à l'école*, qui consistent à accorder plus de moyens aux établissements scolarisant des enfants issus de milieux défavorisés (politique de l'éducation prioritaire), à donner plus de moyens aux élèves issus de milieux défavorisés pour qu'ils puissent intégrer les grandes écoles, ou encore à fixer des quotas d'admission en fonction de critères ethniques ou sociaux.

20

INTÉGRATION ET SOLIDARITÉ

A   Les mutations des formes d'intégration

- Le lien social face à l'individualisme
- L'exclusion, une problématique nouvelle ?

B   Des instances d'intégration qui voient leur rôle s'affaiblir

- La famille
- L'école
- Le travail
- La protection sociale
- L'intégration citoyenne en question

des comportements individuels. Il résulte de ce qui précède que l'individualisme méthodologique s'oppose au **déterminisme** qui postule que l'individu est le produit des structures sociales, les intentions et les objectifs des agents sociaux étant eux aussi le produit de ces structures sociales (ce postulat déterministe se retrouve, par exemple, dans certains écrits de Marx ou de Durkheim).

Marx ▸
Voir p. 525
Durkheim ▸
Voir p. 496

■ L'individualisme, une menace pour le lien social ?

La progression de l'individualisme est un phénomène qui s'inscrit dans la durée. Dès les XIVe et XVe siècles en Europe, avec la Renaissance, se dessinent peu à peu des évolutions qui consacrent le **primat de l'individu**, c'est à dire une nouvelle manière de penser la destinée humaine, de la construire en échappant à la tutelle des clans, de la famille ou encore de la religion ; c'est alors le point de départ de la **modernité**, mouvement d'affranchissement des individus reposant sur l'émergence de valeurs nouvelles, à savoir la raison contre les croyances, l'égalité contre les privilèges, la liberté contre l'oppression. Ce mouvement très vaste accompagne l'urbanisation, l'ascension de la bourgeoisie, la conquête des droits de l'homme, le déclin de l'Église. Il a aussi une traduction dans la pensée philosophique, avec Montaigne qui affirme dans ses *Essais* que l'homme est la mesure de toute chose, avec Descartes qui proclame son célèbre « je pense, donc je suis », ou encore avec Kant au XVIIIe siècle qui propose de fonder la morale sur l'autonomie de l'individu et non sur une quelconque contrainte extérieure.

Si l'époque des Lumières a perçu le progrès de l'humanité comme pouvant résulter de l'individualisme, la sociologie naissante se constitue à la fin du XIXe siècle sur l'inquiétude inverse du maintien de l'ordre social et de la menace que représente le délitement de cet ordre social traditionnel. C'est ainsi que Durkheim, un des pères fondateurs de la sociologie, s'interroge dans *De la division du travail social* (1893) sur les causes et conséquences de l'approfondissement du principe de la division du travail à l'époque moderne. Il décrit ainsi le passage d'une **solidarité mécanique** qui est une solidarité par similitude, caractéristique des sociétés traditionnelles où la division du travail est faible et les individus peu différenciés les uns des autres, à une **solidarité organique** qui est une solidarité par différenciation où la division du travail est forte et où les individus

Division du travail ▸
Voir p. 212

revendiquent leur autonomie par rapport aux groupes d'appartenance. La solidarité organique caractériserait les sociétés modernes
dans lesquelles l'individu est moins prisonnier de normes sociales
impératives. Dans les sociétés où domine la solidarité organique, le
lien social est donc fondé sur les relations complémentaires entre les
individus et sur leur coopération librement consentie.

Ces sociétés peuvent cependant connaître un risque d'*anomie*
que Durkheim définit comme un dérèglement social provenant
d'une insuffisante coordination entre les différents organes de la société, ou encore du fait que les désirs des individus deviennent dis-
proportionnés par rapport à leur situation objective, cette dernière
situation résultant de l'affaiblissement de l'influence des normes et
des valeurs sur le comportement des individus.

Au début des années 1980, du fait des changements importants
qui ont affecté l'économie et la société des pays développés depuis
la fin de la Seconde Guerre mondiale, le discours sur les dangers de
l'individualisme revient avec l'avènement de ce que certains sociologues ont appelé la *seconde modernité*, caractérisée par le déclin
du militantisme, l'augmentation du libéralisme, le développement
de la sphère privée et la dislocation de la famille traditionnelle. À
cette époque, certains sociologues décrivent l'individu comme dé-
semparé face au relâchement des régulations sociales traditionnelles
(*L'ère du vide* de G. Lipovetsky qui voit l'individu comme un être à la
fois narcissique et apathique).

◄ **Militantisme**
Voir p. 479

Il faut attendre le début des années 1990 pour voir surgir une analyse plus positive de l'individualisme : pour Jean-Claude Kaufmann
(*Ego*) ou pour François de Singly (*Les uns avec les autres*), de même
que pour des sociologues comme François Dubet ou Bernard Lahire,
l'individualisme peut être en tant que tel porteur de lien social. Si on
prend l'exemple de la famille, on constate en effet avec François de
Singly que, s'il est vrai que la famille ne fonctionne plus à l'obligation mais à l'amour, et que l'amour est plus précaire, il n'en reste pas
moins que les liens familiaux ne sont pas désagrégés ; les réseaux
d'aide au sein de la famille sont bien présents, qu'il s'agisse d'une
aide directe des parents, de solidarités collatérales (frères et sœurs)
ou d'une aide fournie par les grands-parents.

Dans ces conditions, le bilan de l'individualisme doit être tempé-
ré : s'il est vrai que l'individu s'affranchit de plus en plus des règles
morales et des structures d'appartenance, cela ne le rend pour autant
pas totalement désengagé et face à lui-même ; son engagement est

différent, à la fois multiple et relatif, plus adapté à la vie moderne en cumulant un investissement important dans le travail, le couple, la famille, les amis, les réseaux associatifs…

■ L'exclusion, une problématique nouvelle ?

Pauvreté et exclusion

Pauvreté ►
Voir p. 430

La notion d'exclusion doit être distinguée de celle de pauvreté. En effet, la pauvreté matérielle n'est pas toujours source d'exclusion. Dans *La Culture du pauvre* (1957), Richard Hoggart, étudiant les classes populaires anglaises, a bien montré, par exemple, comment celles-ci, en dépit de faibles revenus et de conditions d'existence objectivement difficiles, étaient caractérisées par une forte solidarité de groupe et une vie dense et socialement riche. Ainsi, si la pau

Trente
Glorieuses ►
Voir p. 158

vreté existe pendant les Trente Glorieuses, elle n'est pas forcément excluante. Dans les années 1960, le terme exclusion renvoie plutôt à l'idée d'un sous-prolétariat caractérisé par la marginalité sociale, et dans les années 1970 comme une « pathologie sociale » qui rassemble tous les « laissés-pour compte » de la prospérité (handicapés physiques ou mentaux, délinquants, suicidaires, alcooliques, etc.). C'est à partir des années 1980 que la notion d'exclusion commence à désigner une nouvelle réalité, celles de personnes jusque-là intégrées dans la société, mais dont l'appartenance à la collectivité est fragilisée par la dégradation de leur situation économique et sociale. Aujourd'hui, dans une perspective statique, on définit l'*exclusion sociale* comme le fait d'être privé de lien social, et, dans une perspective dynamique, comme un processusconduisant à l'isolement des individus en raison de l'absence de travail rémunéré et de la fragilisation des groupes d'appartenance, notamment la famille.

Même si elle est désormais entrée dans le langage courant, la notion d'exclusion sociale est souvent critiquée par les sociologues qui lui reprochent d'être réductrice, car ni les « exclus » ni les « inclus » ne forment des catégories sociales homogènes. En effet, le terme exclusion laisse supposer qu'il existerait des individus à l'extérieur de la société. Or, les exclus sont parfois intégrés dans des groupes sociaux . C'est pourquoi les sociologues ont cherché d'autres concepts pour rendre compte de ce phénomène : celui de désaffiliation sociale pour Castel ou de disqualification sociale pour Paugam.

La désaffiliation sociale

Robert Castel (*Les Métamorphoses de la question sociale*, Fayard, 1995) insiste sur cette perte du lien social qu'il décrit comme un phénomène de désaffiliation sociale.

La **désaffiliation sociale (selon Castel)** est un processus de fragilisation du lien social en raison d'une précarisation de l'emploi et d'un affaiblissement des solidarités de proximité (familiales en particulier).

Castel montre que la réglementation du marché du travail et la mise en place d'une protection sociale au cours du XXe siècle ont permis de sécuriser la condition ouvrière et d'intégrer les ouvriers.

L'exclusion se développe surtout à partir des années 1980, au moment où la remise en cause de la stabilité de l'emploi prive une partie des salariés de revenus stables et de droits sociaux. Certains salariés sont alors passés d'une **zone d'intégration (selon Castel)** caractérisée par un travail permanent et la possibilité de mobiliser des relations solides à une **zone de vulnérabilité (selon Castel)** définie par la précarité de l'emploi et/ou une fragilité des relations sociales, sans pour autant basculer dans l'exclusion. La « déstabilisation des stables » produit des effets dramatiques à la périphérie du monde du travail, et surtout par rapport à ceux qui connaissent déjà des formes d'instabilité. Castel envisage ainsi l'exclusion comme le résultat d'une remise en cause de la « société salariale » : la société salariale est une société qui procurait, contrairement à ce qu'était le salariat au XIXe siècle, une protection générale des travailleurs, à la fois dans le monde du travail, mais aussi à l'extérieur de celui-ci, à travers la mise en place de la figure de l'État-providence.

◀ **Droits sociaux**
Voir p. 405

La disqualification sociale

Serge Paugam (*L'Exclusion, L'état des savoirs*, 1996) montre que l'exclusion sociale actuelle tient ses caractéristiques essentielles du traitement social de la pauvreté. Ainsi, il distingue trois formes de pauvreté. La **pauvreté intégrée** est la situation d'un groupe social très étendu dont le niveau de vie est bas, mais qui n'est pas marginalisé dans la société en raison de son importance numérique. Telle était la situation des paysans dans les sociétés traditionnelles. Ceux-ci bénéficiaient, tant que la situation ne devenait pas dramatique, d'une solidarité de proximité, familiale d'abord, communale ensuite.

La **pauvreté marginale** est le fait, dans les sociétés industrielles avancées, d'une petite frange de la population dont le niveau de vie est bas, mais qui semble numériquement en voie de disparition. C'était le cas du « quart monde » en France au cours des Trente Glorieuses. Le développement de la protection sociale (dont ils n'étaient pas les premiers bénéficiaires) favorisait alors la substitution d'une solidarité institutionnelle à une solidarité de proximité. La **pauvreté disqualifiante** est la situation d'une population assez importante, disqualifiée socialement en raison d'une prise en charge par les institutions. Le statut d'« exclus » est accolé aux pauvres par les institutions chargées de les aider. L'exclusion n'est alors qu'une pauvreté stigmatisée et les « exclus » sont victimes d'un phénomène de disqualification sociale. Pour identifier cette pauvreté disqualifiante, Paugam s'appuie notamment sur les approches interactionnistes et la réflexion de Simmel sur les pauvres (texte de 1907) : un **pauvre (selon Simmel)** rejoint la pauvreté à partir du moment où il est assisté, ce qui signifie que le groupe des pauvres ne se définit pas en lui-même, mais par l'attitude collective que la société porte à son égard.

La **disqualification sociale (selon Paugam)** est donc un processus de stigmatisation sociale des personnes aux revenus primaires faibles ou inexistants dès lors que ces individus intériorisent l'étiquette d'« exclus » que leur attribuent les différentes institutions, en particulier celles gérant les aides sociales.

Cette disqualification sociale est le résultat d'un processus rythmé par trois étapes importantes :

– une phase de fragilité du salarié en raison d'incertitudes sur le revenu liées à la précarité de l'emploi (CDD, travail intérimaire) ;

– une phase de dépendance au cours de laquelle les personnes sont régulièrement assistées par des services sociaux. Elle débouche sur un étiquetage dévalorisant pour le bénéficiaire de l'aide sociale ;

– une phase de rupture marquée par une succession d'échecs qui entraîne une marginalisation telle que l'aide sociale ne permet plus la réintégration dans la vie active (ex. : SDF).

Protection sociale ►
Voir p. 404

Institution ►
Voir p. 323

B Des instances d'intégration qui voient leur rôle s'affaiblir

■ La famille

Une crise de la famille ?

D'une certaine façon, on peut considérer que la famille subit de plein fouet la crise du lien social. Elle est le réceptacle de change- ments qui affectent la société prise dans sa globalité. C'est ainsi que Durkheim dans *La Famille conjugale* (1892) notait déjà que celle-ci, par son repli sur le domestique, le relationnel et l'affectif, risquait d'engendrer plus d'anomie.

◁ **Crise du lien social**
Voir p. 392

◁ **Anomie**
Voir p. 395

Les transformations familiales que sont l'augmentation des di- vorces ou la multiplication des familles monoparentales présentent des risques de désinsertion sociale, surtout lors de certains moments clés de l'existence. Les modalités de passage de la jeunesse à l'âge adulte peuvent s'en trouver compromises, car, si l'individu ne trouve pas d'emploi et ne bénéficie pas de solidarités familiales, il risque de se trouver engagé dans un processus d'exclusion sociale. De même, la séparation conjugale peut devenir un facteur de risque d'exclusion. Les statistiques montrent que les problèmes de pauvreté touchent fréquemment les familles monoparentales.

Une institution toujours structurante

Cependant, pour de nombreux sociologues, les changements de la famille sont plutôt le signe d'une transformation des normes et valeurs qui affectent la société toute entière, et qui ne méritent pas spécialement une évaluation négative. Irène Théry (*Couple, filiation et parenté aujourd'hui*, 1998) considère que l'évolution de la famille se caractérise par trois mutations majeures. La première est celle de l'*individualisation de la famille* c'est-à-dire un processus qui consiste à faire de l'individu, au sein de la famille, un centre de décision autonome. La formation et la pérennité des couples sont affectées par ce processus. Autrefois affaire de famille, le mariage est devenu l'expression de choix individuels, et sa durée dépend des gratifications qu'en tire chacun des conjoints. La progression conti- nue des divorces est l'expression de ce processus d'individualisa- tion. Avec la montée de l'individualisme, la famille ne se pense plus

◁ **Norme**
Voir p. 332

◁ **Valeur**
Voir p. 332

comme un groupe soudé, mais comme un réseau formé d'acteurs plus ou moins autonomes. La deuxième mutation correspond à un mouvement de privatisation, déjà bien perçu par Tocqueville en son temps : progressivement, la famille se coupe de l'extérieur. La *privatisation de la famille* est un processus qui renforce le caractère privé de la famille et la met à l'abri des interventions de la société et, en particulier, des réglementations étatiques. D'institution, elle serait devenue instituante puisque c'est elle qui fixe désormais ses propres règles et amène le législateur à transformer les lois. La troisième mutation est le pluralisme des modèles : l'individu cherchant avant tout à « se réaliser », il privilégie l'échange électif et intersubjectif, ce qui peut déstabiliser les relations privées habituelles, et notamment celles qui sont instituées dans le cadre de la famille. Une autre façon d'appréhender ces mutations est de mettre l'accent sur la « conjugalisation » de la famille (François de Singly, *Sociologie de la famille contemporaine*, 1993). De plus en plus, la conjugalité s'autonomise par rapport à la parentalité et aux cadres institués. Cela ne veut pas dire que les liens de parenté ne font plus partie de l'univers social des individus, mais que le sens de ces liens a désormais changé. Ceux-ci doivent maintenant être vécus selon un principe d'élection et non de contrainte, les devoirs familiaux faisant l'objet de négociations et n'étant plus vécus comme des obligations.

D'une manière plus générale, la famille apparaît comme un pôle de résistance au changement social. La tradition sociologique invite à développer un tel point de vue. Déjà au XIXe siècle Frédéric Le Play (*L'Organisation de la famille*, 1884) voyait dans la famille souche une forme idéale de famille, dans son rôle de maintien des valeurs et des traditions, menacées par la révolution industrielle de l'époque.

Aujourd'hui, par analogie, on peut mettre en relief la très forte solidarité qui existe à l'intérieur des familles. En dépit du discours sur l'individualisation et la privatisation des relations familiales, la solidarité familiale s'exerce bien souvent sur trois générations, et on constate, par exemple, que la génération pivot (génération installée dans la vie active, entre celle des jeunes qui est en formation, et celle des seniors retraités) fait des dons d'argent à ses enfants dans 64% des cas et apporte des services à ses parents dans 88 % des cas (Claudine Attias-Donfut, « Le double circuit des transmissions », in *Les Solidarités entre générations*, 1995).

Dans une perspective plus macrosociologique, on peut aussi montrer que la famille reste un des principaux lieux de la reproduction

Tocqueville ▶
Voir p. 490

Institution ▶
Voir p. 323

Changement social ▶
Voir p. 414

Reproduction sociale ▶
Voir p. 375

sociale. Les familles les plus favorisées mettent en place des stratégies pour pérenniser leur situation privilégiée en mobilisant leur capital économique, social et culturel, afin de garantir à leurs enfants la meilleure position sociale. De fait, elles font obstacle au principe de l'égalité des chances et de la mobilité sociale basée sur le mérite, et résistent donc au changement social.

Si les transformations de la famille actuelle sont patentes, elles ne doivent pas être interprétées nécessairement comme le signe, ou comme la cause, d'une dissolution du lien social. La famille « résiste », ce qui signifie qu'elle représente bien souvent un pôle de stabilité dans un environnement économique et social qui change sans cesse. Par ailleurs, comme l'a bien montré la théorie fonctionnaliste (Parsons), quand la famille change, c'est qu'elle s'adapte aux exigences des temps nouveaux. S'il faut se méfier d'un fonctionnalisme excessif et pré-scientifique, force est d'admettre que le passage de la famille souche à la famille nucléaire était nécessaire, comme est aujourd'hui nécessaire la transition vers des formes familiales plus flexibles, et davantage soucieuses de l'épanouissement des individus. Une partie des sociologues relativisent donc la thèse de la désinstitutionalisation en constatant notamment que le droit ne se désengage pas toujours, comme le montre la mise en place du *Pacte civil de solidarité (PACS)*, institué par la loi du 15 novembre 1999, qui est un engagement contracté entre partenaires quel que soit leur sexe et qui précise les droits et devoirs de chacun en matière de fiscalité, d'héritage, et de solidarité mutuelle). Plus globalement, l'État continue d'orienter les choix familiaux par le biais de la *politique familiale* qui est l'ensemble des interventions publiques visant à aider financièrement les familles (ex. : allocations familiales) ou à produire des services en concurrence ou en complémentarité avec elles (ex. : crèches).

◄ **Fonctionnalisme**
Voir p. 502

■ L'école

Une instance au cœur de l'intégration sociale

L'école républicaine, dès la fin du XIXe siècle, a été pensée comme le creuset de l'intégration citoyenne. Les « hussards noirs » de la IIIe République (les instituteurs) se sont vus attribuer une mission sociale qui dépassait largement la seule transmission de l'instruction et du savoir. Vécue comme organisant la mixité sociale, l'école est censée abolir, dans le temps scolaire, les frontières de classe et transmettre une « morale sociale » commune créatrice de lien social. Favorisant d'autre part la mobilité sociale, elle devient un des maillons forts de l'égalité des chances et du principe méritocratique, fondement de l'ordre républicain. Le *principe méritocratique* est le principe selon lequel la réussite (en terme de revenu et de statut social) est directement lié aux efforts et aux qualités personnelles de l'individu.

La massification scolaire et la démocratisation scolaire mises en œuvre à partir des années 1960 ont pu donner le sentiment que l'école remplissait cette mission de manière satisfaisante. La *massification scolaire* désigne l'augmentation des effectifs scolarisés et renvoie donc à la démocratisation quantitative alors que la *démocratisation qualitative* est la réduction des écarts en matière de réussite scolaire aux différents niveaux d'enseignement qui subsistent entre les différents groupes sociaux et renvoie à l'égalité des chances.

Les limites de l'école comme vecteur de l'intégration sociale

Cependant, le rôle intégrateur de l'école est aujourd'hui analysé comme défaillant pour une partie du corps social. En effet, la massification a consisté à intégrer à l'institution scolaire des publics nouveaux, culturellement plus éloignés des attentes traditionnelles de l'école et moins détenteurs de la culture savante. L'école ne parvient pas à répondre à ces décalages et une forte minorité de chaque génération continue à rester à l'écart de sa fonction intégratrice en sortant du système scolaire sans diplôme qualifiant.

Dans le même temps, l'attribution d'un nombre croissant de diplômes (inflation scolaire) conduit à leur relative dévalorisation comme passeport d'intégration dans la vie active ce qui est à l'origine d'un sentiment de désillusion et de frustration par rapport aux espérances. Ce décalage renvoie donc au rôle que joue l'école dans la reproduction des inégalités et à son impact ambigu sur la mobilité sociale individuelle (paradoxe d'Anderson).

Les politiques de discrimination positive dans l'univers scolaire tentent, en partie, de répondre à ces problématiques.

■ Travail et intégration

Chômage ▶
Voir p. 132

Précarité ▶
Voir p. 208

La remise en cause apparente de la valeur travail

Le chômage et la précarité (CDD, intérim) mettent en cause l'aspect protecteur du travail. Il devient moins possible de fonder un système de protection sociale sur le travail à partir du moment où des personnes ne cotisent pas ou pas assez. Plus généralement, c'est le salariat qui s'effrite, car même ceux qui ont un emploi n'ont plus assez de garanties sur le futur, ce que Castel appelle la « déstabilisation des stables ».

Par ailleurs, le travail semble moins central dans la vie des personnes. Depuis mars 1848 et la loi sur la durée du travail limitée à 11 heures, le temps de travail n'a cessé de diminuer : repos hebdomadaire en juin 1906, journée à 8 heures en avril 1919, 40 heures par semaine et deux semaines de congés payés en juin 1936, cinquième semaine de congés payés et semaine de 39 heures en mai 1981, semaine de 35 heures en juin 2000). Alors que, pendant la révolution industrielle, l'essentiel du temps de la vie humaine était passé à la production, aujourd'hui le temps dominant est un temps hors travail (temps libre, études, retraite, loisir). Dans ces conditions, on ne pourrait plus continuer à faire du travail le centre de la société. Les modes de vie, les identités, les représentations sociales ne seraient plus construits sur le travail. C'est au contraire dans le temps libre que les modes de vie se construiraient.

◄ Révolution industrielle
Voir p. 177
◄ Loisir
Voir p. 334
◄ Représentation sociale
Voir p. 381

Le travail continue d'être central dans la vie des individus

Le fait que les personnes consacrent moins de temps au travail dans leur existence n'empêche pas que celui-ci demeure central dans la vie des individus. C'est un facteur d'intégration systémique, car il permet de s'intégrer à la société de consommation de masse et de se conformer ainsi au standard de niveau de vie. C'est également toujours un facteur d'intégration communautaire, car il permet de s'intégrer dans les collectifs de travail que sont l'atelier, l'équipe, le service, ou encore le syndicat. C'est aussi un élément fondamental dans la construction des multiples identités de l'individu.

◄ Consommation de masse
Voir p. 213
◄ Niveau de vie
Voir p. 42
◄ Syndicat
Voir p. 416

À cet égard, on peut distinguer les identités construites dans l'entreprise et les identités construites en dehors de l'entreprise. Parmi les identités construites dans l'entreprise, on distingue l'*identité fusionnelle* qui concernait les ouvriers non qualifiés et les employés de bureau des années 1960-1970 et qui consistait en une opposition brutale entre le « eux » (les patrons) et le « nous » (les ouvriers »), l'*identité de métier* qui est liée à une expertise, une connaissance exclusive du travail et une maîtrise des informations pertinentes, l'*identité d'entreprise* qui caractérise les salariés qui s'identifient à

– une crise financière : le déficit des comptes de la protection sociale s'est largement accru, en particulier dans la branche santé et dans la branche vieillesse. Ce constat conduit à une *fiscalisation des recettes*, c'est-à-dire une augmentation de la part des impôts dans les ressources de la protection sociale, fondées à l'origine sur les cotisations sociales. Concrètement, cette fiscalisation se traduit par la création en 1990 de la CSG (Contribution sociale généralisée) qui est un impôt s'appliquant à la plupart des revenus (salaires, revenus non-salariaux, retraites, revenus du patrimoine, etc.) ;

– une crise de légitimité : le consensus sur la légitimité de la mise en œuvre de la solidarité collective autour des risques sociaux est fragilisée par la montée de l'individualisme, d'une part, et par la multiplication des situations sociales qui conduisent certains individus à dépendre de l'aide sociale. Le système était fondé sur le statut d'*assuré social* (individu ayant acquis des droits sociaux du fait de ses cotisations). Or, du fait de la montée du chômage et, en particulier du chômage de longue durée, la situation d'*assisté social* (individu dont les ressources dépendent essentiellement des prestations sociales) concerne de plus en plus de personnes qui sortent ainsi du système d'assurance ;

– une crise d'efficacité : les prestations sont, pour une large part, versées sans condition de ressources. En bénéficient donc largement des catégories favorisées qui ont aussi la possibilité d'y ajouter des assurances supplémentaires. Il a donc fallu ajouter aux mécanismes d'assurance des prestations fondées sur l'assistance telles que la *CMU (Couverture maladie universelle)* qui instaure, en 1999, un droit au remboursement des dépenses d'assurance maladie pour toute personne établie qui a établi de façon stable et régulière sa résidence sur le territoire national et dont les ressources sont inférieures au plafond défini.

■ L'intégration citoyenne en question

Citoyenneté et particularismes

L'idée d'un citoyen dégagé de ses appartenances à une communauté ne résiste pas à l'analyse. Dès les années 1960 aux États-Unis, une partie des organisations « noires » a dénoncé le leurre d'une citoyenneté égalitaire qui ne permettait pas aux Afro-Américains de